FERR

WERKEN VAN BARMHARTIGHEID

Voor Lilian

Louis Ferron

Werken van barmhartigheid

ROMAN

2003
DE BEZIGE BIJ
AMSTERDAM

Deze roman is mede tot stand gekomen dankzij de steun van het Fonds voor de Letteren.

Copyright © 2003 Louis Ferron
Omslagontwerp Robert Nix
Omslagfoto Photonica / Image Store
Foto auteur Lilian Blom
Typografie Peter Verwey
Druk Hooiberg, Epe
ISBN 90 234 1163 3
NUR 301

‘De vijand is onze eigen vraag als gestalte.’
Carl Schmitt, Theodor Däubler citerend in:
Der Begriff des Politischen.

‘En de derde engel goot zijne fiool uit in de rivieren
en in de fonteinen der wateren; en de wateren werden
bloed.’
Openbaring 16:4

‘...en een ander boek werd geopend, dat des levens is;
en de doden werden geoordeeld
uit hetgeen in de boeken geschreven was,
naar hunne werken.’
Openbaring 20:12

PREAMBULE

Wat ik wist, wat ik zeggen wilde... ongezegd liet omdat ik het wellicht ooit op wilde schrijven... ongeschreven liet... in die vorm althans die mij voor ogen had gestaan: die van de waarheid omtrent mijzelf. Zodat ik uiteindelijk niets beters wist te doen dan...

DEEL I

1

Wat Oolsdorp me vertelde, is een geschiedenis die ik zelf mee heb helpen schrijven. Niet alleen omdat mijn chef, die een op sensatie beluste cynicus was en is, mij daartoe de opdracht gaf, maar ook omdat ik er zelf ten diepste van overtuigd was dat zweren zoals die toen dreigden uit te breken, dienden te worden uitgesneden.

Waar Oolsdorp zich er nog luchtigjes van af had gemaakt met komisch bedoelde overdrijvingen, daar bleek in die keurige buurt achter het Houtmanpad heel wat meer te branden dan de toen recente verkiezingsuitslagen te vermoeden hadden gegeven. Volgens die uitslagen bleek geen andere conclusie denkbaar dan dat die wijk bewoond werd door gematigd denkende, hardwerkende mensen met een lichte neiging tot idealisme, voorzover dat laatste althans hun mening over ziekenfondspremie en pensioenverzekering betrof. Andere gevoelens moeten schuil zijn gegaan achter het openlijk beleden fatsoen dat ze kennelijk niet op hun kroost hadden kunnen overbrengen. Te volgepropt als dat was met Twixen en Breezers, om de denktrant van Oolsdorp aan te houden. Niet meer bevattelijk voor wat dan ook.

Oolsdorp had het over onomstotelijke bewijzen gehad. En ja, ook ik had daar in die tijd niet omheen gekund. Er had systeem in de ingezonden brieven gezeten. Zoals er systeem zit in de kristalvorming van vloeistoffen of het vloeibaar worden van gassen. Zoals er systeem in de chaos lijkt te zitten: scheuren in het behang die zich vertakken, vertakkingen die zich op hun beurt vertakken in grillige lijnen die niettemin een weldoordacht, zich herhalend patroon vormen. Aanvankelijk had ik nog gedacht: het is alles leugen, zwendel. Heel de stad is mij gevolgd in mijn ondergrondse zwerftochten. Wat aan verdachtmakingen op mijn bureau belandt, wat aan corpora delicti verzameld wordt – wegwerpspuiten, bebloede kledingstukken – het zijn de emanaties die ik zelf heb opgeroepen. De hysterie die de kop op begon te steken moest het spook van mijn eigen verbeelding zijn.

Alles waaraan ik mij de afgelopen jaren geërgerd had – mislukt huwelijk, bestuurlijke incompetentie, gescharrel en gesjacher met bouwvergunningen, renovatie- en innovatieplannen, gebouwde en onmiddellijk daarop weer afgebroken schouwburgen en gerechtshoven, gifvondsten onder kathedralen, lijken in kasten, tussen komma's en paragraafcijfers weggemoffelde blunders – dat alles had ik achteloos in de bakkersoven geschoven om het te kunnen afdoen als de onvermijdelijke gevolgen van de geografische ligging van de stad in de oksel van een te traag stromende rivier. Miasmen! 'Het Spaarne stroomt, het Spaarne stroomt,' zoals een Haarlemse dichter eens geschreven heeft, maar het stromen is altijd een stroperige affaire geweest. Vanaf het moment dat graaf Jan, Dirk of Floris hier zijn jachtslot op Het Zand heeft gebouwd, is de gang van het Spaarne gestremd tot dat onverstaanbare gemurmel dat leugens en legendes in het leven roept.

Sinds het proces woont hij permanent op de boerenhofstede bij Angerloo die hij ooit als tweede woning heeft aangeschaft. Niettemin lijkt het huis wel 'gebarricadeerd', zoals zijn buren zeggen, 'terwijl je aan alles voelt dat hij er is. Het hangt in de lucht, hè.'

Over een telefoon beschikt hij niet, brieven beantwoordt hij niet, vertegenwoordigers van de pers schijnt hij met een jachtgeweer op afstand te houden.

Oolsdorp heet hij, Bernhard Oolsdorp. De laatste keer dat

hij op de televisie verscheen oreerde hij: 'Er valt niets te prijzen, niets te vervloeken, het meeste is belachelijk. Alles is belachelijk als je aan de dood denkt. De tijden zijn waanzinnig. Het demonische in ons is een kerker waarin de elementen van domheid en kritiekloosheid tot dagelijkse behoefte zijn geworden. De politiek is een stelsel dat voortdurend tot mislukken, het volk zodanig dat het ononderbroken tot infamie en krankzinnigheid veroordeeld is; het leven van een hopeloosheid waarin de heren filosofen zich maar al te graag wentelen en waaraan alles ten slotte te gronde moet gaan. Wij zijn Hollanders en zijn apathisch op een wijze die je rustig hysterisch mag noemen. Wij beoefenen het leven op een wijze die het leven niet serieus neemt. Wij hebben niets te melden dan dat wij erbarmelijk zijn. Middelen tot het doel van de ondergang, creaturen van de doodsnood. Wat aan ons geopenbaard wordt, negeren wij met montere minachting. Toch behoeven wij ons niet te schamen, want wij zijn niets en wij verdienen niet beter niets te zijn dan de chaos die wij representeren.'

Het proces speelde omstreeks 1995. Bernhard Oolsdorp moet toen even over de vijfenzestig zijn geweest, zij het nog met ravenzwart haar, goedgeschoren en strak in het vel. Hij zal nu een grijsaard zijn.

Als je de krantenberichten uit die tijd moet geloven, was hij als jongeman nogal zwak van constitutie. Niet dat hij aan een gruwelijke kwaal had geleden. Eerder moest men denken aan zekere aberraties van de geest die een funeste invloed op zijn fysieke gesteldheid zouden hebben gehad, zodanig dat zijn gezondheid aan schoksgewijze inzinkingen onderhevig moet zijn geweest. De pers schreef over tijdelijke opnames in sanatoria dan wel in pleeggezinnen, waarbij het verschil tussen een en ander niet altijd even duidelijk te bepalen viel. Soms ook was er sprake van observatiehuizen voor kinderen die met de strafrechter in aanraking zijn geweest en voor wie, mits onder goede begeleiding, nog een veelbelovende toekomst in het verschiet leek te liggen. Het waren vaagheden die Oolsdorp zelf moet hebben opgeroepen zonder dat zittende of staande magistratuur of verdediging daar iets duidelijkers aan hadden kunnen toevoegen.

Bij het nalezen van de gerechtelijke stukken begon deze vaagheid mij meer en meer te intrigeren. Ik wilde deze Oolsdorp leren kennen. Om ook haar te leren kennen die, kort na het proces en ondanks het strenge toezicht waaronder zij na haar veroordeling geplaatst was, zichzelf had verhangen zonder ook maar met één letter verantwoording voor haar daden én haar zelfmoord te hebben afgelegd.

Mijn eerste poging tot contact met Oolsdorp was een formeel gestelde brief geweest, waar ik geen antwoord op had gekregen. Hij zou, zo hoorde ik in de omgeving, goede, wellicht zelfs intieme banden onderhouden met de dochter van een voormalige partijfunctionaris van de NSB die, ongetwijfeld om die reden, eveneens alle contact met de buitenwereld vermeed. Niettemin bleek ze telefonisch gemakkelijk bereikbaar. Haar stem klonk, hoewel ze ongeveer van dezelfde leeftijd als Oolsdorp moest zijn, ongewoon jeugdig. Geen spoor bovendien van schuld of schaamte. Ze moet, dacht ik onwillekeurig, het slachtoffer zijn van de door Oolsdorp gesignaleerde apathische hysterie.

Het was een heldere winterdag met een nu en dan zelfs stekende zon die de bruintinten van de bospercelen tot goud omtoverde en het groen van de tussenliggende weilanden deed oplichten als goed verzorgde cricketvelden. Daar waar de bomen of spaarzame boerderijen hun schaduw wierpen, ging alles schuil onder het tedere suikerbakkerswerk van de rijp. Schoolkinderen die op de fiets passeerden waren dik ingepakt in kleurige jacks. Aan het einde van een akker reed geluidloos een tractor door het beeld. Dit alles leek ver van Oolsdorps wereld.

Ergens in deze wereld ligt Angerloo, niet ver van Oolsdorps

boerderij. Een met leistenen belegd pad voert, door een keurig onderhouden voortuin, naar een in de catalogi 'boerderette' genoemde woning in een nieuwbouwwijk. In de deuropening stond 'de dochter', een voor haar leeftijd struise vrouw met wit, zorgvuldig gefriseerd haar en gekleed in wat ik verwachten mocht: een groene loden mantel waaronder nog net de Schotse ruiten van haar rok zichtbaar waren. 'Laten we maar meteen gaan.'

Toen ze naast mij in de auto zat, kwam ze meteen tot wat zij ter zake achtte. 'Die verhalen over mijn vader... ach, je moet de mensen hun pleziertjes gunnen. Ik ben te oud om me er nog tegen te verzetten. En daar komt bij: wat zal ik nog ongedaan maken wat de geschiedenis heeft aangericht? Een beroemdheid was hij in zijn tijd, dat is zeker. Maar wie kent zijn naam nog? Hem tegen de aantijgingen te verdedigen zou de smaad van de vergetelheid alleen maar verergeren. Het is zoals Bennie zegt: "Eens je kop eraf, voor altijd dood."'

Ik knikte om geen antwoord te hoeven geven.

'Hoe oud bent u?'

Op mijn antwoord plooiden haar lippen tot een glimlach. 'De jongelui begrijpen dat hopelijk beter, die hebben zelfs het laatste restje voor historische zin verloren.' En na even gezwegen te hebben: 'Daarom kan ik het u ook zeggen, hij was uiteindelijk een sloeber.' Weer viel een korte stilte. 'Wat ik van Oolsdorp niet kan zeggen. Ik bedoel, wat hij aanraakte werd goud, puur goud. Maar het stonk, voorzover goud stinken kan. Zelfs waar hij de helpende hand uitsteekt lijkt hij naar de hel te wijzen. Hij is tegen het leven, weet u? Alles wat hij doet of laat is ergens tegen gericht. Het zal wel met zijn moeilijke jeugd te maken hebben,' voegde ze, zich duidelijk van het cliché bewust, eraan toe.

Ik vroeg haar of ze van die jeugd op de hoogte was.

'Niet meer dan ik er destijds in de kranten van heb gelezen,' antwoordde ze schouderophalend. 'Dat hij al jong op eigen benen stond en op zijn zeventiende op zichzelf aangewezen was. Hij heeft nog een jaartje rechten gestudeerd, maar dat is niets geworden. Geld verdienen, daar moet hij uiteindelijk meer in hebben gezien. En ach, wat moet je ook anders met zo'n jeugd?'

Liefdesrelaties?

'Op zijn leeftijd? De boerderij is nog het enige wat voor hem telt.'

Ze was een vrouw die dingen verzwijgen kon in openhartigheid.

We verschenen onaangemeld. Mevrouw Irmgard – zo mocht ik haar noemen – zei terwijl we over het erf liepen: 'In eerste instantie zal hij zich wel als een pias gedragen. Dat doet hij altijd. Zo van: *mir nichts, dir nichts*. Maar vergis u niet, hij is een... nu ja, hij is Oolsdorp.'

Oolsdorps wagen, een metallic gespoten Opel Vectra, stak honend af tegen de roestrode tinten van het metselwerk van de boerderij, een hoeve van het Saksische model waarvan het woonhuis, met de allures van een notaris- of domineeswoning, haaks op de langwerpige stal is gebouwd.

Mevrouw Irmgard sloeg met haar gehandschoende hand op de voordeur. 'Bernhard,' riep ze, 'Bennie...'

Het bleef stil.

'Doe toch open, Bennie.'

Achter de deur klonk een slepende tred.

'Ik heb gezelschap.'

Waarop Oolsdorp klaaglijk repliceerde dat ze toch wist dat hij geen mensen velen kon.

Geen spoor meer van de man die hij ooit geweest moest zijn. Piekend, dun haar, inderdaad grijs, roos op de schouders van het vale tweedjasje. Tot spleetjes geknepen, wantrouwende ogen. Hij ging ons voor naar zijn sober, met versleten klassieke meubelen ingerichte woonkamer, die nauwelijks verwarmd was. Hij wees ons ieder een clubfauteuil, nam zelf plaats op een van de stoelen rond de eettafel en begon aan een eindeloze monoloog over 'de wereld die maar draait en draait... ja, de puree in, om niet te zeggen de stront want, zegt u nu zelf, de rottigheid schreit ten hemel en waar je je neus ook steekt, het stinkt. En bovendien...'

Mevrouw Irmgard onderbrak hem zo tactvol mogelijk met een verhaal over haar zoon, die secretaris van de een of andere Europese instantie in Brussel bleek te zijn.

Erg ver kwam ze niet met haar verhaal. Oolsdorp snoof verachtelijk. Er moesten draconische maatregelen genomen worden om het aantal kinderen dat op de wereld werd gezet te elimineren. 'Iedereen zanikt maar over het feit dat er te veel zijn. Maar aan het kindertjes maken komt geen eind en als ze ze eenmaal hebben, maar klagen over het feit dat ze voor galg en rad opgroeien. Castreren... alles en iedereen.'

Mevrouw Irmgard gooide het over een andere boeg.

'Piano's? Praat me niet van piano's. Een van mijn cliënten heeft me eens een piano aangeboden. Gratis en voor niets. Zou Cor de Groot nog op gespeeld hebben. Geen idee wie Cor de Groot was. En wat moest ik met een piano? Maar ik kon die vent natuurlijk niet voor zijn hoofd stoten. Grote jongen in het een of ander. Ik heb er zo'n Toyota-busje op afgestuurd. Nou, hoe ze ook hebben zitten passen en meten, die piano ging er natuurlijk van geen kant in. Was ik daar ook weer mooi van af.

Ja, ja, genadeloos moet je zijn. En al helemaal als de mensen zich vriendelijk aan je voordoen. Het is precies wat ik zei: de wereld draait en draait, maar hij draait nog het best als je hem een schop onder zijn kont geeft. Orde, tucht en matige voeding. Ik ben me van mijn leven nog niet te buiten gegaan aan...'

Tijdens zijn monologen wipte hij voortdurend met de voet van zijn linkerbeen, dat hij over het andere had geslagen, waardoor hij voortdurend zijn pantoffel verloor, die hij dan, zonder zijn handen te gebruiken en steeds doorpratend, op behendige wijze weer aan zijn voet stak. Het spelletje leek hem meer belangstelling in te boezemen dan onze aanwezigheid. Ten slotte bood hij een borreltje aan en draaide het licht op in de kamer, die inmiddels in namiddagse schemer gehuld was. Ik wilde over de vrouw beginnen die zich in de inrichting verhangen had, maar had er het lef niet toe. Uit niets had hij laten blijken dat hij wist waarvoor ik gekomen was, terwijl hij dat natuurlijk drommels goed begrepen moet hebben.

Wel zei hij, zomaar uit het niets, terwijl hij omstandig met zijn slof aan het goochelen was: 'De dood, die is het beste wat er bestaat. De dood geeft lucht aan een hart dat zucht.'

Ik liet het wel uit mijn hoofd mijn notitieblokje te trekken, laat staan dat ik hem juist toen had durven vragen of ik er mijn bandrecorder bij mocht zetten.

We reden naar het dorpscentrum van Angerloo, Oolsdorp nu ook in een groene, loden jas, en een beigekleurige, ribfluwelen pantalon, in alles de herenboer die hij wellicht had willen zijn. Ook daarover zou ik het met hem moeten hebben. Maar hoe en wanneer?

Zoals hij daar aan de ruwhouten tafel van de plaatselijke bistro zat, waar men overigens niet meer aandacht aan hem besteedde dan aan de andere gasten, leek hij de volmaakte *komische Alte* in een dorpsklucht, daarin effectvol geopponeerd door mevrouw Irmgard, die hem alle ruimte liet die men zo'n type moet gunnen, wil hij tot zijn recht komen.

'Hier, in Het Los Hoes, kom ik graag,' zei Oolsdorp, zijn ellebogen ter weerszijden van zijn bord geplant. 'U begrijpt, ik ben zelf nerveus en rusteloos genoeg, dan heb je graag mensen om je heen die beschouwelijkheid uitstralen. Be-schou-we-lijkheid. Daarom weiger ik ook een interview, dat ik overigens zonder enig risico zou kunnen afgeven. Maar de kwestie is...' Hij zette zijn mes met enige agressie in zijn entrecote. '...u bent van de *Kennemer Bode*, zei u? U op uw leeftijd? Dan had u toch minstens bij *De Telegraaf* moeten zitten, of desnoods...' Hij maakte een wegwerpend gebaar. '...bij die *Volkskrant*. Enfin, de kwestie is dat alles nog veel erger is dan bij het proces destijds naar buiten is gekomen. En gelooft u mij, bij de herinnering daaraan alleen al zou je krankzinnig worden. Gees-tes-kreupel. Ik houd het maar liever bij die luitjes om me heen. Hier voel ik me op mijn gemak. Als hier iemand dood gaat, dan bezoek ik de begrafenis, zoals iedereen. Wat er dan in me omgaat, dat gaat niemand wat aan. Ik zie de zaken zoals ik ze zie. Een ander ziet ze weer anders. Dat moet iedereen maar voor zich uitmaken.'

Ik vroeg hem hoe hij zijn dagen doorbracht.

'Ik kauw, mijnheer, en ik herkauw. Van de ene dag op de andere, van de ene nacht op de andere. U moet weten, ik lijd aan slapeloosheid. Al van kinds af aan lijd ik aan slapeloosheid. In-som-nia. Zonder enige overdrijving kan ik wel vertellen dat ik in mijn hele leven niet meer dan zo'n twintig nachten onafgebroken heb geslapen. Dat moet dan in de periode geweest zijn... enfin, wat zal ik een journalist van de *Kennemer Bode* wijzer maken dan hij is?'

Hij hield zijn ene been over het andere geslagen en probeerde zijn schoen uit te wippen, wat niet lukte omdat hij stevig aangesnoerde Van Bommels droeg. Daarop keek hij me, met zijn nog steeds toegeknepen ogen, strak aan. 'Ik ken dat krantje van u wel. U weet, ik heb bijna mijn hele leven in Haarlem gewoond. Een gruwelijk oord als ik het zo zeggen mag. Het lezen van dat blaadje strekte me niet bepaald tot troost. Een miezerige krant, mijnheer, dat is nog het gunstigste wat ik erover zeggen kan. En verder: mocht u de indruk hebben dat ik een van het leven afgekeerde asociaal ben, dan hebt u het lelijk mis. Er is geen mens die hogere fooien bij de kapper geeft dan ik. De werknemers, dát zijn de uitbuiters van tegenwoordig. Alles wat daar verder over geschreven wordt is onzin. Mij kan het niet schelen hoor! Ze schrijven maar een eind raak. Ik ben gráág dat wandelend cliché waar men behoefte aan heeft. Dus schrijft u maar op wat u kwijt wilt, zelfs over mij. Mij interesseert alleen mijn eigen hoofd en wat daarin omgaat. Over de rest heb je toch niets te zeggen.'

Met een onverwacht zwierig gebaar nam hij het servet van zijn schoot, depte zijn lippen, stond op en zei, terwijl hij me met zijn servet toezwaaide: 'Adieu. En de rekening is natuurlijk voor mij. Ik ben een sociaal mens, zet u dat maar in uw krantje.'

Het waren ten slotte Joseph Lanner en Johann Strauss jr. die de weg effenden naar een voortgezet contact. Of beter gezegd, het was mevrouw Irmgard, wier vader in de jaren vijftig roem had verworven met een wekelijks optreden met het naar hem genoemde Goldschmidt-ensemble voor de radio. Polka's en mazurka's, walsen en galops. 'Eisele und Beisele', de 'Hofball-Tänze'. Men kent het genre wel. Of niet. In dat laatste geval is er veel leed ongezien tussen de vingers door gevloeid, dan wel stille verrukking onbemerkt gebleven.

Mevrouw Irmgard beschikte over alle plaatopnames die haar vader ooit met zijn ensemble gemaakt had. Haar oude radio- en grammofoonmeubel inéén van het merk Loewe Opta stond als een altaar in het woonvertrek van haar boerderette opgesteld, tussen de twee vensters die uitzagen op het gazon. In een wijde boog rond het meubel stonden de fauteuils, wachtend op de gelovigen die al naar alle kanten verstrooid waren; de meesten als een asregen boven de Noordzee of deze of gene crematoriumweide. Ik was, naar later zou blijken, op Oolsdorp na de enige die er aardigheid in had de diensten bij te wonen en zou me alsnog schamen over de luchthartigheid waarmee ik de sfeer getekend had.

Liever over de muziek gesproken dan maar. Ik ben, hoe zal ik het zeggen, een ambivalent liefhebber van het genre. Gedeeltelijk uit muzikale narrigheid, anderszins omdat mijn ouders ook nog over een gecombineerd radio-grammofoonmeubel hebben beschikt, waaruit dikwijls dezelfde klanken klonken. Streng gelede driekwartsmaat die, ondanks die strenge geleding, niets dan tranen en een heimwee naar betere tijden opriep. Een tijd die, zomaar, opeens ontploft was. Nu ja, zomaar? Men kan de reden wel bevroeden, maar waarom zou men? Er is al genoeg narigheid in de wereld.

Na het afscheid van Oolsdorp was ik nog even met mevrouw Irmgard meegereden in de hoop nader van haar omtrent haar vriend te kunnen vernemen. En, sluw als ze was, had ze me toen min of meer gedwongen in een van de fauteuils plaats te nemen om toe te zien hoe de ene zware schellakplaat na de andere op de draaitafel kletterde. Het was het riskante, maar toen hoogst moderne systeem waarbij tien grammofoonplaten tegelijk konden worden opgelegd; was de naalddruk op zijn einde gekomen, dan zwaaide hij terug en zette een mechaniek in werking dat de weg vrij maakte voor een volgende plaat.

Drie weken later, ongetwijfeld nadat zij en Oolsdorp mijn artikel hadden gelezen, belde mevrouw Irmgard mij op met de mededeling dat ze van mijn bezoek had genoten. Ik had, zo vertelde zij, blijk gegeven van een belangstelling die onder de moderne jongelui zeldzaam was. En Oolsdorp zou tegenover haar zijn tevredenheid hebben uitgesproken over het artikel, dat inderdaad als kop had gedragen: 'Ik ben een sociaal mens'. Zelfs zou hij tegenover mevrouw Irmgard hebben bekend dat ik, waar ik het wippen met zijn voet had beschreven, er zo meesterlijk in was geslaagd de melancholie te treffen die in hem stak. En daarom zou ze het op prijs stellen als ik nog eens... En heel misschien, garanderen kon ze niets, heel misschien zou ook mijnheer Oolsdorp aanwezig zijn, die ook een hartstochtelijk liefhebber van het oude Wenen was. Dezelfde man dus die mij met plebejerstrots gemeld had niet te weten wie Cor de Groot was. Ik vermoedde in een zorgvuldig opgezette val te lopen, maar juist dat vermoeden bracht me ertoe enthousiast op mevrouw Irmgards uitnodiging in te gaan. Wellicht dat ik dan terloops de namen van musici als Benedikt Silbermann, Paul

Godwin en Szymon Goldberg kon laten vallen. Je wist maar nooit wat daaruit voortvloeide.

Twee dagen na het eerste telefoontje belde mevrouw Irmgard mij opnieuw. De ochtend na mijn bezoek zou ze met Oolsdorp naar het ziekenhuis in Enschede moeten. 'Hartklachten.' Ze liet in het midden van wie. En omdat ze de avond daarvoor bij Oolsdorp zou blijven slapen, was het misschien handiger als ik meteen naar zijn boerderij kwam. Zíj zou in ieder geval haar platen meenemen.

Het hek naar de boerderij stond open, verder geen teken van leven. Een bel kon ik niet ontdekken. Moest ik soms 'Volk!' roepen, zoals dat vroeger op het platteland de gewoonte was? Met mijn aanwezigheid alleen al had ik het gevoel een indringer te zijn. In een door anderen gesmeed complot weliswaar en daarmee geëxcuseerd, maar het complot kon oorzaken hebben waar ik geacht werd niets mee te maken te hebben: het proces natuurlijk. Dat proces was uitgediend. Het recht had zijn loop gehad. De doden hadden hun doden begraven. Wie was ik, als te laat ambitieus geworden verslaggevertje, dat ik daar nog eens in zou gaan roeren? Ik had een monsterachtig beroep gekozen, begreep ik, een schaamteloos beroep, al viel aan mijn idealisme niet te twijfelen toen ik er ooit voor koos.

De Opel stond niet voor de deur. Nu viel me het rustieke bankje op dat tegen de muur stond opgesteld. Ik besloot erop plaats te nemen tot Oolsdorp me op een goed moment zou ontdekken. Vijf minuten later kon ik mijn ongeduld niet bedwingen en stond op om door een van de vensters naast mij te kijken. Ik zag het grijswitte achterhoofd van een vrouw en klopte op het raam. Onmiddellijk daarop opende Oolsdorp de deur. Alsof hij mij al die tijd door de brievenbus had geobserveerd. De vrouw bleek inderdaad mevrouw Irmgard te zijn. De kamer dezelfde als die van mijn eerste bezoek. Montere troosteloosheid, als geënsceneerd om onnozele halzen als ik op hun nummer te zetten. Met als enig verschil dat de kachel nu hoog was opgestookt. Oolsdorp verontschuldigde zich met de mededeling dat de kou van het ene moment op het andere in zijn botten was geschoten. 'J'ai une âge sans pitié, mijnheer.'

'En het hart, mijnheer Oolsdorp?'

Hij kneep zijn ogen samen en keek me wantrouwend aan. 'Het hart? Ja, ja... een onbetrouwbaar orgaan.' Alsof hem iets te binnen schoot keek hij daarop van mij naar mevrouw Irmgard. Zijn gezicht klaarde op. 'Het zou me niets verbazen als ik iets aan mijn hart had.'

'Maar je hébt het aan je hart, Bennie,' fleemde mevrouw Irmgard.

Theatraal greep Oolsdorp naar zijn hartstreek. 'Het hart. Ja, het hart is aan alles schuld, nietwaar Immie? Het zuigt ons uit. Het drinkt ons bloed. En weet je waarom? Omdat het ons verwijt dat wij het hart verwijten dat het in zo'n onzalig lichaam klopt. Kadoeng, kadoeng! Hoor je dat, Immie?'

'Morgen nemen ze je een écégé af.'

'Wat écégé? Ik weet van geen écégé. Die medische wetenschap? Een schandaal. Houdt kinderen in leven die niet geboren hadden mogen worden. Laat harten kloppen waarin de as tot aan de aorta is gestegen. Tot aan de a-or-ta, mijnheer Van de Bode. Ik weet waar ik het over heb. Als ik geen rechtskundig adviseur was geworden, zou ik het ongetwijfeld tot medisch specialist hebben gebracht. Een meelevend mens dat vingers op polsen legt en het peilloze leed in de ogen van de medemens leest. Waar of niet, Immie?'

'Je bent een goede ziel, Bernhard. Maar morgen moet je naar het ziekenhuis.'

'Aha, streekziekenhuis Het Los Hoes natuurlijk.'

En zich weer tot mij wendend: 'Alles heet hier namelijk "los hoes", mijnheer Van de Bode. Daarom woon ik hier ook liever dan in die vermaledijde stad waar u vandaan komt. Waar ík vandaan kom. Te veel emotie, te veel opgeblazenheid. Hier...

Hier ontbreekt het de lui aan ook maar de geringste fantasie. Dat houdt ze nederig en rustig. Au fond, zeg ik u, au fond is dit het soort mensen waaronder men geboren had willen worden.'

Hij greep weer naar zijn hart. Zijn eerst nog toegeknepen ogen stonden nu wijd open en straalden van een intens genoegen, al doe ik met die omschrijving tekort aan datgene wat hij ermee uit wilde drukken en waartoe mij het talent of het inzicht in Oolsdorps gedachtegang ontbrak. In ieder geval meende hij in welke opzet dan ook geslaagd te zijn.

'U lust vast wel een borreltje, mijnheer Van de Bode?'

Ik knikte.

Pas toen gebaarde hij me te gaan zitten.

Nadat hij voor ons drieën een Houtkamp had ingeschonken – het idee dat ik misschien een ander drankje zou hebben geprefereerd was natuurlijk niet in hem opgekomen – hervatte hij zijn monoloog, waarbij hij met zijn handen in de zakken van zijn corduroy pantalon gestoken, van de ene kant van het vertrek naar de andere ijsbeerde, de kop met het warrige grijze haar vooruitgestoken.

''s Nachts word ik wakker en zie het voor me... dat hart. Een misselijkmakende vleesklomp, mijnheer. Een... een... Enfin, als medicus van roeping doe ik er verstandig aan daar niet verder over uit te weiden. Het is alsof mijn keel wordt dichtgeknepen. Mijn verstand zegt me dan dat het maar een beeld is, een voorwereldlijke mythe uit de tijd dat... Hoe zal ik het zeggen...? de vrouwen nog...' Hij wierp een tersluikse blik op mevrouw Irmgard, die van geen enkele emotie blijk gaf, eerder de indruk wekte dit verhaal al voor de zoveelste keer te moeten aanhoren, zich hoogstens druk leek te maken om timing of dictie. Oolsdorp bleef midden in het vertrek staan, zocht steun bij de rug van een fauteuil, wierp een smekende blik op mevrouw Irmgard, die hem nu met geamuseerde blik observeerde. Hij legde zijn linkerhand onder op de rug, zijn gezicht vertrok in een pijnlijke grimas, alsof hij geplaagd werd door een plotselinge jichtaanval. '...de vrouwen nog tanden hadden.'

Mevrouw Irmgard snoof quasi-verachtelijk door haar neus, maakte kauwbewegingen en voelde aan haar kaken. 'Maar Bennie, hoe durf je zoiets te zeggen.' En zich tot mij wendend: 'Tot tien jaar geleden, mijnheer Wandelaar, had ik mijn eigen tanden nog. Ik heb altijd een gaaf gebit gehad, moet u weten. Heel wat anders dan die oorlogsgebitjes van een jongere generatie. Te weinig kalk, hè. Zodra de moffen binnenvielen was het met de kalkproductie gedaan.'

'Domheid, domheid,' viel Oolsdorp haar briesend in de rede. 'Ik wil iets belangrijks zeggen over mijn hart en die vrouw onderbreekt mij met verhalen over moffen en kalk, alsof er sprake zou zijn van ook maar een spoor van causaliteit. Gelooft u mij, mijnheer Van de Bode, meer nog dan de leugen regeert de domheid dit land.'

'Scène elf,' hoorde ik mevrouw Irmgard droogjes onderbreken, 'waarin wij van zelfbeklag overgaan op de domheid van de mensen in het algemeen en die van de vrouwen in het bijzonder.'

Werd ik geacht te applaudisseren? Of was het daarentegen juist de bedoeling dat ik mij gegeneerd door dit huiselijk gekibbel terugtrok? In het laatste geval zou mijn reis naar het oosten van het land vergeefs zijn geweest en zou ik mijn onkostendeclaratie wel kunnen vergeten. In het eerste geval zou ik wel eens een misrekening kunnen maken, omdat wat ik voor een klucht aanzag, een weloverwogen strategie zou kunnen inhouden om mij langs allerlei slinkse paden tot in het hart van het geheim te voeren. Het geheim althans dat ik vermoedde achter de banale procesverslagen van jaren her. Maar bovenal wilde ik weten wat Oolsdorp met die tanden bedoelde.

'Hij is aan het dementeren,' hielp mevrouw Irmgard mij op weg.

Een té simpele verklaring voor de uitlatingen van een man

die mij een gewiekst, misschien al te gewiekst toneelspeler leek. Ik had Oolsdorp zien worstelen met iets diep in zich, een vertwijfeld grijpen naar iets ongrijpbaars. Wat misschien alsnog op het gelijk van mevrouw Irmgard zou kunnen duiden.

Oolsdorp had klauwende bewegingen met zijn handen gemaakt, hij had zijn mond vertrokken tot iets wat tussen een bittere grijns en een vertoon van triomf in lag.

'Ik bedoel,' stamelde hij ten slotte, 'die mythe... uit de tijd dat de vrouwen nog tanden hadden... ik bedoel...'

'Bennie bedoelt de vagina dentata.'

'Juist ja, toen vrouwen nog vagina's met tanden hadden.' Bijna wanhopig (wat een acteur) wendde Oolsdorp zich weer tot mij. 'Maar waar het om ging en gaat, is dat hart. Dat links zit, zoals u weet. En laat u vooral niet afleiden door de wijsneuzigheden van Immie. Dat is allemaal wind en een Engelse *notting*, zoals mijn vader vroeger zei. Want mijn vader was een eenvoudig man, een heel gewoon huisschildertje, daar zal ik waarachtig geen geheim van maken. En hoe het mij, als zijn zoon, is vergaan, hebt u in de processtukken en de krantenverslagen kunnen lezen. Maar waar het hier om gaat, is mijn hart, mijnheer. Het is het hart dat ze er wat mij betreft al bij de geboorte uit hadden moeten lepelen. Het hart, mijnheer, is de zigeuner in de mens, de dakloze ketellapper. Als een teek heeft het zich bij ons ingevreten en het eist zijn vermeende rechten. Maar het had moeten blijven waar het vandaan komt, dat hart.' Oolsdorp maakte een vaag armgebaar naar het plafond. 'Dan zou ik er mijn gemoedsrust bij hebben bewaard.'

'Misschien dat ze het hadden moeten vergassen, dat hart van jou,' teemde mevrouw Irmgard.

Oolsdorp aarzelde even. 'Nu ja, waarom niet? Er zijn er om minder de schoorsteen uit gevlogen.'

Nu was het tijd om op te stappen, begreep ik. Maar mevrouw Irmgard boog zich zijdelings naar me over en legde een hand op mijn arm. 'Kijken en schrijven, jongen, met ijzeren stift, op de tafel van dat hart van hem desnoods. Het oordelen laat je maar aan anderen over.'

'Ga ik te ver, Immie?'

'Nog niet zo ver als je ooit gegaan bent. Maar onze jonge vriend hier luistert ademloos toe, dat kan ik je verzekeren.'

'Maar toch,' vervolgde Oolsdorp, nu geheel in de ban van zijn eigen retoriek, 'het is geen grap, mijnheer Van de Bode. Ik wrijf me vergenoegd in de handen als ik me voorstel hoe het regelmatige kloppen overgaat in een haperend gebonk. Hoe het hart, zo te zeggen, naar adem snakt. En weer wrijf ik in mijn handen. Ik wrijf en kreun. Dat godverdomde hart dat je hersens altijd een stapje voor is. Het is alles en iedereen altijd een stapje voor en zo blijft er voor ons niet meer dan een loos gebaar over. "Je hebt je tijd gehad," fluistert een stem in mij en voor de honderdste keer grijp ik naar mijn hart en vervloek die aanjager van mijn onrust die mij pijnigt waar hij maar kan. Vluchten wil je, je koffers volgestouwd met je goedertierenheid. Maar je hart lokt je terug met zijn sirenenzang. Loreley... Loreley... Begrijpt u, mijnheer Van de Bode? Je weet niet wat het te betekenen heeft dat je er zo treurig van wordt. Dat sprookje uit oeroude tijden...'

'Komt hij weer op die vagina,' smiespelde mevrouw Irmgard me achter haar hand toe, onder het mom me nog een glaasje in te schenken.

'En de anderen, die andere hartlijders, lachen in hun vuistje; ze hebben je al ingepalmd nog voor je je hart hebt kunnen uitrukken. Want die anderen, mijnheer, hebben de macht. De macht van de tandelozen, als ik het zo zeggen mag. Ach, enerzijds geef je je gewonnen, terwijl je je anderzijds aan het bezit blijft vastklampen dat je zo'n angst inboezemt. Let u, mijnheer Van de Bode, op het woord "boezem". Want gelooft u mij, als ik geen rechtskundig adviseur was geworden en ik de medische studie niet als een alternatief zou hebben ervaren, dan zou ik taalkundige zijn geworden. Ik heb een passie, moet u weten, voor de etymologie. Ik ben in staat om de meest verafgelegen taalkundige sterren in no time in het zwarte gat van hun oorspronkelijke betekenis te zuigen. Hart... boezem... begrijpt u?'

Ik begreep dat ik er steeds minder van begreep. Maar tevens dat dit besef me, alsof ik een van Oolsdorps taalkundige sterren was, steeds dichter naar het zwarte gat trok dat hij voor me opriep. Het moest te maken hebben met het verleden waarmee hij ooit de kranten had gehaald. Maar er was meer, bedacht ik, en welke provocatie hij verder ook jegens mij of mevrouw Irmgard mocht uiten: ik zou me niet meer uit het veld laten slaan. Iedere provocatie van zijn kant zou me dichter brengen bij... wat? Ja, daar ging het om.

'...maar als gemankeerd medicus kan ik u dit garanderen: de dokters liegen tegen je, ze spelen allemaal onder één hoedje. Ze houden je net zo lang in leven tot je genoeg hebt geleden, tot ze, met hun tandeloze bekken, al datgene uit je hebben gezogen wat je hart nog had overgelaten. Drekschrapers zijn het, uitlepelaars. Ze haten je en toch hebben ze je nodig. Voor hun portemonnee, snapt u? Ze zijn een onheilig verbond aangegaan met dat hart van je. Ja, ja, ze verstaan hun vak. Angst kennen ze niet, aan de dood hebben ze maling. En morgen ga ik ze mijn tribuut betalen. Met mijn hartenbloed. Want ik ben een sociaal mens, zoals u al eerder hebt kunnen constateren.'

Maar hoe zat het met het beloofde concert van het Goldschmidt-ensemble? Met de beloofde galops en walsen van Lanner en Strauss? Want nog steeds leek me dat de verstandigste benadering van het probleem. Ik vroeg het fluisterend aan mevrouw Irmgrad, maar Oolsdorp greep de mogelijkheid onmiddellijk aan om een nieuwe klucht op poten te zetten.

'Lanner of Strauss,' kakelde hij, terwijl hij de drie glazen nog eens bijschonk. 'Ja, mijnheer Van de Bode, laat dat de vuurproef zijn. De vraag is waardoor Lanner zich van Strauss onderscheidt.'

'Door de gemaniëreerdheid,' waagde ik. 'Lanner staat misschien wat dichter bij het volk.'

'Het volk, het volk? Wat noemt u "het volk"?'

'Dat deel van de mensheid,' probeerde ik hem naar de mond te praten, 'waar je het hart voelt kloppen.'

Als gestoken keerde hij zich in mijn richting. 'U, mijnheer Van de Bode, bent een laf onderkruipsel. Een provocateur, zoals al uw beroepsgenoten. En u had gehoopt dat ik u een gesprek zou toestaan? U hoort al mijn onzinteksten aan zonder me ook maar één keer in de rede te vallen en denkt: daar kan ik wel een aardig stukje over schrijven. Want als die Oolsdorp toch niet over zijn proces wil schrijven, dan maak ik maar een mooi sfeerstukje. Nu eens over het melancholieke wippen van pantoffels, dan weer over zijn medisch-taalkundige uiteenzettingen nopens het hart. Maar met beide onderwerpen, mijnheer Van de Bode, wekt u hoogstens míjn mededogen en zeker niet dat van uw chef en al helemaal niet dat van uw lezers. Die zijn namelijk nog stommer dan u en ik samen; die zullen helemaal niets begrijpen van wat ik eigenlijk zeggen wil. Die willen bloed, mijnheer. Zoals ze toen al bloed wilden. Ze hebben het destijds niet gekregen. Nu willen ze dat u mij alsnog aftapt. Maar zó zal u dat niet lukken. Niet met die brutale toon die u nu aanslaat. Het hart, mijnheer, daarmee wordt niet gespot. Niet in mijn huis.'

'Mijnheer wilde alleen iets duidelijk maken over Lanner, lieve Bennie.'

Het was mevrouw Irmgard, realiseerde ik me nu, die wilde dat Oolsdorp zijn hart zou luchten. Heel dat theater speelde ze alleen maar mee om hem aan het praten te krijgen. Terwijl ze mij de gelegenheid had geboden zijn vertrouwen te winnen, had ik het verpest door niet zorgvuldig mijn woorden te kiezen. Het was een beroepsafwijking, ik wist het. Maar daarmee was ik nog niet geëxcuseerd. Juist daarmee niet.

Ze begreep het. 'Maar Bennie,' zei ze, 'we gaan om dat abstracte hart van jou toch geen problemen maken? Waar het nu om gaat is je rikketik, en dat is heel wat anders.'

'Een kunsthart, zul je bedoelen.'

'Toe, Bennie. Hoe je het ook noemen wilt. Om zoiets futiels gaan we elkaar toch niet lastigvallen?'

Oolsdorp had de zaak weer in de hand. Hij had mevrouw Irmgards agitatie bespeurd. 'Wat denkt u, mijnheer, kan dat eigenlijk wel: elkaar vermoorden?'

'Natuurlijk,' zei ik, achteraf gezien nogal onnozel, 'als de een al getroffen of geraakt is en hij, zijn laatste adem uitblazend, nog net de kans ziet de ander om zeep te helpen. Zoals de Duitse dichter Kleist en zijn geliefde.'

'U hebt gelijk, mijnheer Van de Bode, "elkaar" wil nog niet zeggen "gelijktijdig". Maar stel nu dat twee mensen elkaar worgen en ze verliezen gelijktijdig het bewustzijn...'

'Bennie...!' smeekte mevrouw Irmgard.

'...en bij beide daders komt de tong naar buiten en dan komt er een derde... Mijn gedachten gaan daarbij naar u uit, mijnheer Van de Bode... en die niet met een nietmachine die twee tongen aan elkaar en...'

'Tja, die gelijktijdigheid is natuurlijk een groot probleem... ook in de liefde.' Ik dacht nog steeds aan die wederzijdse moord aan de Wannsee en vroeg me af of je dat ook in juridische zin wel een zelfmoord mocht noemen. 'Maar het komt voor... werkelijk waar.' Ik probeerde hem te plagen – of uit zijn tent te lokken, zo heel helder stond dat onderscheid me niet voor ogen.

Oolsdorp wierp een, naar ik vermoedde, schalks bedoelde blik op mevrouw Irmgard. 'Nou ja, op een honderdste van een seconde komt het nu ook weer niet aan.'

Mevrouw Irmgard trok een zuinig mondje en moest er tegelijkertijd om lachen. Het ijs leek gebroken. Oolsdorp speelde weer de ogenschijnlijk norse herenboer met de joviale inborst.

En of ik nu de voorkeur gaf aan Lanner of aan Strauss, het

ging om de zichzelf genererende driekwartsmaat, en quadrille desnoods; om het draaien, wentelen en keren, in een steeds hoger tempo, met steeds de klap op de derde tel, eerst heel aarzelend nog en allengs harder, venijniger, tot bloedens toe desnoods. Zonder om toestemming te vragen haalde ik mijn bandrecorder voor de dag en zette hem op tafel. 'Het liefst natuurlijk zo dicht mogelijk bij de pick-up, dan kan ik die platen van het Goldschmidt-ensemble er het beste op krijgen. Maar...'

Ik keek vragend van Oolsdorp naar mevrouw Irmgard, die juist op dat moment de kamerdeur achter zich dichttrok.

2

'Ik wacht op de kozakken of op de Heilige Geest. Wat moet je anders? We zijn nu eenmaal geen goden. Goden hebben, zoals u weet, mijnheer Van de Bode, geen geheugen, zoals matrozen geen ziel hebben. Voor hen is iedere dag een reis naar de gelukzalige eeuwigheid. Maar wij...'

En ik heet niet Van de Bode, maar Wandelaar. Otto Wandelaar om precies te zijn. Grappenmakers vragen me wel eens of ik in het gelijknamige café aan het Nieuwe Kerksplein ben geboren. Dat is niet het geval. Een komischer reactie zou ik niet weten te bedenken. Ik ben verslaggever bij de *Kennemer Bode*, voor meer komediantendom is in mijn leven geen plaats. Toen ik vijftien jaar was en nog op het Mendelcollege zat, schreef ik mijn eerste gedichten, en nu ik over de veertig ben, is het mijn grootste zorg een verantwoorde declaratie bij mijn chef in te dienen. Daar zijn dingen aan voorafgegaan. Vrolijke en minder vrolijke. Een huwelijkje hier, een echtscheidinkje daar.

Toen mijn moeder overleden was, heb ik haar opgezocht in het uitvaartcentrum 'Beidt uw tijd'. Ook van die benaming zag ik de humor niet in. Geen aanleg voor cabaret. Te veel de dichter van de achterkant der dingen, zoals ik mijzelf toen graag zag. Of van de onderkant. Waarop ik nog terug zal komen. Ooit heb ik eens een niet-uitgegeven verhaal geschreven waarin ik uiting gaf aan mijn gevoelens bij het zien van het verstijfde lichaam van mijn moeder. Mijn moeder leefde toen nog. Maar het was niet om die reden dat het verhaal gelogen was. Het was gelogen omdat, toen ik werkelijk met mijn opgebaarde moeder geconfronteerd werd, ik er totaal geen gevoelens op na bleek te houden. Daar waren redenen toe die ik in dat verhaal niet aan de orde had gesteld. Zo blijken de grootste fantasten diegenen te zijn die het meeste verzwijgen. Ze zijn geknipt voor de journalistiek. Ik ben journalist geworden. Niet dan nadat ik nog een blauwe maandag geprobeerd heb neerlandistiek te studeren. Na tien colleges over Gorters *Mei* hield ik het voor gezien. Mijn eerste opdracht voor de *Bode* was een verslag te schrijven over de jaarvergadering van De Spaarne Gezellen, een voetbalvereniging die, naar ik me meen te herinneren, zojuist naar de tweede klasse van de onderbond was gepromoveerd.

Dode stemmen. Vergeefse gebaren. De stad waarin ik ben opgegroeid is ooit opgezet als een pantomimetheater. Sportief maar toch netjes. Precies zoals mijn moeder wenste dat ik gekleed ging. Toen ik, als aankomend dichter, begreep dat het zaak was jassen van Afghaanse schapenhuid te dragen, kocht mijn moeder mijn exemplaar bij C&A; een getricoteerd geval, afgezet met Tiroler lint. Toen ik met die jas willens en wetens achter een spijker was blijven hangen, stond mijn moeder al met naald en draad paraat onder het motto 'Versteld is niet erg, als het maar schoon is'. Het is het motto dat in het wapen van de stad Haarlem had kunnen staan, als daarin niet al gewag werd gemaakt van deugd die alles overwinnen zal.

Niet zo lang geleden zei Peter Sloterdijk in een televisiegesprek: 'Wir haben uns selber zu Haustiere gemacht.' Hij moet daarbij aan Haarlem gedacht hebben. Sinds de Beeldenstorm is de sneer eruit. Wellicht daarom beoefenen mijn collega's van de krant het sportfietsen. In eigen tempo rijden ze beroemde klassiekers als Luik-Bastenaken-Luik en Gent-Wevelgem na. Goedmoedige idioten zijn het, maar ik gun ze hun idiotie omdat ze mij er niet mee lastigvallen. Ik heb gekozen voor een andere liefhebberij. Ik ben speleoloog in mijn vrije tijd. Van een heel bijzondere soort. De krochten en slochten onder de wereldsteden. Dat wil zeggen: ik heb er veel boeken over verzameld. Zo weet ik precies hoe je via het riolenstelsel van Montmartre naar Montparnasse kunt komen. Van het onder Wenen gelegen Vindobona ken ik iedere hoektoren en iedere trans. Blindelings weet ik de weg van de schuilkelder onder 'Der grosser Stern' naar die onder de Rijksdag. Van de New Yorkse ondergrondse weet ik de kieren aan te wijzen waar zelfs de ratten zich niet wagen. In geen van die steden ben ik ooit geweest. Ik houd niet zo van reizen. Al helemaal niet sinds ik met mijn verzameling begonnen ben. Een Spaanse mysticus constateerde, op zijn reis naar de allesverpletterende kennis, al dat het duister hem licht genoeg was. Al is het verre van mij me met die mysticus te willen vergelijken; zijn doelen lijken me te smoezelig, zijn drang te suïcidaal. Welbeschouwd vertegenwoordigde hij alles wat ik in reizigers – zelfs in mijn sportfietsende collega's – zo haat: ze hebben geen rust in hun kont. En het is nu juist die onrust die ze maakt tot wat ze in diepste wezen zeggen te verafschuwen: als kuddedieren te zijn; alles onder hun hoeven vertrappend op weg naar hun unieke ervaring, om zich ten slotte vanaf de rotsen in de zeeën van banaliteit te storten. Van generatie op generatie, als de lemmingen. Dat laatste is natuurlijk een idioot fabeltje, want hoe zouden ze dat van generatie op generatie kunnen volhouden. Maar goed, in de metafoor steekt soms meer waarheid dan in de letterlijke waarheid. Mogelijk dat deze constatering de oorzaak is van mijn speleologische belangstelling. Ik heb er geen behoefte aan dat uit te zoeken. Dat gaat me in zekere zin te diep.

Ik was nog getrouwd toen ik met mijn verzameling schaduwsteden begon. Tot die tijd ging ik, om de lieve vrede te bewaren, nog jaarlijks met mijn vrouw naar de Algarve of de Spaanse oostkust. Zij hield van de zon. Ik acht mijzelf meer een maanmens te zijn, wat dat ook moge inhouden. Het zou op een neiging tot koele beschouwing kunnen wijzen, tot reflectie. Maar dan bevinden we ons alweer op het gebied van de metafoor, die, zoals gesuggereerd, niet veel met de werkelijkheid van doen heeft. Maar wie maalt er om de werkelijkheid? *Du holde Kunst*! Maar wat zanik ik? Ik ben uitgezongen, uitgekwaakt.

Ik geloof dat het bij het lezen van het standaardwerk *Unterirdisches Leben* was, maar het kan ook *Aux caves de la culture urbaine* zijn geweest waarop het opeens knapte. Nauwelijks hoorbaar. Maar ik had al een soort lunair gehoor ontwikkeld. Zo anders dan het solaire gehoor van mijn vrouw, waarmee ze, naar ik de indruk had, alleen geplons en geschater kon waarnemen. Het zei: 'Ping', 'Pling', of 'Poing', iets kattendarmsnaarachtigs in ieder geval. Ik wierp een vragende blik op mijn echtgenote, zag hoe ze verdiept was in een roman vol zielenroerselen, en besloot op dat moment haar nooit meer naar Algarve of Costa del Sol te begeleiden. Twee weken later was het de eerste keer in ons toen vijf jaar durende huwelijk dat ze de nacht elders doorbracht.

'Bij Hüsstege, die chirurg bij het Elisabeth Gasthuis, weet je wel.'

'O, die, nu ja, goed, dan is er niets aan de hand.'

Ik had inmiddels de hand weten te leggen op een vroeg-twintigste-eeuws exemplaar van een *Atlas der mijnschachten en gangen der staats- en domaniale mijnen in Zuid-Limburg*, met prachtige staalgravures en zijdepapieren schutvellen. Een maand later kondigde mijn vrouw aan van me te willen scheiden.

'Vanwege die Hüsstege zeker?'

Alsof het er wat toe deed.

Vanzelfsprekendheden. De wereld bestaat uit niets dan vanzelfsprekendheden. Al behoren ze, achteraf beschouwd, tot de minst toegankelijke categorieën die er in ons uit categorieën opgebouwde leven bestaan, omdat we er ons altijd tegen verzetten en altijd weer van mening zijn dat juist die vanzelfsprekendheden buiten alle categorieën vallen omdat ze juist ons overkomen. Maar er bestaat niets bijzonders, en in wezen ook niets interessants waar het om het algemene gaat. Alleen voor onszelf bestaat de indruk dat het leven steeds weer nieuwe wendingen neemt, en soms kom je mensen tegen die beweren dat dat wat jij hebt meegemaakt ook voor hen interessant is. Dat is natuurlijk onzin, het is hoogstens de opmaat tot een mislukte liefde.

We klampen ons aan de dingen vast omdat we zwak zijn. Regels en wetmatigheden zijn de stokken waarop we ons strompelend voortbewegen. Organische benen zijn het echter niet. De natuur kent alleen chaos en wie er symmetrie of orde in ontdekt, heeft een bril opgezet waarvan de lenzen nog door Van Leeuwenhoek geslepen zijn. Die man zag orde terwijl de revolutie al werd voorbereid. Sterker, ja paradoxaler nog, die zag een orde zonder welke de revolutie niet eens had kunnen plaatsvinden. Zoef, daar onthoofdt de guillotine alweer een wetmatigheid. Naar dat soort geleerden worden kankerpaviljoens genoemd.

Geruststellender is het te wandelen in duisternis. Ik heb in duisternis gewandeld sinds mijn vrouw bij mij vertrokken is. Eerst nog stak ik heel voorzichtig mijn grote teen in die ondoorzichtige poel. Dat voelde niet beroerd. Toen stak ik iets anders in weer iets anders en ergens in mijn hoofd begon het zachtjes te zingen. 'Eisele und Beisele' misschien wel, of 'G'schichten aus dem Wienerwald'. Iets van vroeger. Badkamergeluiden, gegorgel, gegiechel, de zware stem van mijn vader, het lichtelijk geëxalteerde gelach van mijn moeder – al kende ik toen het woord 'geëxalteerd' nog niet en boezemden die geluiden mij toen een niet te verklaren weerzin in.

'Do not go gentle into that good night,' heeft de dichter eens gezegd. Maar hij was een zuiplap die vroeg aan zijn eind is gekomen. U, mijn lezers, nood ik gaarne, en zet het vooral niet op een schreeuwen als het daglicht dooft. *Go gentle, please...*

Kort na mijn scheiding trok ik in bij een alleenstaande vrouw die een modezaakje dreef aan de Riviervismarkt. Onder de klamme schaduw van de Sint-Bavokerk. Mozart zou er nog het orgel bespeeld hebben. Het enige wat eraan herinnert is het avondlijk mechanisch gejengel van een klokkenspel dat in de verste verte niet aan Mozart doet denken. Haarlem is nu eenmaal een stad waarin men de verkeerde dingen op de verkeerde manieren herdenkt. De bloembol zou er zijn uitgevonden, daarom laat men er des zomers op de Grote Markt een tapijt van knolbegonia's leggen. Alsof er geen verschil zou bestaan tussen een knol en een bol. De boekdrukkunst, die eveneens haar wieg in Haarlem zou hebben, wordt al tientallen jaren geëerd met een reeks ultiem vervalsbare paspoorten mitsgaders 'filatelistisch' van belang geachte postzegels waarvan de perforatie dwars door de afbeelding heen loopt. Onder de stad zou zich een uit de Middeleeuwen stammend gangenstelsel bevinden... Nee, laat ik ophouden, een verdere opsomming zou me problemen met mijn baan opleveren en ik hoop mijn pensioen nog te halen. Geen toerist trouwens die er nog in trapt... in dat gangenstelsel, en dat is maar goed ook, want het hotelwezen staat in deze stad al op een laag pitje; men zou niet weten waar de avonturiers te bergen. En dat modezaakje van die vrouw? Ach, wat zal ik zeggen? Ik heb nog net kunnen tegenhouden dat mijn collegaatje van de stadsredactie een vernietigende reportage wijdde aan de door mijn hospita vervaardigde trouwjurken. Mijn hospita, ja, want het was een eenzame vrouw die het in haar hoofd had gezet graag eenzaam te blijven. Het had iets te maken met een leven dat niet zomaar aan haar voorbij was gegaan, of welke ontroerende, althans de nieuwsgierigheid wekkende omschrijving ze daar ook aan gaf. Maar mijn kostgeld kon ze goed gebruiken. En bovendien, had ik niet haar zaak voor de ondergang behoed? Voor wat hoort wat. En twee eenzame zielen hebben meer met elkaar uit te wisselen dan in een levenslang gelukkig huwelijk mogelijk is.

'Waar blijft u met die nacht?' zult u zeggen. Ik zeg: 'Rustig, rustig... Ik leid u er aan het handje in, stap voor stap, opdat u het niet op een schreeuwen zult zetten als het zover is.' Maar voor ik verderga wil ik u wel even wijzen op een van de maximen, of hoe men die uitspraken ook noemen moge, van Angelus Silesius in zijn boek *Der Cherubinischer Wandersmann*, dat, toevallig of niet, mijn lijfboek is. In het derde boek luidt het 233ste vers:

Drey Feinde hat der Mensch: sich
Belzebub und Welt:
Auß diesem wird der Erst am langsamsten gefällt.

Ik bedoel, er staat u nog wat te wachten.

Het gaat overigens niet aan dat ik u lastigval met verhalen over echtscheidingen en wanhopig sentimentele gedachtewisselingen met de onbestorven weduwes van deze tijd, de chronisch gescheiden vrouwen die aan het verdriet van hun heldhaftig mislukte emancipatie blijven knagen. Nog minder gaat het aan u te vermoeien met de beschrijving van het noeste naald- en draadwerk dat de opmaat tot die mislukking vormt. Zijgende zijde, lubberende naden, tranen op het toetsenbord van de volautomatische Bernina-naaimachine geplengd. Troost zoeken bij de commensaal die de zolderetage heeft gehuurd. De troost die de commensaal niet bieden kan. Hij heeft andere zaken om handen.

Hij heeft de kelderingang in de tuin achter het pand ontdekt. Ooit, in een vervlogen eeuw, moet in die kelder een bakkerij gevestigd zijn geweest. Achter de generaties lang opgestapelde oude matrassen, bedspiralen, wankele tafels en beschimmeld keukengerei had ik de restanten van een bakoven ontdekt. Op zoek naar God mag weten welke openbaring – dat *das Wandern des Müllers Lust* is was me natuurlijk ruimschoots bekend, wat me eerder tot terughoudendheid ten aanzien van welke zoektocht ook inspireerde – kroop ik, op een middag dat mijn hospita op haar manier naar het geluk op zoek was, in de ovenruimte. Ik veronderstelde dat ik, languit liggend – een andere houding was niet mogelijk – algauw met mijn vingertoppen de achterwand zou raken, waar ik dan de beoogde pot met oude munten en onuitsprekelijkheden zou vinden. Want dat, zo had ik beseft terwijl ik met mijn hoofd dieper en dieper in het duister verdwaalde, was de enige vorm van openbaring waar ik werkelijk nog van zou staan te kijken. Maar hoe ik ook grabbelde en tastte, geen achterwand. Ik was al met voeten en al in de ovenschacht verdwenen. Putlucht en versteende excrementen.

Een fatsoenlijk mens zou op dat moment de terugtocht hebben aanvaard. Maar juist toen voelde ik me weer het jongetje dat ik eens geweest moet zijn: onvervaard doorklimmend tot in het topje van de boom, om pas daar tot de ontdekking te komen dat ik niet meer terug durfde. En met – ik kan niet laten het op te merken – de bijkomende, gestaag stijgende spanning in de liezen. Dieper en dieper kronkelde ik de schacht in. Geen licht drong meer door tot hier. Tussen mijn voetzolen en de ingang van de oven moest inmiddels zo'n twee meter liggen.

'De nacht van de lach,' mompelde ik, 'steun de cliniclowns.' Mijn stemgeluid viel dood in de ommetseling. Iets veegde langs mijn voorhoofd en nestelde zich in mijn haar. Ik had de moed niet om te voelen of het spinrag of iets anders was. Toen ik op het punt stond achterwaarts terug te kruipen voelde ik een vage windstroom. Ik stak mijn rechterhand naar voren; de stroom werd sterker. Zo'n halve meter verderop voelde mijn hand geen bodem meer. Hier moest zich een gang bevinden. Toch een gangenstelsel en toegang tot de legende? De volgende keer moest ik een krachtige zaklantaarn meenemen, een lang touw en een valhelm.

Behalve onzin over Laurens Janszoon Coster is er niet veel over Haarlem geschreven. Behalve misschien door Samuel Ampzing, die in zijn *Beschrijvinge ende lof der stad Haarlem in Holland* de stad als een 'Emporiommundi' beschreef. Dat is het zo ongeveer als men het nijvere, topografische gekrabbel van deze of gene stadsarchivaris ter zijde laat. Daarom ook valt het moeilijk te achterhalen wanneer de eerste bewoners van het huidige Haarlem gebruik begonnen te maken van de voor de stedelijke bebouwing zo geschikte zandrug waarop de stad is gebouwd. Vóór die tijd moeten er al Romeinse legioensoldaten over die zandrug naar Beverwijk zijn gelopen. Maar je moet al over erg veel verbeeldingskracht beschikken wil je het geroffel van hun sandalen horen toen ze zich met bekwame spoed terughaastten naar hun *castellum* in Katwijk. Zo zout als op die zandrug moeten die geharde krijgers het nog niet hebben gevreten. Belaagd te worden door Kaninefaatse darmenlezers en schedelklievers. Te verbazingwekkender om te lezen dat de stad dan toch nog halverwege de dertiende eeuw de stadsrechten verwierf. Toen moet het begonnen zijn, dat graven onder het bebouwde oppervlak. Van het ene klooster naar het andere; van het grafelijk jachtslot naar het Spaarne. Een stad, vanaf de stichting beheerst door angsten. Misschien wel uit angst gesticht. Een angst die in eerste instantie uit niets anders te verklaren valt dan uit de vrees voor de naamloze toekomst die de stad tegemoet zou gaan. Maar vergis u niet. Geen groter vrees dan die voor de naamloosheid. Nooit geboren te zijn en nooit te sterven... Het niets kolkend in de hersens, visioenen genererend om dat niets te rechtvaardigen. Spookbeelden om de fundamenten van een werkelijk bestaan op te grondvesten. Gruwelijke, al of niet tussen de lakens uitgevochten veldslagen. Roof, moord, plunderings- en verkrachtingstochten om een gebied te vinden waarop men tekenen van zijn existentie kan achterlaten. Graven en spitten, emmers vol scheppen met modder en zand, ze optakelen en verdergraven en -spitten. En dan, als heel dat gangenstelsel gegraven is en de angsten bezworen zijn, de angst dat men in de oude angst terug zou kunnen vallen. Zomaar, vanuit de inmiddels met batist en met hermelijn omzoomde lakens, op het bloeddoorweekte zand waar men nog de roffel van Romeinse sandalen hoort, het schorre geblaf van de veemrechters en het allesdoorsnijdende gebrul van hun slachtoffers. Waar men al het gedruis hoort naderen van piekeniers, ruiters en lansiers van de Spaanse horden die de stad zullen uitvreten nadat de geuzenvendels al verkrachtend en beeldenstormend door haar straten zijn gegaan. Of omgekeerd. Zo is men in ieder geval meer dan niets. Men is een bevolking met een gangenstelsel; men heeft geschiedenis gegraven. Al heeft geen mens ooit gehoord van het feit dat een graaf Jan of een graaf Floris ooit zijn hachje heeft weten te redden door, afdalend in een put op de binnenhof van het jachtslot aan de markt, onder markt en Damstraat door naar de uitgang aan het Spaarne te vluchten, waar een platbodem of kogge hem zou opwachten teneinde de graaf naar veiliger streken te voeren. Gebeurd zal het ongetwijfeld eens zijn. Zoals alles in Haarlemse hoofden eens gebeurd is, onder de sluier van de koortsdroom, in de overspannen verwachting van een eerste bruidsnacht. In de zieke geest van deze of gene schrijver die meer dan plaatselijke roem hoopte te vergaren.

Toen ik met behulp van zaklantaarn, touwen, valhelm en bollen vliegertouw om mijn route te markeren eenmaal in het gangenstelsel was doorgedrongen, hoorde ik iemand, ergens vanuit een nis, mij toefluisteren: 'Dat is natuurlijk allemaal bij wijze van spreken. Alles wat een journalist zegt is bij wijze van spreken, zeker als hij in zijn jeugd ooit gedichten heeft geschreven. In alles wat hij zegt wordt hij ontmaskerd.'

Alsof dat een prerogatief van mislukte dichters zou zijn.

Terwijl ik het einde van het vliegertouw aan een nieuwe bol vastknoopte, was ik zo onverstandig een gesprek met die auditieve schim aan te gaan. Of misschien wel met mezelf zoals ik me daar, door de zaklantaarn die ik naast me op de grond had gelegd, tegen de lage wand geprojecteerd zag. Als in Plato's vermaarde grot, maar met consequenties die de wijsgeer niet voorzien had. Ik zag immers mezelf. Of niet? Voor hetzelfde geld kon die donkere, tegen de wand geprojecteerde schim de visualisatie van dat auditieve gedrocht zijn. Raadsels. Maskers in dit geval.

'Ja,' beaamde de schim, 'misschien dragen we allemaal wel maskers. Van de wieg tot het graf: één grote maskerade. Werpt men het ene masker af, dan is het andere alweer aangegroeid. Pas als men sterft houdt de verpopping op. Niet voor niets was tot voor kort het laatste masker een dodenmasker. Je hebt ze op je boekenkast staan, Wandelaar, de dodenmaskers van Beethoven, Wagner en het verdronken meisje uit de Seine. Maar waar vind je vandaag de dag nog een beeldhouwer, of hoe noem je die lui...? Dodenmaskeradeurs?'

'Poppendokters?' opperde ik. 'Als je het tenminste bij dat beeld van die verpopping wilt houden.'

Zijn lach klonk hol tegen de gewelfde wanden op. 'Serieus, Wandelaar. Zoek eens in het telefoonboek, op het internet desnoods, al weet ik dat jij daar de weg niet weet. Zo'n masker moet binnen het uur gemaakt worden. Tegen de tijd dat jij een adres gevonden hebt is het laatste masker al verwrongen in een doodsgrimas. Zoiets hebben de mensen niet graag op hun boekenkast. Maar het is natuurlijk beter als je de poppendokter ruim van tevoren op de hoogte stelt. Dan kan hij alvast zijn papje aanmaken. Terwijl jij nog woorden van troost en hoop op herstel prevelt, staat die poppendokter al in zijn gips te roeren. En als de stervende dan de laatste adem uitblaast: pats! – daar wordt de eerste lepel gips al op zijn gezicht gekledderd. Er moet nog een vleugje adem in de dood zijn, snap je?'

'Heb je er al veel gezien?' vroeg ik.

'Dodenmaskers? O jee, ja. Het is in de loop der jaren een van mijn specalismes geworden.'

'Lijken, bedoel ik.'

'Een van mijn grootvaders, Dirk, Willem, Floris of Jan, ik zou niet meer weten welke van het Hollandse, Bourgondische dan wel Henegouwse huis, schuimde met mij altijd de lijkenhuizen af toen ik nog een kind was. Dan tilde hij me op en zei: "Kijk, daar ligt er weer een." Ooit heeft hij me verteld dat lijken via een draad met een bel verbonden waren, zodat als ze als het ware uit de dood ontwaakten, de begrafenisondernemer onmiddellijk gealarmeerd werd. Dan ging dat belletje. Dat hadden ze bedacht omdat ooit een pas overleden burgemeester – ik geloof dat hij Plekker heette – een nogal slecht geweten aan de oorlog had overgehouden en hij uit zijn doodsmerrie ontwaakte. Die was dus schijndood. Die was in zijn doodshemd naar huis gelopen en had aan de deur geklopt en zijn vrouw, die juist uit het interneringskamp terug was, was zich toen doodgeschrokken. Letterlijk. Toen moest zij naar het lijkenhuis gebracht worden en die Plekker, die heeft nog een paar jaar doorgeleefd. Al konden ze hem niet meer in een kamp opsluiten, want officieel was hij doodverklaard. Hij was een onpersoon. Zijn pet, een NSB-pet dus, die "de pet van Plekker" werd genoemd, is daarna nog decennialang door de Haarlemse binnenstad blijven spoken, van kroeg naar kroeg en erger. Tot hij ergens, ik meen in De Drie Kemphaantjes, op één toog met het pistool van Hannie Schaft kwam te liggen. Toen is die tent ontploft en was Haarlem weer twee legendes armer. Maar wat ik zeggen wilde: vanaf die tijd stamt dat belletje.'

Ik zei: 'U probeert me af te leiden. U weet heel goed dat ik naar iets anders op zoek ben.'

Hij deed of hij me niet hoorde en babbelde, alsof hij gezellig aan het haardvuur zat, opgewekt verder.

'Dan heb je nog dat verhaal van die arts-assistent, hoe heette hij ook weer? Hüsstege, geloof ik, die had absoluut nog geen praktijkervaring...'

'Hüsstege, dat was toch die chirurg met wie mijn vrouw...?'

Met wie stond ik hier in vredesnaam te praten? Het waarschuwingslichtje van mijn zaklantaarn begon te knipperen. Voor vandaag was het wel weer genoeg geweest. De frisse lucht van het dagelijks leven, het flauwe moppengetap in de redactielokalen desnoods. De stem had aan mijn besognes geen boodschap.

'...hij liep mee in een begrafenisstoet van een familielid, geloof ik, en zag opeens een hand uit de kist steken. Die slimmerik begreep onmiddellijk dat er iets loos was en een paar weken later kon hij weer aan het werk.'

'Terwijl hij nog geen praktijkervaring had.'

'Niet die Hüsstege, maar het lijk.'

'Een lijk heeft al helemaal geen praktijkervaring.'

'Degene met die hand... die voor een lijk was aangezien.'

'Het veronderstelde lijk dus?'

'Allicht. Als men geweten zou hebben dat het nog leefde, zou er immers van een lijk geen sprake zijn geweest, en van een begrafenisstoet nog minder.'

Het klonk als een zorgvuldig geënsceneerd interview met een schrijver dat ik ooit eens gelezen had. Maar sinds ik de kunst had afgezworen, las ik zo veel niet meer. En met doden of schijndoden heb ik sowieso nooit veel op gehad.

De in de droom ervaren beelden zijn, in tegenstelling tot wat de populariserende droomduiding wil, geen emanaties van onderdrukte schrikbeelden; zij zijn de wachters aan de ingang van het labyrint waarin zich pas de werkelijke gruwelen afspelen. Het zou kunnen dat zij de Minotaurus van uw onbehaaglijkheid zelfs nog nooit met eigen ogen hebben aanschouwd. Niettemin, hoedt u zich vooral voor hen als zij een gewild komische gedaante aannemen. Dan zou het wel eens kunnen zijn dat zij een stier bewaken die zij zélf gefokt hebben.

Met dit soort overwegingen hield ik mij bezig toen mijn chef me bij zich riep en een tirade begon over het teruglopende abonnementenbestand. Hij toverde me schrikbeelden voor van fusies en overnames, afvloeiingsregelingen en voortijdige ontslagen. De vrijheid van de pers was in het geding en in het verlengde daarvan de vrijheid van meningsuiting in het algemeen. Engelse en Amerikaanse toestanden hield hij me voor. De terreur van de tabloids. De verrundering van de samenleving kortom, en hij zag het als de taak van de *Kennemer Bode* daar paal en perk aan te stellen.

'We moeten dichter naar de mensen toe.'

'Om te voorkomen dat ze te dichtbij komen?'

Het was een vorm van dialectiek die hij wel volgen kon, al was het niet van harte.

'De kwestie is gewoon dat een krant alleen bestaansrecht heeft als hij gelezen wordt,' wees hij me terecht.

Mijn opmerking dat het in dat geval niet uitmaakte of de *Bode* met een bestaande landelijke krant zou fuseren, deed hij af als een dooddoener.

'Onze eigenheid ligt in het regionale,' ordonneerde hij.

Dat bleek met regionale werkeloosheidsproblemen en duidelijk waarneembare symptomen van een zich nieuw ontwikkelende klassenmaatschappij langs etnische lijnen niets te maken te hebben.

'Abstracties waar niemand wakker van ligt zolang de kassa's rinkelen.'

Ik begreep het heel goed, mijn chef was een van de voormalige radaumakers die hun historisch-materialistische lesje geleerd hadden en die hun daaruit voortvloeiende positie niet graag te grabbel gooiden. De sociaal-bureaucraat als een door hogere studies en idealen gegrepene die zijn daarmee verworven positie te vuur en te zwaard verdedigt, al is het tegen de belangen van de door hem gepredikte idealen in. Met een beroep op achterhaalde misstanden worden nieuwe misstanden genegeerd. In deze beste aller werelden liggen de 'pijnpunten', zoals ze die noemen, elders. Bij voorkeur daar waar men, door ze aan de kaak te stellen, zelf geen schade aan de eigen positie lijdt.

Men steekt dan bijvoorbeeld vlaggen uit van elders onderdrukt geachte bevolkingsgroepen, opdat men zich hier kan laten huldigen als wereldaltruïst, zonder dat men merkbare schade aan de behaaglijke positie in eigen land berokkent.

Mijn chef was zo'n product van het mastodontisch socialisme en ik wist het. Zelf ben ik er trouwens ook zo een, want ik heb het hart niet in mijn donder tegen zijn opvattingen op te komen. Liever beschouw ik mezelf als loonslaaf die, nillens willens, zijn pensioentje maar heeft te verdedigen. Want als je je dat laat afpakken, dan ben je toch weer terug in dat vermaledijde industriële tijdperk, om niet te zeggen de feodaliteit, die de mensheid weinig goeds schijnt te hebben gedaan.

Waar het op neerkwam was dat er eens een serie reportages moest worden geschreven over onderwerpen die 'het hart van de mensen raken'.

'Rechtszaken, bedoel je... schandalen...'

Mijn chef knipte met zijn vingers. 'Bingo,' zei hij, 'het hart van de *Bode*, het hart van iedere Kennemer.'

Ik dacht aan mijn eigen hart en hoe ik dat had voelen bonzen tijdens mijn tochten door het onderaardse en begreep dat mijn chef met dergelijke harten niet veel op had. Het romantische aspect daaraan moest hem, het voormalige gestaalde kader, wel erg tegen de borst stuiten. En wat moest je met andermans hart dat tegen je eigen borst dreunde?

Mijn chef tikte op een map die voor hem op zijn bureau lag. 'Allemaal oude zaken die zich in deze omgeving hebben afgespeeld.' Hij sloeg de map open en trok er wat willekeurige knipsels uit. 'Hier, doodslag... een pyromaan... dat geval van die verdwenen IJmuidense... Hier, nog een verdwijning... Meisje op de Kleverparkweg... dat soort dingen... daar gaan we een hele serie aan wijden. Dat vreten de mensen.'

Ik probeerde hem uit te leggen dat ik de laatste weken slecht geslapen had, dat ik het gevoel had dat ik nu al wekenlang door de onderaardse gangen van Haarlem had gezworven en dat ik de nachten, volgend op die speurtochten, tot in de slaap werd achtervolgd door de schimmen die ik tegen het lijf was gelopen, de stemmen die ik had gehoord. Dat ik die tochten werkelijk had ondernomen, durfde ik er niet bij te vertellen uit angst voor een dementerende zonderling te worden aangezien, rijp voor vervroegde uittreding. Dat ik het daardoor alleen maar erger voor mezelf maakte, kwam niet bij me op.

'Bravo,' zei mijn chef alleen maar, 'je verbeeldingskracht heeft je nog niet in de steek gelaten, Wandelaar. Je bent de geknipte man voor dit werk. Nog geen veertig en al achtervolgd door waanbeelden. Heel goed. Volledig ongeschikt voor een leidende functie, maar een rasreporter...'

Dat zei mijn chef, die toen hij zelf nog stukjes schreef, tot bureauredacteur werd gepromoveerd omdat zijn reportages onleesbaar waren, zijn grote mond op de ondernemingsraadvergaderingen echter uiterst hoorbaar. Nu goed, men legt zich neer bij de dingen. Of men wordt chef van iemand als Otto Wandelaar. Dat laatste lijkt me erger.

Ik stuitte op het geval-Oolsdorp.

'Heikel,' zei mijn chef, 'heikel, maar ga je gang, Wandelaar. De tijden veranderen en je zou een dief van je eigen portemonnee zijn als je daar niet op inspeelde.'

Geen idee waar de man op doelde. Temeer niet daar ik tegenover hem met geen woord gerept had over een van mijn ontmoetingen in het onderaardse. Die met een ongeveer zestig jaar oude man met ravenzwart haar, goedgeschoren en strak in het vel.

De man beweerde praktizijn te zijn en op mijn vraag wat dat inhield, had hij zijn schouders opgehaald, me met zijn grijsblauwe ogen doordringend aangekeken en gezegd: 'Tja, welbeschouwd is dat iemand die voortdurend op de loop is. Eerst ergens heen, al weet hij niet precies waarheen, en dan weer terug, al weet hij niet precies waarom. Je loopt voor iets weg wat op je rug zit en zijn klauwen vast om je heen heeft geslagen. Het heeft je geïnfecteerd. Woede... vertwijfeling...'

De tegen de wand geprojecteerde schim had wel wat op de eerdere geleken die ook het woord tot me had gericht. Gebogen van gestalte, wat veroorzaakt kon zijn door de buiging van het gewelf, en met een stem die ik ook al meende te herkennen, al kon ik hem zo gauw niet thuisbrengen. In tegenstelling tot de vorige schim echter, zo had ik mij gerealiseerd, bleek ik nu de haarkleur te kunnen onderscheiden, de opmerkelijk gezonde teint van het gelaat en de kleur van de ogen, die gevoegd bij het donkere haar, een soort betovering uitstraalden. De man deed me denken aan een schrijver van wie ik, behalve het verzamelde werk, heel wat biografieën in de boekenkast had staan. Dezelfde boekenkast waarop de dodenmaskers... de hoeders van het sinds lang niet meer gelezene...

'...die blijven in je wroeten. Tot de koorts afneemt en, laten we zeggen, draaglijk wordt. Draaglijk, begrijpt u? Niet meer dan dat. Gezond word je nooit meer. Welbeschouwd, mijnheer Van de Bode, worden we als zieken geboren en rennen we gedurende ons hele leven van de ene dokter naar de andere. We zijn ongeneeslijke fondspatiënten. We houden ons in leven met de hoop ons ooit particulier te kunnen verzekeren. Want dan zal alles beter worden, al blijven we van het besef doordrongen dat ook de duurste artsen ons geen soelaas zullen bieden. Ik weet er alles van. Ik heb me hogerop gewerkt. Mijn vader was huisschilder, moet u weten. Maar ik ben in goeden doen. Praktizijn, nietwaar? Maar een zwerver ben ik gebleven, zoals u ziet. Wat zou ik hier anders te zoeken hebben?'

Dat nu was wat ik wilde achterhalen.

3

Ondanks het vertrek van mevrouw Irmgard dat de weg leek te hebben vrijgemaakt voor een openhartige gedachtewisseling, een bekentenis als het aan mij lag, gaf Oolsdorp zich nog niet bloot.

'Laten we vooropstellen, mijnheer Van de Bode,' zei hij, terwijl hij een schuinse blik op mijn bandrecorder wierp, 'dat geen twee mensen op aarde aan elkaar gelijk zijn. Ik bedoel, het feit dat u mij hier komt opzoeken zou op een zekere overeenkomst tussen u en mij kunnen duiden. Misschien bent ú in mij wel op zoek naar iets wat u in uzelf herkend hebt. Terwijl mijn toestemming om door u geïnterviewd te worden op een zekere drang in mij zou kunnen wijzen die u beroepsmatig gegeven is. Maar dan nog, mijnheer. Er zijn door de geschiedenis heen duizenden filosofen geweest die het gemeenschappelijke tussen u en mij... Ik bedoel dit natuurlijk niet persoonlijk, ik heb van mijn leven nog nooit iets persoonlijk bedoeld... Weet u, misschien heb ik zelfs mijn eigen leven niet persoonlijk bedoeld. Soms heb ik het idee dat ik niet meer dan de afspiegeling van iets ben. Alleen weet ik niet waarvan. Ik ben tenslotte geen filosoof. Maar ze zijn er geweest, die wijsgeren, duizenden, die filosofieën hebben opgezet, gebaseerd op wat ons allen bindt, terwijl – en dat is merkwaardig – er geen filosofisch systeem bestaat dat in geldigheid het persoonlijk belang voor zijn schepper overstijgt. Wat bijvoorbeeld Kant geschreven heeft, of Schopenhauer, dat is enerzijds niet meer dan het spoorwegboekje van een verlate reiziger, en anderzijds niets anders dan het dagboek van een man die met het verkeerde been uit bed is gestapt. Maar bent u een verlate reiziger? Ben ik met het verkeerde been uit bed gestapt? Maar dan nog, dat er honderden, ja duizenden zijn die de zuivere rede dan wel de wereld als wil en voorstelling tot hun vademecum maken, is hun zaak. Men wil iemand zijn, nietwaar? Zoals u iemand wilt zijn. En ik. Daar komt het op neer en de rest is *schönes Gerede,* zoals de Duitsers dat zo treffend zeggen. Maar mooie praatjes brengen de afzichtelijke waarheid nog niet dichterbij. Gelooft u mij, mijnheer Van de Bode, wij leven voor niets en voor alles. Iedere conclusie heft de voorgaande op en dan begint alles weer van voren af aan. Voorzover je überhaupt kunt vaststellen wat het einde of het begin, de voor- of achterkant van de dingen is. Iedere periode, iedere seconde zelfs is een nieuw begin. Steeds opnieuw is er een beginpunt.

Open deuren, zegt u? Het hele leven is één open deur, maar dat wil nog niet zeggen dat het daardoor toegankelijker wordt. Daar zorgen die filosofen wel voor. Sluitende redeneringen, begrijpt u? Die lui hebben de verwondering hoog in het vaandel geschreven omdat ze eigenlijk niet meer dan komedianten zijn die het publiek het ene kunstje na het andere willen voortoveren. Maar het zijn en blijven kunstjes. Doekjes voor het bloeden. Om de indruk te wekken dat onze zielen zo kwetsbaar, zo licht verwondbaar zijn. Dat maakt ons op de een of andere manier sterker, begrijpt u...? Het besef dat we kwetsbare zielen hebben. Daarmee denken we ons, paradoxaal genoeg, van de medemens te onderscheiden. Onzin natuurlijk. Zwijnen zijn we allemaal en als we eenmaal op de leer getrokken zijn en de slachter met zijn mes komt, dan maakt het allemaal niet meer uit met welk doekje het bloeden gestelpt wordt.'

'Nu ja, goed...' Ik had mijn hand al naar de Uher uitgestrekt om de band stil te zetten.

'Nu ja, goed.... Maar mijnheer Van de Bode, daar noemt u in één keer drie begrippen die het denken te boven gaan. Die krijgt u zomaar, pats-boem, over uw lippen. Een jonge vader schat ik u. Misschien brengt u iedere dag wel twee of drie bloedjes van kinderen naar school en heel misschien houdt u wel zielsveel van uw vrouw, en daar noemt u zomaar een drie-eenheid als vanzelfsprekend waar de heilige moederkerk tot op de dag van vandaag nog niet over is uitgedacht. Een onbeschaamdheid, mijnheer Van de Bode.'

Ik had er genoeg van. Geïrriteerd zette ik de band stil en zei dat hij kennelijk niet bereid was een serieus gesprek te voeren.

'Maar dat is toch ook helemaal niet nodig. Wat u weten wilt, hebt u al in de knipsels gelezen. En alles wat u daaraan wilt toevoegen is voor het amusement van uw lezers bedoeld.'

Ik probeerde hem uit te leggen dat het eerder mijn bedoeling was hem min of meer te rehabiliteren dan hem alsnog aan de schandpaal te nagelen. Dat ik weliswaar bij een plaatselijk sufferdje werkte, dat opgeslokt dreigde te worden door een landelijk schandaalblad, maar dat ik, in tegenstelling tot mijn collega's en meerderen, tot aan mijn laatste ademsnik een integer journalist wilde blijven.

'Ach,' sneerde Oolsdorp, 'bent u er zó een? Had dat dan meteen verteld.'

Hij ging er eens genoeglijk bij zitten en schonk ons beiden nog een borrel in. En ja, daar ging hij weer met die pantoffel. De melancholie die in hem stak. Die ík in die pantoffel gestoken had. Misschien, bedacht ik, had Oolsdorp wel gelijk en was ik niet meer dan die journalistieke praatjesmaker die hij in me had gezien. De vuller van andermans pantoffels.

'Ik heb eens een vriend gehad,' vervolgde hij, alsof het doel van mijn aanwezigheid hem in het geheel niet aanging, 'nu ja, vriend... Ik had eens een akkefietje voor die man geregeld, iets met beslaglegging, althans de opheffing daarvan. Vriend blij, dus we gingen een glaasje drinken. Een door en door burgerlijk type. In zijn jonge jaren had hij heel aandoenlijke gedichtjes geschreven en misschien was hij juist daarom, naar eigen zeggen, "door een hel gegaan". Toen was hij boeken gaan schrijven, die allemaal verfilmd werden. Wat ook precies de reden was dat hij een rechtskundig adviseur nodig had. Een slimme, welteverstaan. Een man als ik. Nu ja, zo'n typische kleinburger, om op mijn vriend terug te komen, die bard van zijn eigen leed. Drie vrouwen en van iedere vrouw een kind of wat. De baard afgeschoren, de lokken getemd. Armani-pakken en Gucci-sokken, of omgekeerd.'

Ik zag hoe hij mijn kleding monsterde. Het kon er kennelijk mee door, want, of hij me plotseling weer in vertrouwen nam, vervolgde hij: 'Later hoorde ik dat hij, nadat we afscheid van elkaar hadden genomen, naar huis was gegaan, waar hij in de linnenkast van zijn vrouw was gaan rommelen. Hij zou, zo heb ik mij later laten vertellen, een slipje, jarretelgordel en kousen van zijn vrouw hebben aangetrokken en de cups van een beha met sokken hebben opgevuld. Vervolgens zou hij zich in een van haar pikante jurken hebben gestoken, om zich daarna aan de deurpost op te hangen. Een man in de kracht van zijn leven.'

'Een dichter?'

'Kunt u nagaan wat voor een waarde dat begrip voor mij heeft. Mijn vader bijvoorbeeld heeft zich nooit beter voorgedaan dan als de huisschilder die hij in werkelijkheid was. En dat was vóór de oorlog, begrijpt u, toen er nog verven op basis van lijnzaadolie werden gemaakt. Dat wordt tegenwoordig ook als een misdaad beschouwd.'

Ik zag zoiets als 'de verre blik' in Oolsdorps ogen verschijnen, een blik, voorbij aan de situatie waarin hij nú verkeerde. Terwijl ik mij vooroverboog om mijn glaasje te pakken, zette ik de bandrecorder weer aan.

'Wij woonden toen in de Acaciastraat en mijn moeder zong in het operettekoor. Dat was een heel ongelukkige combinatie, want de operette werd hoofdzakelijk beneden de spoorlijn beoefend. Bovendien werd je als je, zoals wij, boven het spoor woonde, geacht in loondienst te zijn. Ambtenaar of kruideniersbediende, als je je weekloon maar in een grauwpapieren zakje kreeg. Mijn vader was zelfstandige. Een kleine, maar te groot voor het bovenspoorse zelotendom. Hij wilde het weten ook: al kreeg hij wekelijks minder in handen dan de werknemers, hij speelde niettemin viool. Lanner en Strauss. Ja, ja... En alsof dat nog niet voldoende was, had hij op de vliering een zogenaamd schilderatelier ingericht. Daar schilderde hij, als mijn moeder een nieuwe *Zigeunerbaron* instudeerde, bloemstillevens. Of hij zette nieuwe knopen aan zijn gulp, want aan huishoudelijk werk had mijn moeder een broertje dood. Nee, nee, mijnheer Van de Bode, broertjes had ik niet. Het is maar bij wijze van spreken... zoals heel mijn leven bij wijze van spreken is geweest... niet de moeite waard.

Maar mijn moeder had het hoog in de bol. Hoger nog dan mijn vader. Hij Lanner en Strauss? Zij Lehár en Künneke. Ik geef toe: wat maakt het uit? Maar het ging om de macht. *Der Kampf um's Dasein*... Ha... ha... Vulgair darwinisme op de vierkante meter van de wansmaak. Tussen de voormalige buurtschap Schoten en het Kennemerplein: de slag bij Pharsalus voor arbeiders vertaald tot de slag op het snippenveld. Gevederte alom, maar weinig wol.'

Vreugdelozer dan Oolsdorp heb ik niemand ooit horen lachen.

'Beschouwt u mijn vader rustig als een toegewijd ambachtsman. Mijn moeder behoorde meer tot de arbeidersadel. Opgevoed in haat en rancune tegen de boven haar gestelden, had ze zich de ponteneur van een klasse toegeëigend waar mijn vader eigenlijk toe behoorde, maar waar hij lak aan had. Het zal u niet verbazen te horen dat dit alles in drankzucht eindigde. Waar het mijn vader betrof. Mijn moeder legde het aan met de dirigent van het zangkoor. Van elkaar gescheiden door het spoor gingen mijn ouders ieder huns weegs. Ik zwabberde daar zo'n beetje tussen in, begrijpt u wel? Beetje zingen, beetje lallen. Tot mijn onderbroek stijf stond van de levensvreugde. Nee, het opgroeien van een jonge knaap was in die tijd geen sinecure. Temeer niet daar mijn moeder had doorgezet dat ik het Triniteitslyceum zou bezoeken. Dat was een door de paters augustijnen geleide school aan de Zijlweg, waar het uitschot van de roomse elite zijn kinderen naar toe stuurde. Patertjes in de dop, dichtertjes ook; aankomende journalisten en politici natuurlijk. Hebt u ook op het Triniteitslyceum gezeten?'

'Het Mendelcollege, mijnheer Oolsdorp.'

Hij haalde narrig zijn schouders op. 'Daar is mij niets van bekend.'

'Dat was aanvankelijk de dependance van het Trini.'

'Trini, zegt u?' stoof Oolsdorp op. 'Trini?' Hij laste een lange pauze in. 'Mijnheer Van de Bode, u bent een verachtelijk mens.'

Ik keek hem niet-begrijpend aan.

'Trini... Trini... daar klinkt iets in door van... Hoe zal ik zeggen? Daar klinkt iets vertederends in, iets van dat men er graag bij heeft gehoord of had willen horen. Maar het was niet vertederend, mijnheer, en men moet er niet graag bij willen hebben gehoord. Het was...'

Weer dwaalden zijn blikken af, zijn vingers leken zich tot een wanhopige kluwen te verstrengelen.

'Mijn eerste lange broek was een afleggertje van mijn vader. En ik heb u al verteld dat mijn moeder huishoudelijk niet al te begaafd was. Niettemin had ze geprobeerd mijn broek naar behoren aan te passen. Voor mij deed ze het wel, begrijpt u? Ik was haar *Bettelstudent* die zich ooit als prins van den bloede moest ontpoppen. Maar inmiddels was die broek een dwangbroek.'

Oolsdorp kwam overeind uit zijn stoel en spreidde zijn armen.

'Ziet u wel? U ziet toch hoe verkrampt en misvormd ik ben? Daarom is ook alles wat ik zeg verkrampt, misvormd. Terwijl het de zuivere waarheid is. En dat is precies zoals er op dat Trini van u met de waarheid werd omgegaan. De waarheid werd er als leugen voorgesteld, terwijl de leugen... Bent u het niet met me eens? Dat is vreemd. De meeste jongelui zijn het wat dat betreft wel met me eens. Verkrampt, misvormd. Dat zie je toch zó? Dat harnas dat men heeft leren dragen... als het pantser van een kreeft. Je kunt je alleen nog achterwaarts voortbewegen.'

Hij was weer in zijn fauteuil neergeploft en had het ene been opnieuw over het andere geslagen.

'Niets is vermoeiender dan achterwaarts de toekomst tegemoet te gaan. Ik heb het mijn leven lang volgehouden en ben nu rijp voor de zelfmoord. Met een beha aan en een jarretel desnoods. Maar waarom trilt u zo met uw hand?'

Ik zei dat mijn hand helemaal niet trilde. 'Maar u... u wipt voortdurend met uw rechtervoet.'

'Dat is de melancholie, mijnheer, de melancholie van de wals. Ik wip altijd met mijn voet. Als ik van boven spreek, sla ik met de onderkant de maat. Dat was u, zoals gebleken is, al eerder opgevallen. U kunt de blik op iemands gezicht gericht houden terwijl u tegelijkertijd niets ontgaat aan wat zich elders voordoet. U bent, denk ik, dan ook een goed journalist. Een spion van de onderkant als het ware. Daarom heb ik u hier ook laten ontbieden, al kan ik niet ontkennen dat Immie er het hare aan toe heeft bijgedragen.

Het is me een raadsel waarom. Ze is een goede vrouw, Irmgard, al leeft ze een beetje... Nu ja, aan iedereen is wel een steekje los. Neem mij nu... dat wippen met mijn voet, dat virtuoze spel met mijn pantoffel in relatie tot wat ik zoal te berde breng – dat is volkomen op elkaar afgesteld. Hier is sprake van contrapunt, mijnheer. Het contrapunt is mijn roeping, mijn noodlot. Omdat mijn vader vioolspeelde en zelf zijn knopen aannaaide en mijn moeder zich wederrechtelijk in de rijen van de zingende middenstand had gevoegd. Bij alles wat ik zeg sla ik met mijn voet de maat. Behalve natuurlijk als ik onder narcose zou zijn.

Wat denkt u, zou ik morgen onder narcose moeten? Nou, dan zal ik wel een toontje lager zingen en dan hoef ik natuurlijk niet de maat te slaan.'

Hij staarde naar de punt van zijn voet, die hij nu stilhield. De pantoffel werd alleen nog door de grote teen gedragen.

'Kijk, ik zeg nu: "Kijk", en hup, daar gaat de pantoffel weer aan de voet.'

Inderdaad slaagde hij erin de pantoffel met een behendig wipje weer aan zijn voet te krijgen.

'Fabelachtig, nietwaar? Dat heb ik allemaal aan Strauss en Lanner te danken. Of liever aan mijn vader, die vioolspeelde en daarbij ook altijd met zijn linkervoet de maat sloeg. Mijn moeder deed dat nooit als ze zong. Maar mijn moeder was dan ook niet muzikaal. Die deed maar alsof... om mijn vader af te troeven. Mijn vader, die begreep dat geluid en maat bij elkaar horen, dat het niet de toon is maar de maat die de muziek maakt. Zoals het niet de kleur is die het schilderij maakt, maar de juiste verdeling van die kleuren over het doek. Zoals hij naast het kobaltblauw een toets citroengeel zette, waardoor bij de kijker een vermoeden van delicaat groen ontstond. Dat heeft iets symfonisch, vindt u ook niet? Daaruit blijkt welbeschouwd dat ongelukkige, ja, tragische mensen bij uitstek muzikaal zijn.

De mensen worden niet voor niets onder begeleiding van muziek begraven. Muziek heeft immers met tragiek en treurigheid te maken. Of verbeeldt u zich ooit een vrolijk walsje te hebben gehoord? Welnu, dan hebt u stront in uw oren.

Het schijnt, heb ik me eens laten vertellen, dat als mensen sterven ze muziek in hun hoofd horen. Als alles verdwenen is, de geest, de herinnering, dan rest alleen nog de muziek. Daarna is het de beurt aan de maden. Die spelen het deuntje verder. Eerst nestelen ze zich met hun violen, cello's en trompetten in de oogkassen. En of ze dat nu eerst in de linker dan wel de rechter oogkas doen, daar zijn de geleerden het nog niet over eens. Hoewel... Met de huidige, onstuimig te noemen ontwikkelingen in de medische wetenschap... Helpt u mij er morgen aan te herinneren, mijnheer Van de Bode, dat ik daar navraag naar moet doen.'

'U was bij uw broek gebleven.'

'Mijn broek, jawel, mijn eerste lange broek. Kijk, daar begint het sterven eigenlijk al. Ik weet nog wel, je had die Van de Heumens in de klas en die Ten Havens, dat waren zonen van roomse winkeliers. En de Van de Kommers niet te vergeten, die hun vader was referendaris bij de provincie. Die droegen maatbroeken. Ze liepen althans of ze maatbroeken droegen. Ze schreden als het ware. Zoals de augustijnen schreden, al kon je dat niet zien omdat ze togen droegen. Die paters bewogen zich als blikken opdraaipoppetjes op wieltjes voorwaarts. Zó van het klooster over de speelplaats naar het schoolgebouw. Een van de ouderejaars die later schrijver is geworden, heeft het in een van zijn stukjes zó voorgesteld als zouden zich dagelijks tientallen Haarlemmers voor de hekken verzameld hebben om dat schouwspel waar te nemen. Roomse humor! Het is maar hoe u die waarderen wilt. Wat mij is bijgebleven is dat de Van de Heumens, de Van de Kommers, de Ten Havens en wie ze maar achter zich aan konden krijgen, een joelende processie achter mij vormden en me uitmaakten voor "hond met de broek", dan wel "voddenjood" of "Schoter boertje", terwijl wij helemaal niet uit Schoten kwamen; wij kwamen uit de bomenbuurt en bovendien was Schoten allang ingelijfd bij de gemeente Haarlem. Het zijn kleinigheden, maar ze tellen, mijnheer, voor wie kleinigheden nog van belang zijn. En als ik dan, eenmaal weer thuis, mijn verslag deed, schonk mijn vader zich nog maar eens een borreltje in, waarop mijn moeder hem om de oren sloeg en hem naar zijn vliering verjaagde. "Ga jij maar bloemetjes schilderen of zet een knoop aan." Waarop even later van boven een opgewekt "Eisele und Beisele" weerklonk. U weet wel, dat liedje waarop je zo aardig als een marionet kunt dansen. Jawel, de knekelserenade.'

Oolsdorp kwam weer overeind en probeerde een soort dansje waarbij hij gelijktijdig de linkerarm en het linkerbeen hief en daarna de rechterarm en het rechterbeen. En alsof daadwerkelijk iemand boven hem de touwtjes liet vieren, zakte hij daarna weer terug in zijn fauteuil.

'Een schande,' stamelde hij, 'een schande. Dat van die broek bedoel ik. Want toen ik, het gepest beu, weer in de korte broek verscheen waarvan ik gehoopt had dat het mijn laatste zou zijn geweest, begonnen mijn klasgenoten tijdens het sporten met van die gemene, harde kastieballen op mijn kuiten te mikken. En de heer augustijn langs de kant maar toekijken. Met een vals lachje om de mond, waarvan je niet wist waar hij nu het meeste plezier aan beleefde: de meedogenloosheid van mijn kameraden of mijn blote en gemaltraiteerde kuiten. Dat alles bij elkaar, die augustijn en die klasgenoten... dat was het schorriemorrie waar de eerder gememoreerde schrijver later van die vrome stukjes over zou schrijven, om nog maar te zwijgen over de bedevaarten naar Heiloo en andere roomse nostalgie. Gelooft u mij, mijnheer Van de Bode, ik ben een vroom mens, even vroom als ik sociaal ben, maar die zin voor religie hebben ze er bij mij uitgeslagen.

Om de schoolreisjes en natuurlijk ook die bedevaarten naar Heiloo te bekostigen moest mijn vader op zijn knieën naar de pastoor van de Heilig Hartparochie. U, als Haarlemmer, moet weten dat wij eigenlijk bij de parochie van Sint-Elizabeth en Sint-Barbara hoorden, maar dat vond mijn moeder onder ons niveau, dat was Schoten. Bij de franciscanen van het Heilig Hart moesten we wezen, want die hielden hof in de Kleverparkbuurt. Een enclave van netheid en fatsoen; boven het spoor weliswaar, maar met uitzicht op Bloemendaal, dat in de ogen van mijn moeder het beloofde land was. Want als mijn vader niet zo veel gedronken had en in plaats van bloemetjes te schilderen... dan... Ik zal u haar dagelijkse jeremiades besparen. Mijn jeugd was zonder die litanieën al zwaar genoeg en ik wens mijn herinnering aan die jeugd niet nog verder te verpesten met het ach-en-weegejammer van mijn moeder, dat overigens altijd nét even te melodieus klonk om door mij werkelijk serieus genomen te worden. Ik was nog een kind, moet u weten, en kinderen horen niet altijd de gesmoorde vloek die onder de jubel schuilgaat.

Maar bij die pastoor van het Kleverpark kreeg mijn vader geen cent los. "Het is voor mijn zoon die bij de augustijnen studeert." Dat maakte het er niet beter op. Dat was voor die bedelbroeders een veel te intellectueel slag. En bovendien: wat verbeeldde mijn vader zich wel met zijn drankkegel van hier tot gunder? Met dergelijke verhalen kwam hij dan weer thuis. U begrijpt, weer een paar draaien voor zijn oren en, hup, naar de vliering, "Eisele und Beisele" en roosjes en anemonen in bonte pracht geschikt. Wat zal ik u zeggen, mijnheer Van de Bode? Kent u dat prachtwerk *Oorsprong en Voortgang der Nederlandtsche Beroerten ende Ellendicheden* getiteld? Dan hoef ik daar niets aan toe te voegen.

Maar erger nog dan de franciscaner of augustijner despoten was de operettekoningin uit de bomenbuurt. Iedere fatsoenlijke, door mij gekoesterde ambitie heeft ze eruit geranseld. Wilde ik matroos worden, dan moest het kapitein zijn. Zag ik mijzelf al carrière maken in ons Indië, dan moest er minstens een gouverneur-generaal uit mij groeien. En beoogde ik het priesterschap, zoals een waar christen betaamt, in ootmoet en onthouding, dan hield dat loeder mij de levensloop van een Borgia voor ogen. Het christendom zoals zij dat wenste te verstaan, bestond uit de zoetgevooisde mengeling van bloedschande, sodomie en verkrachting, het geheel opgevoerd in een weelde van ruisende zijde, ondeugend krakend batist en koppig terugverende baleinen. Dat wond op, mijnheer. Maar het maakte me totaal ongeschikt voor welke loopbaan dan ook. Want waar anders voerde die kwinkelerende nachtegaal die mijn moeder was, me heen dan naar ruggenmergtering en hersenverweking?

Er ging geen ochtend voorbij dat ik niet mijn lakens tegen mijn onderbuik voelde kleven. Ik durfde mijn bed niet meer uit en sloeg maar weer aan het rukken. Ik zou nog eindigen, zo vreesde ik, als mijn vader, een impotent, drankzuchtig wrak, dat al de wijk had genomen toen ik voor het eerst mijn lid beroerde.

Naar Den Helder was hij vertrokken om voor de Duitsers camouflagewerk te verrichten aan de bunkers en op het vliegveld De Kooy. Ver weg van zijn vrouw. Aan de Tuintjesweg was hij gaan wonen, waar hij zich door een serveerster bij de officiersmess knopen aan zijn broek liet zetten. Een daad van gerechtigheid, van die serveerster. Al zou ik niet weten in welke zin ze daarvoor beloond werd. Het waren warrige tijden en misschien was men al dik tevreden als men knopen aan de broek van een *Kriegsobermalermeister* mocht zetten. Of mijn vader ooit geld naar mijn moeder heeft gestuurd? Ik zou het niet weten. Het deed er ook niet toe. Ze was ingetrokken bij de koorleider die zich sinds kort *Tonkünstler* noemde en in goedbetaalde opdracht van de bezettende overheid een Arisch toonsysteem ontwikkelde.

Met mij ging het inmiddels minder Arisch toe, zoals u begrijpen zult. Ik gaf bloed op, mijn handen beefden. Als ik ergens in het huis van de toonkunstenaar een broekje van mijn moeder zag rondslingeren – en dat was nogal vaak het geval – dan ging ik tegen de vlakte. "Dat jong heeft de tering," constateerde mijn moeder gelaten en mijn stiefvader was er als de kippen bij om dat te bevestigen. Rust had hij nodig, rust om alle dissonanten uit zijn systeem te verwijderen. Chromatisch moest in zijn ogen het leven zijn en wat had je dan aan zo'n puber die aan de broekjes van zijn moeder rook? Daarop had hij me een keer betrapt. Sindsdien was hij zich blijven afvragen hoe hij me, met dit chantagemiddel in handen, het huis uit zou kunnen werken. Nu zag hij zijn kans schoon. Zich tooiend met de lauweren van deze of gene door hem gewonnen koorwedstrijd, liet hij eindelijk zijn vaderlijk gezag gelden. In Aken, daar zou een *Kadettenanstalt* zijn waar ze met mijn soort wel raad wisten. "Maar het kind heeft het aan zijn longen." "Aan zijn ruggengraat zul je bedoelen." Mijn moeder begreep de portee niet. Niettemin zat ik drie weken later op de Horst Wesselschule, waar ik de kans niet kreeg aan welk broekje dan ook te ruiken. Ik kreeg daar namelijk een zogenaamde *Ausbildung*. En met alle respect voor Lux et Libertas, gerechtigheid en democratie, mijnheer Van de Bode, ik kan u verzekeren dat ik er wat van heb opgestoken. Al werden wij driekwart van de tijd ingezet als *Flakhelfer* en greppelgravers. Moe,' zei hij, 'ik ben moe.'

Ik stelde hem voor de bandrecorder af te zetten. We zouden de volgende dag ons gesprek kunnen vervolgen.

'Maar morgen ben ik dood.'

'Kom, kom, mijnheer Oolsdorp, een simpel hartonderzoek, dat kan u de kop niet kosten.'

Hij grijnsde ongemakkelijk. 'Ik zat een keer op het toilet,' vervolgde hij zonder overgang, 'daar, in Aken. Dat was de enige mogelijkheid om een beetje tot rust te komen. Begon het luchtalarm te loeien, maar ik bleef rustig zitten. Ze hadden me daar op die *Anstalt* geleerd dat onze eer trouw heette, en rekent u maar dat ik me daaraan gehouden heb. Trouw aan mezelf, benauwd om mijn hachje zogezegd. Met geen duizend paarden kregen ze me van dat toilet af. Het aanzwellend gegrom van een eskader bommenwerpers. Vliegende forten, zo te horen, B-17's of Liberators. Boven het Vaalser Quartier begonnen ze hun bommen al los te laten. Als ik nog in mijn broek had kunnen schijten, zou ik het ongetwijfeld gedaan hebben. Maar mijn broek hing op mijn enkels en dat schijten mocht je geen schijten meer noemen. Het was een gierstroom van half verteerde rapen en knollen. Enfin, die bommenwerpers waren natuurlijk op weg naar Burtscheid. Maar om daar te komen moesten ze wél over de *Anstalt* vliegen. Ik was veertien, vijftien jaar oud, mijnheer, en ik keek daar opeens, in mijn blote kont zittend, tegen de hel aan. Het dak en de twee etages van het gebouw boven mij waren weggeslagen, brokken puin stortten links en rechts van mij neer. Door de stofwolken heen zag ik de hel. Die hel was van een helder en transparant blauw waarin het *Flak*-geschut nauwelijks sporen naliet.

Toen de bommenwerpers al kilometers verderop moesten zijn, viel er een onaardse stilte in, slechts onderbroken door het nu en dan ineenstorten van een restant muur of een dakspant. En de hemel was zo blauw, mijnheer. En ik zat daar boven mijn eigen derrie, die ten hemel stonk, die Nazareense hemel, en ik leefde.

En hier, mijnheer, komt het filosofisch moment waar ik u hebben wilde. Want ik suggereer nu wel dat dit moment mij euforisch stemde, maar die euforie ging gepaard met een soort onbehaaglijkheid. Niet uit verbijstering over het feit dat ik het overleefd had, en ook niet uit vrees over wat me nog te wachten stond, maar voortkomend uit de perplexiteit waarmee ik constateerde dat ik constateerde. Ik was op dat moment een ander. Dat was de hel, mijnheer, dat ik een ander was. Ik was mezelf als het ware kwijtgeraakt en besefte dat het me een leven lang zou kosten mezelf terug te vinden. Als daar überhaupt al sprake van zou kunnen zijn. Ik zou mijn leven lang op zoek moeten blijven naar die jongen die daar op het toilet had gezeten, met een geslacht dat stijf stond van de angst, met een kont die nat was van de opspattende gier, en met een mond die de naam van mijn moeder had gestameld, tot drie keer toe, terwijl het zaad in drie stoten uit mijn eikel spoot. U ziet, ik spreek over de dood als betreft het een jongensavontuur.

Dat komt, ik ben een toeschouwer geworden, een toeschouwer van mijn eigen leven. Ik kijk ononderbroken als ik waak, zelfs als ik slaap blijf ik kijken. Juist als je slaapt kijk je nog intensiever dan wanneer je wakker bent. In de droom namelijk, of wat men de droom pleegt te noemen, die naar mijn vaste overtuiging een hogere vorm van waken is. Dan heb ik het nog niet over de nachtmerries, die, als de droom een vorm van hoger waken zou zijn, de mens in de allerhoogste staat van alertheid brengen. De nachtmerrie is het dak dat boven je kop is ingestort. Vandaar die uitdrukking "Ins Blaue hinein", snapt u?'

Oolsdorp was werkelijk uitgeput. Zijn armen hingen zwaar over de stoelleuningen. Hij had zelfs het wippen met zijn pantoffel gestaakt. Zijn toch al vale gelaatskleur was nu asgrauw geworden. Diepe plooien liepen ter weerszijden van zijn neus naar beneden, het grijze, warrige haar leek de donkerrode gloed van het late namiddaglicht niet meer te weerkaatsen, het veeleer op te zuigen. Zijn starende blik was naar binnen gericht. Hij was op zoek, zoveel was duidelijk. Met een krachtig, als bezwerend bedoeld gebaar zette ik de bandrecorder uit en beduidde Oolsdorp dat het verstandig zou zijn als hij zijn bed opzocht. Of steun zocht bij zijn vriendin, die ongetwijfeld ergens door het huis sloop. Ik zou naar het dorp gaan, waar ik een kamer had gereserveerd.

Toen ik de volgende middag, zo rond vier uur, weer voor zijn deur stond, deed hij spontaan open en begroette me met een stralend: 'Ach, ik dacht eigenlijk dat u een mormoon was of een zevendedagsadventist. Wat denkt u, mijnheer Van de Bode, is dit zompigste aller moerassen niet de ideale plek voor sektes? Hier kunnen ze pas kwaken en kuitschieten. Pas hier kun je Gods woord verhaspelen tot dat van een kwijlende ouderling. Ik bedoel: welkom in het leugenland der Tukkerse broedergemeente.'

Hij ging me door de gang voor naar de woonkamer, waar mevrouw Irmgard druk met theekopjes in de weer was. Ze keek vriendelijk lachend op van haar geredder. 'Het was me een heel gedoe, hoor,' zei ze, meer tegen Oolsdorp dan tegen mij, al had ik sterk de indruk dat ze mij er op de een of andere manier dankbaar voor was dat ik hen beiden in zo'n goed humeur had weten te brengen. Oolsdorp was achter haar gaan staan en had, zonder dat zij dit merkte, zijn lippen langs haar grijze, geonduleerde kapsel bewogen. Heel even maar, alsof het weer een van zijn tanige grappen betrof. Toen hij merkte dat ik hen observeerde sprong hij met een onhandig danspasje van haar weg en liep, nog steeds min of meer dansend, naar het raam, stak zijn handen in zijn broekzakken en begon uit het raam te staren.

'Die artsen, bedoel ik,' zei hij na een lange pauze waarin alleen het rinkelen van de theekopjes had geklonken, 'opgeleid voor de wetenschap, maar uiteindelijk in het slagersvak terechtgekomen.' Hij veegde over het raam of hij de niet-aanwezige aanslag wilde wegvegen. 'Dat is natuurlijk het probleem met ons allemaal... dat we ergens voor zijn opgeleid, maar uiteindelijk ergens anders terechtkomen. Maar dan hoef je nog geen slager te worden. Nietwaar, Irmgard?'

Even leek haar hand te aarzelen, maar onmiddellijk daarop krulde er weer een glimlach om haar lippen en, zich tot mij wendend, verontschuldigde ze Oolsdorp, die ze een echte miesmacher vond, al moest ik me daar niets van aantrekken, daartoe was hij kennelijk opgeleid.

'Dus juist niet, mijn lieve Immie. Tot mensenvriend ben ik opgeleid, vandaar. Het is de dialectiek die je maakt tot wat je bent. Heb je bijvoorbeeld te veel Beethoven in je leven gehoord, dan eindig je als schlagerliefhebber.'

'Ja,' snibde Irmgard, 'en als je te veel walsen hebt gehoord...'

'...dan rest je niets dan de marsmuziek. Maar jij kijkt wel uit je daarin uit te leven. Want een chirurg mag dan wel als slager eindigen... dat wordt geaccepteerd. Het is zelfs zo dat het slagersschort de doctorshoed voor de medicus is. Ik kan het weten, want de medicijnen hebben altijd sterk mijn belangstelling gehad. Maar als je bij wijze van spreken van walsenkoning tot tamboer-maître promoveert, dan vindt men opeens dat er iets mis is. Dan word je voor abject gehouden. Nee, de mars is hier te lande niet populair. Maar snijden en hakken in een medemens... zijn lever eruit lepelen, zijn gal...'

'De heren hebben je anders keurig behandeld, Bennie.'

Oolsdorp keerde zich abrupt van het raam af. 'Keurig, zeg je? Ze hebben elektroden op me geplakt... Hier...' Hij klopte op zijn borst. 'Ze hebben me onder stroom gezet... als een varken. Heb je het gezien, Immie, ik zat te schudden in die stoel. Ze hebben me trouwens nog vastgebonden ook. Slagers... dat is nog een te mooi woord voor die lui. Regelrechte beulen zijn het.'

Getroffen door een nieuwe stoot legde hij zijn hand tegen de onderkant van zijn rug en strompelde naar zijn stoel, die gezien de kommerlijke staat van de bekleding al jarenlang de zijne en van niemand anders moest zijn.

'Stelt u zich voor... Louisiana... Tennessee... dat zijn, zoals u weet, de achterlijkste gebieden ter wereld. *Cottonpickers*... Maar daar gaat het nu niet om. Daar hoef je maar een dubbeltje te stelen of je zit al op die stoel. Enkelbandjes aan, polsmofjes om en hup, het cardiogrammetje is al gemaakt. Ze nemen niet eens de moeite het negatief nog af te drukken.'

Mevrouw Irmgard zette zwijgend de thee voor ons neer. Ik overwoog een geestige opmerking over de relatie tussen *cottonpickers* en een negatief, maar liet dat bij nader inzien wel uit mijn hoofd. Oolsdorp zou er ongetwijfeld munitie in hebben gezien om mijn beroepseer te bestoken met honende grappen over mijn volgzaamheid, terwijl als ik hem in mijn geestigheid terecht zou wijzen, hij daar wel weer een andere schimpscheut op zou hebben bedacht. In plaats daarvan zette ik met veel vertoon mijn bandrecorder op tafel.

'U bent eigenlijk ook zo'n uitlepelaar, mijnheer Van de Bode. Een beul dus. Welnu, haalt u de hendel maar over. Ik ben stootbestendig. De dokter heeft het me zelf verteld.'

'Als je je poedertjes maar neemt, Bennie.'

'Poedertjes... poedertjes... dat is het enige waar jij aan denken kunt. Lieve hemel, Irmgard, je lijkt Florence Nightingale wel.' En zich quasi-vertrouwelijk tot mij wendend: 'U weet wel, dat beddenwarmertje van de Krimtataren.' En fluisterend: 'Ze brengt me nog om, dat mens. Ze is pas tevreden als ik tot hier vol met poedertjes zit.' Hij streek met zijn hand over het haar. 'Draait dat apparaat al?'

Ik knikte.

Mevrouw Irmgard leek in het niets opgelost.

'Nachtmerries? Heb ik het over nachtmerries gehad? Vanmorgen in het ziekenhuis, dat was een nachtmerrie. Maar ik was klaarwakker, hoort u? Als de medische stand eenmaal aan het snijden gaat, ben ik altijd klaarwakker. Daar helpt geen broom of chloroform tegen. Dat komt... Maar waarom zal ik u alles aan uw neus hangen?'

'Het waren Lanner, Strauss en de operette uiteindelijk die me aan het duizelen hebben gebracht. En die kunstig uit de tubes geknepen bloempjes natuurlijk. Het is de kunst uiteindelijk die de keuzes in mijn leven bepaald heeft. Nooit wilde ik, als mijn vader, vioolspelend dan wel kleurtjes ordenend op een vliering eindigen. Nooit wilde ik, als mijn moeder, in het bed van een collaborateur worden aangetroffen.

Met dat laatste heb ik na mijn terugkeer in Haarlem al genoeg moeite gehad. Mijn moeder en haar minnaar zaten in een concentratiekamp. Hij zonder lauweren, zij zonder haar. Begrijpt u? Dat kan een kind er niet nog bij hebben... bij het gesar en getreiter waarmee het in het opvanghuis al geconfronteerd werd. Voor ik het weet, dacht ik, eindig ik nog als een in de drank gesneuvelde schilder, als een mislukte soubrette. Wat denkt u, mijnheer Van de Bode,' onderbrak Oolsdorp zichzelf, 'bestaan er ook mannelijke soubrettes en zo ja, hoe noemt men die dan?'

'Gigolo's,' opperde ik.

'Hmmm, niet slecht. Het heeft de juiste gevoelstoon, zal ik maar zeggen. Een snufje Leander, een snufje Heesters. Maar we hebben het hier over het zwaardere spul. Rechten studeren dus, zo had ik al in Aken besloten. Nog vóór die scène met dat bombardement. Stel u voor dat ik dat tijdens dat voorval zou hebben besloten. Dan zou ik geen enkele noodzaak hebben gezien me aan die afspraak te houden. Ik was immers een ander geworden. Een vreemdeling voor mezelf en, naar goed juridisch gebruik, zijn *pacta* niet *servanda* indien afgesloten onder bedrieglijke voorwaarden. En die ander was een bedrieger, dat kan ik u verzekeren. En mocht ik daar ongelijk in hebben, dan was het toch de angst die mij gedwongen had. Maar ook afdreiging maakt iedere overeenkomst tot een dode letter. Tot die rechtenstudie, daartoe had ik besloten toen ik mezelf nog was, de onbekommerd masturberende jongeling die zich door bloempjes noch nachtegalengekweel van de wijs liet brengen. Mijn keuze is achteraf een juiste gebleken. Haar te verwezenlijken bleek een ander verhaal.

In het opvanghuis, dat eigenlijk een variant was van het concentratiekamp waarin mijn moeder en haar minnaar vertoefden, lieten ze me vragenlijstjes invullen en pornografische plaatjes zien waarop ik dan geacht werd commentaar te leveren. Een intelligentiequotiënt van boven de honderdzestig, mijnheer. Dat was geloof ik nog hoger dan dat van Hermann Goering. Terwijl men ervan uitging dat collaborateurs of kinderen van hen een stuk lager moesten scoren. Dat uitgangspunt paste beter bij de christelijk-humanistische opvattingen over de Wiedergutmachung. Mededogen voor allen, behalve voor wie er het meest behoefte aan hadden. Zo werkte en werkt de christelijk-humanistische logica. Als Goebbels en Goering hoogst intelligent bleken, dan dienden de kinderen van collaborateurs als stomme runderen uit de test te komen. En bovendien, stel dat ik op grond van mijn aanvankelijk aangetoonde intelligentie alsnog in staat zou worden gesteld mijn schoolopleiding te voltooien en eventueel zelfs door te stomen naar de universiteit? Wie zou dat betalen? Zoete lieve Gerritje zeker, of de Vereniging ter Behartiging van de Belangen van Oud-Verzetsstrijders en Ex-Politieke Gevangenen? Zo ver ging het gedogen nu ook weer niet. Ik werd dus als "middelmatig intelligent" geclassificeerd en mocht onder de hoede van ruimhartige pleegouders mijn mulodiploma halen. Terwijl ik ooit op het Triniteitslyceum begonnen was.

Ruimhartigheid... ik kan u er verhalen over vertellen, maar zal het niet doen, mijn verhaal zou al te kleverig worden. Daarentegen kan ik u verzekeren dat er geen klasgenoot was die het nog waagde om mij nog om mijn broeken uit te lachen. Ik was inmiddels tot een echte *miles germanicus* gekneed, hard als *Kruppstahl* en taai als een hazewindhond. En met negens voor de handelsvakken op mijn eindlijst.

We schreven het jaar zevenenveertig en ik was mijn pleegouders meer dan beu. Ik trok in bij ene Klaas Miggelbrink. Die had nog een kamertje over, waar hij zijn gepulste meubels had opgeslagen. Gewiekste zakenman die me bijbracht wat ze me elders vergeten waren te leren. Nee, gepulst werd er niet meer, er vielen geen meubels meer weg te halen bij jodenmensen. Maar verder heeft Miggelbrink me in alles onderwezen waarmee een Nederlander, door nood gedwongen, overleven kon. Waarbij het trof dat ik uitgerekend voor boekhouden maar een mager zes minnetje had behaald; ik kon debet niet zo heel goed van credit onderscheiden. "Dat is," zei Klaas, "het begin van alle hogere boekhouding... dat je cijfertjes soepel van links naar rechts kunt laten schuiven en omgekeerd."

Klaas was een filosoof. Klaas was een denker in de humanistische traditie. Schuld viel te delgen en kon zelfs in winst worden omgezet. Verlossing was er, zo leerde hij, voor allen, ook buiten de grote westerse tradities om. En onder omstandigheden diende de intentie zwaarder te wegen dan de daad omdat de intentie, als het nodig was, altijd aan de heersende normen kon worden aangepast. Zo kon hij uitleggen dat hij de meubels op mijn kamer uit louter menslievendheid had overgenomen. Voor die mensen was bezit toch alleen maar een last, betoogde hij, en wie kon hem daar ongelijk in geven? Het Wetboek van Strafrecht zowel als het Burgerlijk Wetboek kende Klaas uit zijn hoofd. Niet dat hij zich daar op liet voorstaan. Hij was een man van de praktijk en maakte zich bijzonder vrolijk om die gevallen waarin hij zich, door formele voorschriften gedwongen, door een advocaat of procureur moest laten bijstaan. Ik herinner mij hoe hij me met smaak een voorval opdiste waarbij hij, nu eenmaal genoodzaakt een advocaat in de arm te nemen, meer aan zijn raadsman had verdiend dan de raadsman aan hem. Het was een ingewikkeld verhaal met gesloten beurzen en zaken die hij van de advocaat wist waarvan de advocaat op zijn beurt wist dat Klaas ze wist. Het had iets met de Lirobank te maken en een serie "ontbijtjes", zoals Klaas dat achteloos noemde, die kennelijk van een seidertafel naar een meer christelijke dis waren verhuisd.

Dat stinkt, zegt u? Maar ik snoof ze met welbehagen op, die geuren. Ze stonken naar geld en dat rook aangenamer dan de mest die in Aken tegen mijn billen was gespat.'

4

‘Het leven, mijnheer, is niets anders dan een romannetje van Courths-Mahler. Ieder die u iets anders vertelt is van deze opvatting meer het slachtoffer dan hij zelf bevroeden kan. De pathetiek waarmee hij zich daartegen verzet – onze Hedwig had hem daarin niet kunnen overtreffen.

Mijn vrouw... ja, ik ben getrouwd geweest... was in dat opzicht eerlijk. Ze was een Belgische. Haar larmoyantie had iets roerends, omdat ze geenszins beoogde zich daarmee op een voetstuk te plaatsen. En als ik u vertel hoe ons huwelijk tot stand is gekomen, dan vertel ik u haar versie, omdat die me, in haar onnozelheid, dierbaar is.

Het is allemaal een kwestie van evenwicht in dit leven. De gespilde wijn moet met zout gewassen en als de wijn in de fles blijft, dan dient hij, hoe zuur ten laatste ook, tot op de bodem te worden uitgedronken. Dat is om de schuld te delgen. En van het delgen van schulden weet ik alles. Zoals ik alles van beslaglegging weet en het profiteren daarvan. Want ik mag in dit leven van alles hebben nagestreefd: praktizijn ben ik geworden en ik heb er mijn voordeel mee gedaan.

Ach, mijn Marie-Louise... u had het haar zelf moeten kunnen horen vertellen, hoe wij aan elkaar geraakt zijn. Het was een monsterachtige geschiedenis als je haar geloven mocht. Bleek en bevend zou ze voor haar vader hebben gestaan en hem met ogen vol ontzetting hebben aangestaard. Droomde ze niet? Had ze het goed gehoord? Zou ze een man trouwen om haar familie voor de schande te behoeden? Zou ze zich moeten opofferen omdat haar eigen vader in blinde genotzucht het vermogen van de Vermeirens verboemeld en zijn eer vergooid had?

"Ik kan het niet, vader, ik kan het niet," zou ze met krachteloze stem gestameld hebben.

De heer Vermeiren zou haar daarop met duistere blik aangekeken en gezegd hebben: "Jij móet, alleen jij kúnt ons redden, hoor je. Denk aan je moeder... aan je broer. Houd je dan niet van hen? Over mezelf wil ik het maar niet hebben. Voor mij hoef je het niet te doen. Maar voor hen die je liefhebt..."

U moet zich natuurlijk voorstellen dat het verhaal zich in België afspeelt. Daar waren ze toen, nog druk in de weer het juk der Walen af te werpen, vergeten de misschien wel belangrijker facetten van de emancipatie in hun berekeningen mee te nemen. Nu ja, goed, ieder ziet maar hoe hij of zij zalig wordt. Hoe dan ook, naar eigen zeggen zou Marie-Louise op het punt hebben gestaan uit haar emancipatoire rommel te ontwaken. Er zou een sombere gloed in haar ogen gelegen hebben. Nooit, zei ze, had ze ook maar een spoor van liefde voor haar vader ervaren. Spot en hoon slechts omdat ze nu eenmaal anders geaard was dan hij. Omdat ze met een bijna sentimentele liefde, zoals zij zelf, met haar door larmoyantie vertroebelde blik moest bekennen, aan haar moeder hing. Haar moeder! Zij, Marie-Louise, zou ineengekrompen zijn omdat haar moeder op het moment dat haar vader haar toesprak waarschijnlijk, ook al bleek maar zeker niet bevend, onder het mes van een chirurg lag en het maar zeer de vraag was of ze de pijnlijke en uiterst gecompliceerde operatie wel overleven zou.

Ik zou haar dat wel zó hebben kunnen vertellen. Maar ik was toen in Brussel om bepaalde zaken voor haar vader te regelen. En juist nu, nu de geliefde moeder afwezig was omdat ze in de kliniek van de beroemde dokter een strijd op leven en dood voerde, juist nu kwam haar vader met dit voorstel. Dat het slecht met de zaak ging, wist Marie-Louise allang. Ze wist ook dat het uitsluitend aan haar vader te wijten was dat het zover gekomen was. Ze had het allemaal zien gebeuren. Ze wist dat haar vader haar moeder alleen om het geld had getrouwd. Hij had haar vermogen erdoorheen gejaagd, zoals hij dat eerder met het zijne had gedaan. De stille, bleke vrouw, Marie-Louises aanbeden moeder, was aan de zijde van haar man door een hel gegaan. Eigenlijk, zo begreep ik uit Marie-Louises verhaal, had haar moeder al vele jaren voordien behandeld moeten worden aan een kwaal die haar allengs meer pijn en ellende had bezorgd, maar daar was nooit geld voor geweest. Geld werd bij de Vermeirens alleen opgenomen als haar vader het voor zijn reisjes naar Brussel of Parijs nodig had. Ja, voor kostbare wijnen en dure panatella's, daar was altijd wel geld voor geweest, maar nooit voor die arme, lieve moeder. Maar toen, toen het om leven of dood ging, nu ze geopereerd moest worden – "Eierstokken... iets met de baarmoeder," bekende Marie-Louise me later schoorvoetend – omdat haar vader anders wellicht voor een moordenaar zou worden aangezien, zou haar vader gezegd hebben: "Ik heb iets oneervols moeten doen om het geld voor de operatie van je moeder bijeen te krijgen en als jij niet met die Hollander trouwt, dan zou jij dit huis als bedelares verlaten, als de dochter bovendien van een failliet, een voor het leven getekende." Marie-Louise wist natuurlijk, zoals ook die Hollander wist, dat het een leugen was. Niet voor zijn vrouw had haar vader zijn eer en alles wat daarmee samenhing opgeofferd, maar voor de pleziertjes, waaraan Marie-Louise, zoals ze me later bekende, nog geen spoor van een gedachte had wensen te wijden omdat de sigaren en de wijnen niet meer dan een dekmantel waren geweest voor heel wat ernstiger zaken. Waaraan ze zoal dacht? Ach, dat kon ik wel nagaan. Maar het was nog erger. Het was met die oude kameraden van hem, die "incivieken", met wie hij nog steeds jaarlijks naar de IJzer toog.

"Das hört nie auf, nie hört das auf," heb ik onlangs ergens gelezen en dat is een waar woord. Maar dat was toen mijn probleem niet. Ik stak er zelf, zo jong als ik toen nog was, ook tot mijn nek in. Waar het toen en daar om ging, was dat Marie-Louise wist dat de operatie en het verblijf in de kliniek nog niet betaald waren en dat het geld er helemaal niet was. Haar vader had alles opgemaakt. Aan krantjes en pamfletten vol gal en rancune, vol werkelijk leed ook dat anoniem geweend moest worden, waardoor de tranen des te bitterder vloeiden.

Van de bezittingen, zo was me duidelijk geworden toen ik zijn boekhouding naploos, was alles al in pand gegeven: het huis, de zaak, het wagenpark. Marie-Louises vader had ooit een bloeiend transportbedrijf geërfd. Maar roerender is het als ik het in Marie-Louises woorden beschrijf.

Zij, maar vooral haar moeder zouden dag in dag uit in het huishouden hebben gesloofd, zelfgemaakte kleding hebben gedragen en bij hun inkopen tot op de laatste frank hebben moeten beknibbelen. Terwijl haar vader tot op dat moment nog champagne dronk en oesters at en sigaren rookte onder het persklaar maken van weer een nieuw pamflet, *De schande van Breendonk* getiteld, waarin, onder aanroeping van de goede pater Cyriel Verschaeve en zelfs met gebruikmaking van Willem Elsschot, het treurig lot van de Verdinaso's werd geschilderd.

En nu moest zij, Marie-Louise, zichzelf opofferen, de echtgenote worden van Bernhard Aloysius Maria Oolsdorp, dat dodelijk saaie boekhoudertje uit Holland, dat zijn oog op haar had laten vallen. Terwijl zij droomde van een allesverzengende toekomst aan de hand van een sportieve kerel die desnoods nog een toekomst in de Congo voor zich zag.

"O, nee... alles... Maar dat niet."

"Welnu, is het ja of is het nee?" zou haar vader gevraagd hebben en Marie-Louise zou zich krachteloos in een stoel hebben laten vallen. Haar weerstand zou gebroken zijn geweest. Nauwelijks tweeëntwintig lentes telde ze en ze had in Leuven nauwelijks haar kandidaats gehaald en droomde van een toekomst als rechtshistorica, al of niet in de Congo. Maar mocht ze aan zichzelf denken als de wereld om haar heen in elkaar stortte? Haar vader een eerloze, haar naam bedreigd, het leven van haar broer beschadigd, dat van haar moeder in dubbel opzicht bedreigd? Het lag in haar macht dit alles te voorkomen. Maar tot welke prijs?

Ik heb niets van haar geëist, laat dat goed tot u doordringen, mijnheer Van de Bode. Het was haar vader die haar had voorgespiegeld dat ons huwelijk een ruil zou zijn. Geen frank heb ik aan de operatie van haar moeder betaald. Al kan ik niet ontkennen dat ik haar vader uit zijn faillissement heb weten te redden. Dat bleek gewoon een kwestie van de antecedenten van de dienstdoende rechter achterhalen. Ook een voormalige "inciviek", begrijpt u. Het had het begin kunnen zijn, inderdaad van een van die prachtwerken van Courths-Mahler of Eugenie Marlitt. En misschien is dat ook het geval gebleken. Zo heel veel heeft onze tijd niet aan de denkwereld van deze "maîtresses penseuses" toe te voegen.

Ik hield van haar. Om het grappige accent waarmee ze haar overdreven verzorgde Vlaams sprak, om de rechtshistorische koelheid waaronder ze haar hartstocht verborg. Om haar toen al zichtbare kakkineusheid, dat euvel waaraan elke Vlaamse vrouw in die tijd nog leed en dat in mijn ogen zo gunstig afstak tegen de dellerigheid van mijn moeder. Ik was verliefd op haar verhaal. Je moest tenslotte al een bruut zijn wilde je daardoor niet geroerd raken. Misschien was ik ook wel verliefd op haar weerloosheid. Misschien had ik wel niet van haar moeten houden. Had ik meteen het gekkenhuis in moeten gaan, wat als voordeel zou hebben gehad dat ik de hele dag door op iedereen had kunnen afgeven, Marie-Louise en mijzelf daarbij inbegrepen. Geen mens zou zich eraan geërgerd hebben en het zou mij innig tevreden met mijzelf hebben gemaakt. Iedereen alles voor de voeten te kunnen werpen wat men zelf verkeerd heeft gedaan... Maar ik was niet gek genoeg om me gek te laten verklaren.

Ik kan wel zeggen dat het de liefde was die me voor de waanzin behoed heeft. Wat me op zich weer rijp voor een gesticht heeft gemaakt. Zo kun je aan de gang blijven. Hier zit ik en hier leef ik. U wordt geconfronteerd met een oude man die alles in de hand heeft. Ik heb vanmorgen nog een paar stroomstoten door mijn donder gekregen. U ziet het niet aan me af. Ik ben altijd een atletisch mens geweest. Dat komt door de gymnastiekoefeningen in Aken. Maar met al mijn atletisch vermogen heb ik de liefde niet kunnen voorkomen. Vermoedelijk destijds te veel Marlitts en Mahlers uit mijn moeders boekenkast gelezen.

In één klap verloren toen ik Marie-Louise tijdens mijn kennismaking met de oude Vermeiren voor het eerst ontmoette. En rekent u maar dat ik op het ergste was voorbereid. Ik had mijn lesje van de heer Miggelbrink geleerd. Van sentimenten geen last. Het hart stevig opgesloten achter de ribbenkast. Tranen waren er niet om geplengd te worden, die waren om aan te verdienen. Het was een kwestie van economie. De hele wereld is een kwestie van economie. Dat wil zeggen, de hele economie is op andermans leed gebouwd. En op dat van jezelf natuurlijk. Zit je aan de inkomenskant, dan betreur je de uitgaven, zit je aan de uitgavekant, dan kijk je met omfloerste ogen naar de uitgaven. Het menselijk tekort, zeggen de filosofen. Dat hebben ze dan goed gezien. Maar anders dan ze bedoelen.

Ik wist verdomd goed wat ik bedoelde toen ik Marie-Louise voor het eerst ontmoette. Ze zat met haar moeder in de woonkeuken. Ik was, met mijn paperassen onder de arm, op weg naar het kantoor van haar vader. Vol met lepe plannetjes, de hele kaart van de Belgische magistratuur al keurig ingekleurd. Wat niet zo'n probleem was. Het was zwart of rood, zo simpel lag dat. Was het zwart, dan was het "fout" geweest, was het rood, dan deugde er nog minder van. Maar door het zwart en rood heen zag ik hoe de pasteltinten van haar japonnetje over haar boezem spanden, over haar heupen plooiden. Ze vertegenwoordigde alles wat je van Vlaanderen verwachten mocht.

Het land dat zijn zonen uitzond en zijn dochters hongerend achterliet, als ze althans niet in een nonnenklooster verdwenen. Ze had het haar in een rattenkopje geknipt, zoals dat toen heette, zodat je haar blanke, vlezige hals... Enfin, ik ga u niet wijzer maken dan u bent, en volsta slechts met, om de dichter te citeren: is dat genoeg, een stuk of wat bekoorlijkheden.

Ik ben een romantische ziel, mijnheer. Tenslotte heb ik weet van het Arische toonsysteem; daarin klinken duivelse dissonanten door, juist omdat ze er zo zorgvuldig uit werden weggemasseerd. Een vrouw van wie men vermoedt dat ze zich tegen haar zin aan je heeft uitgeleverd, dat roept de mooiste dingen niet op in een mens. Maar wekt dat anderzijds niet het machtsgevoel dat je merg aanvreet, dat je zwak maakt tot in het diepst van je ziel? Dat je ertoe verleidt toegevend te zijn, welwillend? Er steekt een masochist in ieder van ons, mijnheer. Het is het masochisme dat ons tot de liefde bereid verklaart. Het is alles een kwestie van sappen, de cholerische en de sanguinische. Wat brandt wil geblust worden, wat smeult wil laaien. In alles zoeken wij ons tegendeel, in alles zoeken wij de liefde. En worden uiteindelijk belazerd omdat we met rationalisaties zijn bezig geweest. Galenische veronderstellingen, sofismen... Wij zijn, als mens, mijnheer, de liefde niet waard.

Het is de kakofonie in onze hersens die ons tot de aardigste deuntjes drijft. Maar bij God, ik zweer u, vanaf het eerste moment dat ik haar zag heb ik haar in mijn armen willen sluiten en het zegt genoeg over het mechaniek van dit bestaan dat zij zich uiteindelijk in mijn armen liet sluiten, op grond van een misverstand. Dat ze haar arme moedertje zou kunnen redden, de eer van het ouderlijk huis...

Dat van dat mechaniek en hoe het werkte, dat waren zaken die ik haar later allemaal heb moeten uitleggen. Ze was opgegroeid in het denken in Habsburgse categorieën, begrijpt u? Het Habsburgse daaraan was dat daarbuiten geen andere categorieën erkend werden en, erger nog, ze niet eens leken te bestaan. Geen *blasse Ahnung.* Niks geen cholerische dampen, niks geen tot moordzucht drijvende melancholie. Eer en oneer, tussen die twee polen bewoog zich het Vlaamse gemoed. Wat er aan kwade sappen vrijkwam, richtte zich op trivialiteiten waarvoor u en ik nog niet de pink zouden heffen. Het was de wereld van de onschuld.'

'Nog geen dertig was ik en kon mijn bruid binnenvoeren in een Haarlems paleisje. Dat wil zeggen: onder het spoor, ver daaronder. Waar ze van de bomenbuurt geen weet hadden. Niet hoefden te hebben; de bewoners van de wijk waar mijn paleisje stond, konden hun hondjes en zichzelf zó in de Haarlemmerhout uitlaten. De straten zijn er vernoemd naar voormalige buitens en, ongetwijfeld tot Marie-Louises Habsburgse vreugde – of verdriet, dat hing een beetje van haar, door mij nooit achterhaalde historische opvattingen af – naar leden van de Oranjedynastie. Mijn huis stond aan het Wilhelminapark. Artsen en advocaten rondom. Ik wist er wel raad mee. Had een koperen bord laten graveren: "Mr. B.A.M. Oolsdorp praktizijn". Dat "Mr." stond natuurlijk voor "mijnheer". Ze vonden alles best, die sukkels. Tenslotte deed ik hun boekhouding en was ik hun fiscale leidsman op de weg naar de schaamteloze rijkdom die hen uiteindelijk naar Bloemendaal of Aerdenhout zou drijven. Later zouden ze worden opgevolgd door academische nouveaux riches van heel wat bedenkelijker kaliber.

Met al die magistraten en kwakzalvers om haar heen begon Marie-Louise zo langzamerhand een beetje vertrouwen in mij te krijgen. Adembenemend saai moet ik in haar ogen weliswaar nog steeds geweest zijn, maar mijn vertrouwelijke omgang met de buren maakte veel goed. Ik had hun smaak overgenomen en mijn huis vol gezet met Mechels meubelwerk en mahoniehouten boekenkasten met gefacetteerde, glazen schuifdeurtjes. Tussen dat geweld door speelde zich de liefde af. Dat wil zeggen dat ik haar genegenheid trachtte te winnen met een bijna dierlijk vertoon van lust, dat zij met een voortreffelijk gespeelde pruderie op een afstand probeerde te houden. Dacht ik. Want ik was een onnozelaar. De pruderie bleek aangeboren en was even ondoordringbaar als de Habsburgse kinnen prominent waren. Niettemin, onder haar ongenaakbaarheid, ik wist het heel zeker, smeulde hartstocht. Ik kon het zien aan de wijze waarop ze de tafel dekte. De hoekige, bijna onbeheerste bewegingen waarmee ze de borden neerzette, de al te soldateske wijze waarop ze het bestek in het gelid legde. Waartegenover de radeloos makende chaos stond waarin ze de rest van het huis liet vervallen. Het was haar aristocratische aard, troostte ik mij, en inmiddels stapelde het beschimmelde serviesgoed op het aanrecht zich op. "Een afwasmachine moet ik hebben." Maar volgens mij waren die dingen toen amper uitgevonden. In de slaapkamer waadde ik kniediep door haar kleren alvorens het bed te kunnen bereiken. Geen wonder dat ze bepaalde behatjes, broekjes of gordeltjes niet kon vinden. Geen probleem volgens haar. Uit de mode waren ze toch en het was hoog tijd dat ze weer eens iets nieuws kocht. Trouwens, gordeltjes? Wie droeg er nog gordeltjes? Wist ik, stomme boekhouder, soms niet dat er panty's waren uitgevonden? Natuurlijk wist ik dat. Ik was en ben een hartstochtelijk bestudeerder van lingerieadvertenties. Maar ik vond het wel aardig haar in de waan te laten dat ik op het gebied van damesgeheimen een stoethaspel was. Het zou haar wellicht kunnen aanzetten tot adembenemende pogingen om mij uit mijn tent te lokken.

Ach, mijnheer, wat men al niet aan maskerades opvoert als het om de liefde gaat. Want vergist u zich niet, alle facetten van haar karakter waren me even lief en in mijn hitsige fantasie sleep ik ze bij tot ze glommen en blikkerden, tot het me pijn aan de ogen deed. Mijn liefde was een martelende liefde omdat zij, Marie-Louise, niet wist wat ze met haar gedrag aanrichtte. Zelfs in haar aandoenlijke pogingen om met mij tot een compromis te komen sloot ze me buiten. Wat mij op mijn beurt ertoe bracht haar daarmee voor schut te zetten. Maar het waren en bleven bewijzen van mijn liefde. Al moet ik toegeven: armzalige zwembewegingen in de wetenschap dat je er dieper en dieper mee wegzonk.

Ja, die liefde die weet wat. Mijn liefde voor Marie-Louise heeft heel wat meer geweten dan ik toen beseffen kon. Liefde, dacht ik, liefde is alles. Liefde kan alles zijn omdat alles wat zich op de wereld voordoet in termen van liefde gevangen kan worden. Bij het woord "waarheid" liggen de zaken al aanzienlijk gecompliceerder. Dat komt paradoxaal genoeg omdat het begrip "waarheid" zich helderder omschrijven laat. Dat weet ik omdat ik van de waarheidsvinding min of meer mijn beroep heb gemaakt. Maar de liefde, in haar alles omvattendheid, kun je niet beschrijven. Het woord "liefde", ja, dat laat zich net zo gemakkelijk schrijven als de liefdesdaad zelf zich laat uitvoeren. Maar de liefde als zodanig is geen daad. Ze is een ondaad in alle betekenissen van het woord. Zo simpel is dat. Een ondaad kun je niet beschrijven. Ik kan mijn liefde voor Marie-Louise niet beschrijven. Als je de liefde beschrijft is dat een belediging van de liefde, een infamie. Wat wij van de liefde weten, wat wij van de liefde kunnen weten is haar ontkenning: het amechtig openvallen van de mond, kwijl dat langs de kin loopt, de mongolisering van alles waartoe wij niet in staat zijn het te begrijpen. Als ik naar Marie-Louise keek was dat liefde. Als ik, al of niet geërgerd, van haar wegkeek, dan was dat ook liefde. Zelfs toen ik haar dwong de schaatssport machtig te worden was dat liefde. Kan het banaler?

Als ik nu, zoals ik hier zit, naar u kijk, is dat misschien ook wel liefde, omdat ik in staat ben mij in u in te leven en te begrijpen dat u mij een ouwe zeur vindt die alles wat hij aan liefde in zich zou kunnen hebben onder een stortvloed van woorden begraaft. U ziet dat als een gebrek. Maar alles, waarde Van de Bode, is een gebrek. De wereld is het gebrek van zichzelf. En ze verdwijnt, onherroepelijk, achter de horizon die ze zelf in het leven heeft geroepen. Het is alles een kwestie van oude sneeuw en gereutel in goten. U ziet maar wat u ermee doet.'

Oolsdorp verzonk in gemijmer. Het donker viel in. We zaten als schimmen in een schemerrijk, waarin het rode lampje van mijn recorder brutaal oplichtte als een moedwillige indringer uit een andere wereld.

'Nee,' zei Oolsdorp, 'kinderen heb ik nooit gewild. Gehaat heb ik ze. Altijd. Ze zijn de belofte van een toekomst die zelden rooskleurig is.'

En dat het eens op moest houden, dat het nu eindelijk eens op moest houden, dat gewroet in zijn ingewanden, zoals hij het noemde, want dat de dood hem op de hielen zat en zijn leven één lang wroeten was geweest en hij het dus niet verdiende dat een snotaap als ik de gal nog eens in zijn lever opwekte. Had ik een medisch attest? Was ik gediplomeerd? Waaraan ontleende ik het morele recht? Had hij me überhaupt toestemming verleend tot een interview? Hij was niet van de soort die zijn leed te gelde maakte ten aanzien van Jan en alleman. Was ik soms gestuurd door een van die drekomroepen die nog een pornoshow wisten te maken van zelfs de laatste, snotterige ademtocht van een stervende? 'Maak dat je wegkomt, vlerk, donder mijn huis uit en laat je nooit weer zien.'

Ik had mijn opnameapparaat toen al stilgezet omdat er een nieuw bandje in moest. Toen ik de nieuwe tape had ingelegd, was hij weer enigszins tot bedaren gekomen. Dat wil zeggen, had hij zijn rol weer opgevat, die van de goedgemutste bejaarde die zich van een publiek verzekerd weet.

De avond was over het Twentse land gevallen, Oolsdorps woonkamer was in het duister weggezonken en ik dacht: als hij geen licht aandoet doe ik het zeker niet, al was het maar om een nieuwe tirade van hem te vermijden. Want hij had gelijk, ik was er een die er bij nacht en ontij op uittrok om ten behoeve van een abjecte lezersschare de heimelijkste zaken aan het daglicht te brengen.

'Maar laat ik, om met Chateaubriand te spreken, vóór wij de tempel zullen binnentreden, eerst het luiden van de klokken laten spreken die ons erheen voeren. Het gekreun en gezucht van mijn Louise, dat niet bepaald een zuchten en kreunen van genot was. Ik was in sexualibus weliswaar een veelvraat, maar helaas ook met de bij mij behorende tafelmanieren. Natuurlijk liet ik mij er graag toe verleiden mezelf hoog te schatten op dat gebied en ik hoorde in iedere kreun, iedere zucht een smeekbede om meer. En dat was het ook, zij het om meer van iets anders. Iets fundamentelers, zal ik maar zeggen, waarvan dat gebeuk en gestamp niet meer dan een inversie – wat zeg ik? – een perversie was. Het is de koude, mijnheer, die opstijgt als de ijsbergen dreunend op elkaar stoten. U zult begrepen hebben: zomin als ik een tedere minnaar was, was zij een hartstochtelijke minnares. Haar kreten en zuchten had ik dus gemakkelijk als die van een gekwelde vrouw kunnen opvatten. Maar zo simpel lagen de zaken nu ook weer niet. Het konden de noodkreten zijn geweest van een vrouw die om iets heel anders vroeg dan met rust te worden gelaten. De rust die ze zocht kon ze ook in mijn aanwezigheid wel vinden. Ze had inmiddels wel geleerd mij te accepteren als een facet van het leven dat nu eenmaal gaat zoals het komt, of omgekeerd. Daar kon dat zweterige geweld van mij nog wel bij. Want vergeet u niet, zij was de dochter van een volk dat zijn zonen naar het verre Congo zond om daar in heilzaam celibaat de zwartjes te bekeren. In navolging van haar broeders kon ze heel wat velen als het om de kwalen van het leven ging. "Soli dei gloria" moet ook haar motto zijn geweest. Als je haar God tenminste enigzins anders zou willen definiëren.

Laten wij een poging wagen, mijnheer. Het is toch donker en u zult het schaamrood op mijn kaken niet kunnen onderscheiden. De God van Louise dan was een huis in de mist. Je kon de contouren ervan niet onderscheiden en moest je verlaten op de momenten dat de bewoners het licht ontstaken. Dan werden er geometrisch gevormde lichtvlakken zichtbaar die als baken konden dienen op wat vanaf dat moment een christenreize mocht heten. Louises geloof was van een geometrische bepaaldheid zoals zij, in haar afgebroken studie, de Romeinse rechtsregels als een stelsel van geometrische zekerheden had leren kennen. Onomstotelijk in hun rechtlijnigheid, maar gevoed door een lichtbron waarvan men de ware aard wel nimmer zou kunnen achterhalen. Louise wandelde in een licht van zekerheden die op vage premissen van recht en gerechtigheid waren gebaseerd. En of het licht nu eens van links, dan weer van rechts leek te komen, scheen haar daarbij weinig te deren. Het zou ook kunnen zijn dat ze dat licht zelf uitstraalde. In dat geval zou ze zich het niet bewust zijn geweest, hoezeer ze ook in kringetjes om zichzelf heen liep. Een slaapwandelaarster was ze in menig opzicht. Zoals ze zich ook tot dat huwelijk met mij had laten verleiden: gewiegd in de slaap van wat zij haar plichtsbetrachting achtte, ontsproten aan dat diffuse, maar toch rechtlijnige rechtvaardigheidsgevoel.

Dat kreunen en zuchten van haar, want daar hadden we het over, nietwaar, dat was niets dan de hoorbare teleurstelling om het feit dat het leven zich niet richtte naar het geometrische patroon dat ze nu eenmaal in haar hoofd had gezet. Haar God was die van de driehoek, al of niet een oog omsluitend, waarvan de derde hoek zich nauwkeurig laat bepalen als men de grootte van de twee andere hoeken kent.

Als u nu denkt dat ik u sprookjes vertel, bijvoorbeeld omdat u van mening bent dat een dergelijk godsbeeld niet meer van deze tijd zou zijn, dan kan ik u nog wel een sterker verhaal vertellen. We waren naar de Cinéma Palace geweest en liepen via het Houtplein over het schelpenpad ter linkerzijde van de Dreef terug naar huis. Louise had het een heel mooie film gevonden en dat begreep ik wel, want het was *Brief encounter*, die toen al voor uiterst sentimenteel doorging omdat de vergeefsheid van een liefde nog werd opgedrongen door het hechte stramien van sociale conventies waarin men, toen die film kort na de oorlog gemaakt werd, nog leefde. Het romantisch levensgevoel, ziet u, dat monster door de geometrie van de verlichting gebaard, was zeer aan Louise besteed. Wat ongetwijfeld een van de redenen moet zijn geweest dat ik zo verknocht aan haar was. We liepen langs het verzetsmonument van Mari Andriessen. U kent het wel: die in waardige berusting voor het vuurpeloton staande man aan wiens voeten zich ieder jaar weer de meest onwaardige taferelen afspelen; valse verzetsstrijders met nog valsere onderscheidingen. Dat beeld, een kapstok waaraan men de meest bizarre toekomstverwachtingen kan ophangen, benevens de nog waanzinniger geschiedinterpretaties omtrent bezetting en verzet. Ik heb daar een scherp oog voor, want ik ben sinds Aken, zoals ik u verteld heb, een ander mens en beschik over de medisch-klinische blik. Dat laatste is misschien ook de reden dat ik plotseling zag wat ik nog niet eerder had gezien omdat de consequentie ervan zich, menselijkerwijs gesproken, aan de waarneming onttrekt. Er ontbrak een schaduw. Terwijl Andriessens standvastige sneuvelaar zodanig ten opzichte van de straatverlichting stond opgesteld dat hij een krachtige, achterwaartse schaduw wierp, viel het me op dat Louise in het geheel geen schaduw achterliet. Ik hield haar staande en wees zwijgend op de schaduw van het beeld en daarna op mijn eigen schaduw. Louise begreep het niet en zei: "Ach, op de lange termijn..." Ik wees naast haar. "Ja, voor jullie Nederlanders ligt dat toch weer anders dan voor ons Belgen." "Maar Louise, je schaduw... je hebt geen schaduw."

Ze lachte zwakjes. Wellicht omdat haar de portee van het feit ontging, misschien ook omdat ze de ongerijmdheid van het verschijnsel niet binnen haar driehoek van zekerheden kon plaatsen. Nog waarschijnlijker leek me dat ze vermoedde dat ik weer een van die crimineel-administratieve grappen had uitgehaald waarmee ik mijn brood verdiende en waarvan de pointes haar altijd leken te ontgaan. Representant van de onderwereld die ik in haar ogen was, zal ze me heel goed in staat hebben geacht mijn nefaste invloed op de bovenwereld geldig te maken. Maar een vrouw zonder schaduw, mijnheer, dat weet u zo goed als ik...

Nu goed, sprookjes ter zijde. Wist u dat vrouwen die geen schaduw werpen uiteindelijk verstenen? Wist u dat ik een steen op mijn hart draag en dat mijn leven één grote poging is geweest die steen van me af te wentelen?

Die *Brief encounter*, dat is waarachtig geen film die het bloed aan het koken brengt, zou je zeggen. Integendeel, hij doet een beroep op heel wat nobeler instincten. Hij laat aan een liefde geloven die haar vervulling in de onvervuldheid bereikt. Daar op dat godverlaten stationnetje van een Londense voorstad werd de weemoed zichtbaar gemaakt die wij, met ons geraas en getier, proberen te overstemmen. Een weemoed die, als je de film mocht geloven, alleen nog kon opwellen bij heren met hoeden op en gekleed in stijve winterjassen, bij vrouwen met voiles en kanten handschoentjes, mensen verwikkeld in een gevecht dat ze het aanzien van een langzame wals wisten te geven. Dat kon mij, hoe tegenstrijdig dat ook moge klinken, opwinden, mijnheer. Het was de droom die mij voor ogen stond als ik Louises benen uit elkaar trok, mijn geslacht in haar stootte en haar afjakkerde als een boer zijn merrie. Dag in, dag uit. Wat ze verdroeg uit plichtsbesef. Maar nog geen spoor van een schaduw. Onder welke belichting ik haar ook plaatste, die van het theater, de revue, de opera of de operette, nog geen schim van een schaduw.

De gang langs artsen. Want zijn artsen niet de schaduwboksers van het verhoopte geluk? Ja, piskijkers, iriscopisten, handlijnlezers en aanzeggers van het eeuwige leven. Moordenaars uiteindelijk omdat ze geen van hun beloftes ooit waar kunnen maken en ze dat weten. Met hun betoverend fonkelend nikkelen tuig rammen ze erop los. Met hun al even betoverende harige klauwen wroeten ze in deze of gene baarmoeder en sleuren eruit wat ze maar in hun vingers krijgen. Een eierstok hier, een eileider daar. Ze vragen je vrouw gedragen ondergoed mee te nemen, dopen dat in de pis en steken de fik erin. *Music for the royal fireworks*, maar het is grafmuziek. Ze hebben in Louises stront geroerd, ze hebben aan het bloed van haar maandstonden gelebberd. Ach, wat ze haar al niet hebben aangedaan. Hoop hebben ze haar gegeven, hoop dat haar langzaam vereeltende baarmoederwand weer soepel zou worden en toen het eelt tot hoorn verhardde, hebben ze mij medeplichtig gemaakt aan hun autodafe van medische superioriteit. Het zaad dat ik liever in Louise had gestort moest ik in een mosterdpotje plengen, waarmee ik vervolgens van het ene laboratorium naar het andere werd gestuurd.

Het waren, medisch gesproken, mythologische tijden, zult u zeggen. Maar gelooft u mij, Medea's schanddaden waren liefdewerk vergeleken bij wat de medische stand mijn Louise heeft aangedaan. Ik heb haar zien krimpen van de bloeiende Vlaamse vrouw die ze eens was, tot de mummie die ze geworden is. Verdroogd in haar hoop op nageslacht, de dood uiteindelijk vindend in de afkeer van het leven. En ik stond erbij, met mijn zaad in een potje, en ik heb haar niet kunnen terugroepen van de weg die zij gegaan is.

Ik heb haar begraven op Westerveld, omdat die begraafplaats in dit tranendal nog de zonnigste plek is. Tussen twee duinhellingen in, met uitzicht op de zee en met de garantie dat in ieder geval het kruis dat ik heb laten plaatsen nog een schaduw wierp.'

DEEL II

5

Toen Oolsdorp zijn vrouw begroef was de kantonrechter Eduard Schrader juist in de rechtbank van Haarlem benoemd. Het was de tijd waarin een collega van hem zich nog aan een vervolging wegens het in staat van dronkenschap doodrijden van een kind kon onttrekken door een beroep op zijn functie te doen. De tijd waarin een aantal corpsstudenten werd vrijgesproken van een moord op een groen omdat het geheel zich had afgespeeld in het kader van de toen in die kringen gangbare mores. Het was een tijd die op zijn laatste benen liep, en spoedig zou alles beter worden. Van rangen en standen zou geen sprake meer zijn; het manna der gerechtigheid zou allen onder zijn koesterende deken begraven.

'Veilig in Jezus' armen', al was Jezus in dit geval in Trier geboren en beriep hij zich niet op zijn hemelse vader, maar op het onstuitbare mechaniek van de geschiedenis. Er was hoop voor wie daar behoefte aan had.

Dergelijke verwachtingen waren verre van Schrader. Hoewel het salaris van een kantonrechter in die tijd te wensen overliet – geld zou de rechtspraak immers kunnen corrumperen – had hij zich een aardig villaatje in Aerdenhout kunnen aanschaffen. Hij was immers onkreukbaar en had zijn kapitaaltje uit erfenis verkregen. Bovendien had een oom of een oudoom van hem, zo heel zeker wist hij dat niet, een belangrijk partijtje meegeblazen in de emancipatie van het papendom, wat hem temeer geschikt maakte voor een functie in het arrondissement Haarlem. Wie zich in Haarlem of omgeving op roomse adelsbrieven kon beroepen, werd vrijwel automatisch lid van die Kennemer variant op de vrijmetselarij die gevormd werd door een kongsie van journalisten, leraren, muzikanten en kunstenaars die het klimaat in de stad al een generatie of wat bepaalde. Hierdoor leken Schraders toch wel wat vage adelsbrieven – iets met balken en met de hand uitgevoerde correcties in een allang verjaarde uitgave van de Almanack de Gotha – opeens met sprongen in aanzien te stijgen. Wat dat klimaat in die Kennemer biotoop er voor hem des te aangenamer op maakte. Als je althans, zoals hij – en zijn vrouw leek hem daarin van harte bij te vallen – van orgelmuziek en ricercares hield, als je de oude Alberdingk Thijm voor een genie aanzag, zijn zoon voor diens plaatsbekleder op aarde; als je Anton van Duinkerken voor een 'geestelijke reus' hield en Godfried Bomans voor een humorist. De Schraders waren daar gaarne toe bereid, zodat de spirituele maffia nu eindelijk ook in de rechterlijke macht vertegenwoordigd was. Daar kon in de gewelven van de plaatselijke 'sociëteit voor kunstenaars en kunstminnenden' rustig een glaasje op gedronken worden.

Nee, nee, de blauwe tram gierde en denderde al niet meer door de stad, maar daarom kon men nog wel een grote mond opzetten. Als men zich maar niet, zoals mevrouw Schrader terecht naliet, liet voorstaan op een muzikale achtergrond van dubieus gehalte. Hier immers was het woord aan componisten die zich eeuwige roem met kinderliedjes hadden verworven, dan wel met het schrijven van fanfaronnades bij komisch bedoelde, landeigen rolprenten. Men leefde, katholiek of niet, in een vrij land en dat wilde men, met de nog zo recente, bittere ervaringen in het achterhoofd, graag weten. Ook buiten de gewelven van de sociëteit werden de nog steeds geldige processieverboden driftig aan de laars gelapt. Er waren feestdagen waarop de zogenaamde 'kindsheidsprocessies' van de Spaarnekerk in het zuidoosten, via de Sint-Jozefskerk in het centrum, naar de Elisabeth & Barbara Kerk in het noorden trokken en vice versa. Heel Haarlem was dan een paradijs vol trollen in bruidsjurken en gnomen in priestergewaden. Boven alles uit torende het Heilig Sacrament en de Te-Deums, magnificats en salve regina's sloegen tegen de gevels en plantten zich tienvoudig versterkt voort tot in de sloppen van de Leidse- en de Amsterdamse buurt, waar nog heel wat heilswerk te verrichten was. Daar woonden namelijk de rooien, die enige smet op het verder zo blanke roomse keurslijf. Al waren er, zelfs onder de roomsen, lieden die dat niet het grootste probleem vonden. Geestelijken meestal en nota bene, augustijnen vaak en ook wel montfortanen die, bij gebrek aan jezuïeten, ook uit dat rode leed weer hun slaatje probeerden te slaan. Zo had je de opvolger van pater Borromeüs de Greve, berucht vooroorlogs inquisiteur, ook een De Greve dus, die opvolger, Henri geheten, die in zijn wekelijkse radiorubriek *Lichtbaken* verdacht rode knollen voor witgele citroenen verkocht. De vereniging in wier opdracht hij die taak vervulde heette de Bond Zonder Naam en die vereniging was natuurlijk in Haarlem gevestigd, waarmee het subversieve karakter van die club nog maar eens extra onderstreept wordt. Later zou ik in de *Kennemer Bode* een wekelijkse rubriek met Haarlemse nostalgia vullen, waarin ik me in een van de afleveringen zou herinneren hoe tegenover mij een gezin had gewoond dat actief lid was van die bond. Naast hun deurbel, zo schreef ik met vertederd afgrijzen, was een op triplex geplakte afbeelding geschroefd waarop men een roedel ratten aan een liggende mensenfiguur zag knagen. 'Roddelen is een rattenplaag', luidde het onderschrift, terwijl het roddelen in Haarlem nu juist tot een vorm van conversatiekunst was gestegen die het gebabbel in de achttiende-eeuwse literaire salons in kunstvaardigheid en eloquentie ruimschoots overtrof. Waar nog bij kwam dat de vrouw des huizes, nee, niet die van de salons, maar mevrouw Voet, die dus tegenover ons woonde, in de Sparenbergstraat, hoek Jan Haringstraat, geen neus had. Ik had in mijn rubriek de goede smaak daar niet verder op in te gaan, maar ik bedoelde er wel iets mee te zeggen over het Haarlem van die jaren. Het Haarlem zoals dat reilde en zeilde buiten de maffia's, de loges en welke geheime genootschappen de stad verder mocht tellen.

Daar was nog steeds nederigheid en kruiperigheid geboden, in de hoop een kruimeltje te mogen meepikken van de Bourgondische tafels van het zelfbenoemde patriciaat. En zelfs dat kruimeltje werd die mensen vaak niet gegund. Men bedenke nog maar eens hoe Oolsdorps vader bij de Heilig Hartkerk werd afgescheept. Behoorde men in Haarlem niet tot de elite, die bijvoorbeeld de zogenaamde 'bloemenmeisjes' jaarlijks in het nieuw stak – pettycoats en uitzinnig bebloemde jurken met boothalzen, maar maagden bovenal – dan was men slecht gestuurd.

Maar het zou veranderen. Alles zou veranderen. Sneller zelfs dan menigeen bij kon benen. Alleen Albert de Klerk zou tot het bittere einde het orgel van de Sint-Jozefskerk blijven bespelen. Als die ene rechtvaardige om wie de stad misschien nog gespaard mocht blijven.

Inmiddels speelden de kinderen Schrader op het tegen een duinhelling glooiende gazon achter de villa aan de Wester duinweg. Of was het de Burgemeester den Texlaan? Oolsdorp zou het zich later in ieder geval niet meer precies kunnen herinneren. Hoe zou hij, afkomstig uit de Bomenbuurt, ook de weg hebben geweten in dat welbewust zo kronkelend opgezette labyrint dat het schorriemorrie uit de stad op een afstand moest houden?

Je had de oudste Schrader, Pieter, die eigenlijk Petrus heette, je had Barber, die eigenlijk Barbara heette, en je had ten slotte Teuntje, die eigenlijk Antoinette heette en die zo'n vijf jaar na Barber was geboren, en daarmee was de fantasie van de ouders uitgeput. En omdat Teuntje de laatste was en ze eigenlijk niet meer verwacht werd, was ze de oogappel van Eduard en zijn vrouw, die hij in een aanval van monarchale lolbroekerij tot Julia, 'mijn Juultje', had omgedoopt.

Terwijl Barber, om maar iets te noemen, 'Rote Rosen, rote Lippen' zong, geheel tekstgetrouw aan Vico Torriani, Pieter aan zijn boomhut achter in de tuin timmerde en Teuntje met haar step door het gazon ploegde, zaten de ouders op het betegelde terras onder een zonnescherm. Julia met een borduurwerkje, Eduard met *De Maasbode*. Mussen hupten over het terras, mezen vlogen van struik naar struik, een eekhoorn roetsjte langs de stam van een dougglasspar omhoog. In het naaldbos, verder achter in het duingebied, klonk de eentonige zang van een koekoek of hoorde men het driftige gehamer van een specht.

'Je zou,' zei Eduard, 'toch eens wat voorzichtiger moeten zijn met uitlatingen over je ouders, ik bedoel...'

Julia begreep het en stootte met kracht de naald door haar borduurwerk.

Toch had Eduard haar niet willen kwetsen. Hij was alleen bezorgd om de naam van de vrouw voor wie hij eens, kort na de oorlog, in vuur en vlam was geraakt. Als betrof het een werk van barmhartigheid, bedacht hij nu bitter. Maar om alle bij dit fraaie weer langsvliegende chimaeren van zich af te jagen en daarbij zijn vrouw allerhartelijkst in zijn gedachtegang te betrekken zei hij: 'Wist je dat je tegenwoordig zelfs je paraplu niet meer kunt laten repareren? Er is in heel Haarlem geen winkel meer waar je je paraplu nog kunt laten maken.'

Julia beet een draad af, knikte en humde bevestigend.

Geïrriteerd sloeg Eduard een pagina van zijn krant om en probeerde afleiding te vinden in een artikel waarin het bisschoppelijk mandement, ooit met zijn zegen als een dam tegen de doorbraakgedachte bedoeld, voorzichtig bekritiseerd werd. Eduard haakte zijn vlinderstrikje los.

'Je kunt je jasje ook wel uit doen, hoor, Eduard,' opperde Julia en ze stond al op om het colbertje van hem aan te nemen.

Eduard gromde: 'Stel je voor dat iedereen zijn jasje maar uitdeed, we wonen hier niet in een jodenkerk.'

Julia overwoog een wereld waarin iedereen zijn jasje had uitgetrokken, en misschien probeerde ze in haar overwegingen ook nog wel een jodenkerk te betrekken. 'Nog een kopje thee, Eduard?' klonk het, toch minder hartelijk dan ze zich had voorgenomen. Dit laatste ontging Eduard. Het was het woord 'thee' dat zijn aandacht gevangen hield. Thee was in zijn ogen de smeerolie waarmee het steeds luider krakende mechaniek van de samenleving draaiende werd gehouden. Zolang er thee was, was hij bereid de loslippigheden van zijn vrouw, ja, zelfs de ergernissen omtrent niet meer te repareren regenschermen op de koop toe te nemen. Al kon hij niet nalaten te mompelen, terwijl zijn vrouw hem zeer tegen zijn zin uit zijn colbert hielp: 'Er zal nog een moment aanbreken dat je je eigen paraplu moet repareren.' Hij zei het nogal berustend, in de wetenschap dat zijn vrouw wel voor dat karweitje zou opdraaien. Een vaag lachje krulde rond zijn lippen. Die van de kant van zijn vrouw hadden toch altijd de naam gehad duivels handige parapluherstellers te zijn? Of uienkruiers, wat maakte het uit. Zijn lachje vervormde tot een grimas.

De jaren gingen voorbij. Vol zorgen om regenschermen, maar dikwijls ook zomerse dagen. Julia's borduurwerkje was tot een waar gobelin uitgegroeid, voorstellende het familiewapen van de Schraders: een met helm en pluimen bekroond schild in goud, diagonaal gedeeld door een zwarte balk. Dat betekende iets, maar niemand in het gezin die dat wilde weten. Pieter niet, omdat het hem in het geheel niet interesseerde; Barbara niet, omdat ze wel wat anders aan haar hoofd had – ze speelde in het eerste van Rood en Wit; Eduard zeker niet, omdat hij de enige was die de heraldische betekenis van de diagonale zwarte balk doorgrondde; Julia niet, omdat ze soms, uit pure baloriggheid, de neiging had zomaar iets raars door dat weefsel heen te borduren, een alef, een bet of een gimel, wat kon haar het schelen, als ze er Eduard maar mee kon pesten; en Teuntje, het nakomertje, niet, omdat ze zich met heel wat minder schandaleuze zaken bezighield.

Ze hield zich met de levens der heiligen bezig zoals zij die reconstrueerde uit het in onbruik geraakte missaal van haar vader. Daarin stonden de zangen, evangeliën, epistels en gebeden zoals die, al naargelang 'het eigen der heiligen', gebeden dienden te worden. Het waren met name de korte biografische schetsen, zoals die aan de vaste en wisselende gebeden voorafgingen, die haar belang inboezemden. Hoeveel boeiender waren die niet dan de onbegrijpelijke teksten in de boeken in haar vaders boekenkast, waarin naast juridische werken schrijvers als Gezelle, Antoon Coolen, Jacques Schreurs en onbegrijpelijke lieden als Bloy, Bernanos en Maistre de toon aangaven. Nu kon ze met die Franse auteurs nog wel enige vrede hebben, hun taal was even geheimzinnig als het Latijn dat naast de Nederlandse tekst in het missaal stond afgedrukt. Maar zich al te lang bezighouden met dat ingewikkelde Frans, waarvan ze de eerste beginselen overigens al wel onder de knie had, deed haar gedachten toch al weer snel afdwalen naar de heilige Agnes, die zo fier haar hoofd op het hakblok had gelegd, of naar de heilige Laurentius, die zich onder het zingen van Gods lof had laten roosteren op wat als 'een vlammenvuur van vreugde' werd omschreven. In zijn totaliteit een chronique scandaleuse die in haar gruwelijkheid ongetwijfeld de genealogie van de Schraders verre overtrof. Een 'huis' dat met de kruisdood van Christus gegrondvest was en waarvoor, zover Teuntje kon nagaan, de laatste stenen waren gelegd tijdens de Bokseropstand in 1900, waarbij heel wat priesters en nonnen over de kling waren gejaagd.

Waren het aanvankelijk nog de fysieke avonturen van haar helden en heldinnen die bij Teuntje een zoete verontrusting teweegbrachten, gaandeweg groeide ze toe naar een hoger abstractieniveau. Andere heiligen doemden op, zoals Theresia van Ávila die op een ezeltje door het Spaanse land was getrokken en wier hart volgens de geschriften 'in lichterlaaie' had gestaan bij het beschouwen van haar God. En bovenal de zogeheten 'kleine Theresia', om haar van die van Ávila te onderscheiden. Het was deze Theresia, Theresia van Lisieux, van wie in die tijd nog heel wat, voor Teuntjes leeftijd geschikte biografieën in omloop waren. De meeste voor de oorlog gepubliceerd, maar in ieder geval nog bij boekhandel Coebergh voorradig.

Misschien vanwege de spelling of het wat verouderde taalgebruik straalden de boekjes een sfeer van iets verbodens uit, althans leken zij gesteld in een taal die alleen aan een kring van ingewijden was voorbehouden. Om van de beschreven daden en voorvallen nog maar te zwijgen. Zoals Theresia's naam, in rozen gespeld, aan de hemel had gestaan! Dat kon toch alleen zichtbaar zijn voor wie met het geheim van de rozentaal bekend was? Zij was dat, Teuntje. Het was de taal die ze had leren spreken bij de heilige Elisabeth van Hongarije, die in gips of op prenten altijd met een schoot vol rozen werd afgebeeld. Een schoot vol rozen! Was er een poëtischer beeld denkbaar voor een jong meisje als Teuntje, die zich daarbij allerminst tot modieuze interpretaties liet verleiden?

Hoe zou ze daartoe ook in staat zijn geweest? De modernste stand van wetenschappen werd in huize Schrader vertegenwoordigd door Maritain, een bekeerling nota bene die, met jansenistisch grondsop overgoten, van elisabethaanse noch theresiaanse poëzie enig benul had. Teuntje moest daarbij veeleer denken aan haar vader, die als hij op sommige avonden in een wel zeer opgewekte stemming was, liefdevol naar zijn vrouw keek en dan met een lichte snik in zijn stem zei: 'Ja, ja, ehret die Frauen, sie flechten und weben himmlische Rosen ins irdische Leben... Zo is het toch, Julia?'

Zo was het dus ook volgens Teuntje, die als ze op dergelijke avonden bewonderend naar haar polyglotte vader opkeek, ervan droomde dat hij haar, zoals Theresia's vader dat ooit had gedaan, bij de hand zou nemen en met haar naar de paus zou gaan om, in een privé-audiëntie, Zijne Heiligheid om dispensatie voor zijn dochter te verzoeken met betrekking tot haar zo jeugdig gevoelde kloosterroeping.

Teuntje, dan weer bitter teleurgesteld in diezelfde vader, die toch weer over paraplu's begon te zeuren, of over 'die negermuziek' waar Pieter tegenwoordig mee aankwam.

'Dat is anders wel Elvis Presley, hoor, pa.'

'Alsof dat geen roetmop is.'

Waarop moeder de zaak trachtte te sussen door nog maar eens het ooit door Barber ingezette 'Rote Rosen' te neuriën, wat de zaak er in Teuntjes ogen er alleen maar erger op maakte. Het liefst vluchtte ze dan naar de slaapkamer van haar ouders, waar boven de linnenkast twee oude oleografieën hingen, nog afkomstig uit het ouderlijk huis van haar vader. Op het linker schilderij stond Jezus afgebeeld met de twee vingers van zijn rechterhand zegenend gestrekt, terwijl hij met zijn linkerhand naar zijn ontblote borst wees, waarop het hart, met de nog nadruppende hartwond, bijna leek te ademen. Het rechter schilderij stelde de Heilige Maagd Maria voor, wier hart eveneens uit het lichaam geheven was, maar nu rustte op het door Maria gedragen blauwe overkleed. Dat hart was doorstoken met zeven zwaarden, maar pijn kon het zeker niet doen. Maria's blik was daarvoor te smachtend hemelwaarts gericht.

Teuntje wist heel zeker dat er een relatie bestond tussen het bed waar zij op zat en de afbeeldingen boven de linnenkast. Al had ze geen idee in welke richting ze die relatie zoeken moest. Ook hier, mijmerde ze, moest er sprake van genealogie zijn. Een genealogie waarin de schande van een dwarse balk naar het hogere, althans vertrouwdere plan van het huwelijk was verheven. Al moest ze glimlachen bij haar herinnering aan die keer dat ze als klein meisje aan haar moeder had gevraagd of die twee, daar boven de linnenkast, nu haar opa en oma waren. Ja, zó onschuldig was ze als kind geweest dat ze het mysterie van het lijden tot een alledaags huiselijk akkefietje had willen terugbrengen. Alhoewel dat bij nader inzien zo'n gek idee nu ook weer niet was: dat was nu juist de essentie van de heiligheid van 'klein Treesje' geweest, dat de ogenschijnlijk al te brave deugdzaamheid er tot een extatische belevenis werd verheven. Maar ook herinnerde Teuntje zich dat haar moeder toen gezegd had: 'Opa en oma van welke kant bedoel je, Teuntje?' Waarop Teuntje, in verwarring gebracht, maar voor die van de kant van haar moeder had gekozen, wat bij haar moeder een nerveus gegiechel had opgeroepen, wat de hele zaak weer net zo mysterieus maakte als hij behoorde te zijn.

Dat was toen Teuntje nog een kleuter was. Nu probeerde ze zich voor te stellen hoe gelukzalig het moest voelen het hart met zeven zwaarden doorstoken te weten. Over een 'zoete smart' had het missaal het, maar hoe moest men zich een zoete smart voorstellen waar datzelfde missaal anderzijds de pijnen die de martelaren en martelaressen hadden geleden, als nauwelijks duldbare emanaties van de hel voorstelde? Soms voelde Teuntje de aandrang een hoedenspeld van haar moeders toilettafel te pakken en zichzelf tot zevenmaal toe te doorsteken. Daar liet ze zich van afleiden door zich af te vragen waarom het nu juist zeven zwaarden waren waarmee het hart van Maria doorboord was. Op gelukkiger momenten riep haar moeder juist op zo'n moment naar boven wat of ze daar nu weer uitspookte en dat ze zich maar beter met haar huiswerk kon bezighouden.

'Ik doe niets anders, mam. Weet jíj bijvoorbeeld wat *cor Mariae* betekent?'

'Geen idee, kind.'

Ze begon al een beetje ten hemel te stijgen.

Teuntjes vader had haar, toen hij het eens niet over paraplu's had, ooit uitgelegd dat de viering van het misoffer in niets te vergelijken viel met 'zoiets als de saturnaliën der heidenen. Men geleidt niet,' had hij breedsprakig verklaard, 'in zegepraal een als God geëerbiedigde os, een geheiligde bok of een aanbeden krokodil die men, om niet door de menigte verscheurd te worden, goddelijke hulde moet betonen. Men vindt er geen dronkaards op de straten liggen, gelijk op de Bacchusfeesten; geen buitensporige onreinheden die weleer op de feesten van Flora en Venus bedreven werden, vinden hier plaats. In onze godsdienstplechtigheden is alles geheel zedelijk. Indien de kerk daarbij dansen geweerd heeft, is het omdat zij wist hoe vele driften, onder de schijn van een schuldeloze vrolijkheid verborgen, daardoor opgewekt worden.'

Al sprekend had hij daarbij zijn arm om zijn dochter geslagen en haar bij het woord 'zedelijk' dicht tegen zich aangedrukt en bij het woord 'driften' nogmaals. Alsof hij zijn dochter voor iets wilde behoeden wat nu juist de essentie van de wekelijkse misviering was. Als de priester de hostie hief en even later de kelk, dan voelde Teuntje zich wel degelijk bevangen door een heidense staat van euforie en voelde zij het bloed door haar aderen kolken zoals de martelaren dat moesten hebben gevoeld op de momenten dat ze hun geest aan de schepper teruggaven. Dat haar vader deze gevoelens afkeurde, leek Teuntje iets te zeggen over zijn geloofsopvattingen: ze waren niet werkelijk katholiek. Hij miste de gave om het geloof als de zinnelijkheid te ervaren die, zo had Teuntje het inmiddels begrepen, het wezenskenmerk van het geloof uitmaakte. De schraalheid was voor de protestanten; voor de magistraten desnoods, die van de gerechtigheid ook niet meer begrepen hadden dan de wetten erover te melden hadden. Verwarrend was wel dat haar vader haar zijn met verdacht enthousiasme beleden afkeer van het heidendom voorhield, terwijl hij haar daarbij in een bijna wurgende houdgreep nam.

Er waren momenten waarop zij hem in zijn dubbelzinnigheid, die zij nog niet kon doorgronden, ervan verdacht de Satan te zijn. Een beeld dat zich definitief bij haar zou vastzetten toen ze hem eens, terwijl hij zich onbespied waande, met zijn pasgestoomde toga voor de spiegel betrapte. Die vent met die zelfvoldane kop met verzorgd grijs haar rond de slapen, die operettezanger, was dat de man aan wiens hand ze naar de paus had willen gaan? Was dat de man die haar had moeten wijzen op haar in rozen geschreven naam aan de hemel? Ze was inmiddels oud en wijs genoeg om te weten dat hij haar verwekker was. Maar de keer dat ze de duivel had zien staan, was tevens de eerste keer dat ze zich realiseerde hoe dat verwekken in zijn werk moest zijn gegaan. Door een duivel was ze verwekt en het zou haar heel wat zoenoffers kosten deze schaamte ongedaan te maken.

Als om haar verwarring nog te vergroten kreeg ze – ongetwijfeld door haar vader bewerkstelligd – boeken in handen waarin 'De duivel en zijne werken' in middeleeuwse breedsprakigheid en kleurenpracht uit de doeken werden gedaan. In vertwijfeling vroeg ze zich af waarin de prikkeling die ze bij het lezen van die boeken ervoer, verschilde van die die ze bij de heiligenlevens beleefde. Zo had ze zich verdiept in het leven van de heilige Catharina van Siena, die uit liefde tot God de etterende wonden van de leprozen uitzoog, omdat die leprozen het evenbeeld van God zouden zijn. Waarin verschilde dat nog van de duivels die de heksen op 'tegennatuurlijke' wijze bezaten – wat dat tegennatuurlijke verder ook in mocht houden. Ze las van de heilige pastoor van Ars, die op bijna wellustige wijze de strijd met de duivel was aangegaan, en ze las ook daarin een ongerijmdheid die met de geloofsbeleving van haar vader op gespannen voet stond, maar ja, haar vader was nu eenmaal een afspiegeling van de duivel zélf, een zaaier van verwarring, en het was Teuntjes diepgevoelde drang aan die verwarring een einde te maken. Tot een wereldbeeld te komen waarin de tegenstellingen opgingen in de helderheid van het ware geloof dat een heilige dronkenschap toestond in het aanschouwen van God en zijn heiligen, zonder dat men tot duivelse dronkenschap verviel.

Teuntje miste nog de levenservaring om de ene dronkenschap van de andere te onderscheiden. Dat beide staten van euforie of extase, boven die onderscheiding uit, op een bepaalde manier toch weer samenvielen, dat had ze wellicht bij Sint-Jan van het Kruis of bij Theresia van Ávila kunnen leren, maar de werken van die heiligen waren op dat moment nergens beschikbaar. Zelfs niet bij Coebergh, daar was het nu Teilhard en Marcel geblazen, de roomse wegbereiders van de marxistische kaalslag.

Nee, naar de muizenissen die Teuntje zich in het hoofd had gehaald, was geen vraag meer. Dreigde het schip der kerk dan definitief te stranden op de kusten van eigendunkelijkheid en onttovering?

Op haar vrije middagen door het Haarlemse dolend stuitte Teuntje op een wrakkige schuit, in het Spaarne gelegen, niet ver van de inmiddels op instorten staande Spaarnekerk. Het was een omgebouwde tjalk waarop de Russisch-orthodoxe eredienst werd gevierd. Teuntje zag al visioenen voor zich van christenen die van trappen werden gegooid, met geweerkolven in de Neva gedreven en met bajonetten opengereten. Haar hart sprong open. Er werd nog geleden, gestreden en uiteindelijk gezegevierd.

Ze klopte op een van de kajuitraampjes waarop, in glas in lood, het Russisch-orthodoxe kruis was aangebracht. Op het gangboord verscheen een morsige veertiger, gestoken in een zwart corduroy werkmanspak en met een eerbiedwaardige grijze baard. Hij stelde zich in plat-Amsterdams voor als pater Gabriël en noodde haar binnen. De roef was ingericht als een kapel, die plaats bood aan tien, hoogstens vijftien personen. Er hing een doordringende geur van wierook. De iconostase die het altaar afschermde tegen de gelovigen, bestond uit goedkope reproducties, hier en daar afgewisseld met een wel degelijk met de hand geschilderde icoon, al kon zelfs Teuntje zien dat deze uit het socialistisch-realistische Volendam afkomstig moest zijn. Ja, geleden werd hier, zoveel was wel duidelijk. En als dat nog niet duidelijk genoeg mocht zijn, dan bracht pater Gabriël haar dat wel aan het verstand. Smartelijk zuchtend bood hij haar een krukje aan en wees met een wanhopig gebaar om zich heen.

'De laatsten der rechtvaardigen,' zei hij, voor zichzelf een krukje bijschuivend. Nadat hij tegenover haar had plaatsgenomen, legde hij zijn hand op haar knie. 'Hoe oud ben je, mijn dochter?'

'Dertien, mijnheer.'

'Zeg jij maar gewoon pater Gabriël tegen me.' Hij kneep in haar knie. 'Maar Gabriël zonder meer is ook goed. Voor Hem zijn we immers allen gelijk.'

En dat met die tongval van hem waarin het volle leven meezinderde. Het had een betoverend effect op Teuntje. Naast de geuren van een marktkoopman rook ze ook die van een visser die mensenvisser was geworden.

Was ze zoekende?

Nu, dat niet direct. Diep in haar hart had ze het eigenlijk al gevonden en omstandig probeerde ze het hoe en het waarom van haar spirituele zwerftochten uit te leggen.

Gabriël begreep dat wel. O, Gabriël begreep dat beter dan zij vermoeden kon. Zelf had hij ook jarenlang rondgezworven tussen twijfel en zekerheid. En wist ze wel dat hij op een van zijn zwerftochten de heer Schrader was tegengekomen? Nu, daar wilde hij verder niet op ingaan. Maar Teuntje kon ervan verzekerd zijn dat het juist mr. Schrader was geweest die door de Heer op zijn weg was gezet om hem, Gabriël, het licht te tonen. 'Zo zie je, mijn kind, dat het toeval niet bestaat. Maar mocht je van plan zijn vanaf nu onze diensten bij te wonen, vertel dat dan vooral niet aan je vader. Want in de ogen Gods is hij niet meer dan een werktuig en dat moet hij maar blijven ook... de klootzak,' meende Teuntje hem tot besluit te horen mompelen. Een opmerking die ze razendsnel verdrong al was die het juist die haar deed besluiten zich bij de kleine gemeente van pater Gabriël aan te sluiten.

Ze begreep wel dat ze met dat besluit het eerste elftal van Rood en Wit niet zou halen en dat ze daarmee nóg minder kans had tot de elitaire kringen door te dringen waarin haar broer Pieter inmiddels vertoefde, maar voor beide idealen was ze toch te dom gebleken. Al in de eerste klas van het lyceum was ze blijven zitten. 'Geen concentratievermogen en intellectueel gesproken een dubieus geval,' had er onder haar rapportcijfers gestaan.

Tijdens de maandelijkse diensten aan boord van het omgebouwde zeilschip *Cyrillus en Methodius* – de naam was inderdaad met cyrillische letters op de boeg gekalkt – leerde Teuntje de unio mystica begrijpen op het niveau waarvoor ze, op haar leeftijd, gevoelig was. Het door pater Gabriël gemompelde 'klootzak' versmolt er soepel met de bewelmende galm van het 'Gospodi, gospodim', zoals dat door het drie leden tellende koor werd voortgebracht. Een van de drie leden was pater Gabriël zelf, die als een weermannetje die nu eens vóór de iconostase stond en druk met het wierookvat zwaaide, om kort daarop weer achter de beeldenwand te verdwijnen, waar hij hoogheilige handelingen verrichtte. Steeds roder in het gelaat en steeds wankelender van gang kwam hij weer te voorschijn. De wierook sloeg de aanwezigen op de longen, maar geen die het liet merken. Het geloof, zo straalden zij uit, was een bittere pil die nu eenmaal geslikt moest worden.

Het wonder dat zich achter de iconostase voltrok en waarvoor zo menig martelaar het leven had gegeven, werd hier bevroed door hen voor wie het oorspronkelijk bedoeld moest zijn geweest. Een paar oudere vrouwen van gemengde maatschappelijke komaf, onder wie een met een looprek en een ander met een gipsen kraag om haar hals. Verder een, op het oog te oordelen, voormalige communist met spierwitte haardos en blozende wangen, een student in een vage kunde die er tijdens de 'nazit' voortdurend op betrapt werd zich in de gewaden van pater Gabriël te willen steken, die achter de iconostase over een stoel hingen.

''t Benne verdomd mooie kleren,' vergoelijkte pater Gabriël, 'maar voor jou nog een maatje te groot, jongen.'

Het was Teuntje of ze, aan de oevers van het Meer van Galilea gezeten, getuige was van de wonderbaarlijke deling van brood, wijn en vis. Maar toch... iets... ze zat er heel dichtbij... ze voelde het... Maar toch, Gabriël was Jezus niet, al deed de student haar nog zo sterk aan de apostel Johannes denken.

Ze was er laat mee, zou haar moeder achteraf zeggen. Niet als verwijt – wat valt er in zo'n geval te verwijten? – maar eerder als een rechtvaardiging voor de slechte prestaties in de klas en op het sportveld van Sancta. Maar had haar moeder ook kunnen weten dat Teuntje in haar ontwikkeling was opgehouden door zwerftochten van odysseïsche omvang, heen en weer getrokken tussen vage schuldgevoelens omtrent haar onmacht het leven in te richten zoals het zijn moest, en een lichte arrogantie vanwege het feit dat zíj, Teuntje, in ieder geval zócht, waar anderen het al gevonden hadden. Zoiets werkt nu eenmaal belemmerend op een fatsoenlijke hormonale huishouding.

Maar met dat al: haar zuster speelde inmiddels in het nationale hockeyteam; haar broer zat in de senaat van Thomas, weliswaar niet het echte corps, maar voor een katholieke spoorstudent het hoogst bereikbare. En men moest, zoals hun vader zijn kinderen altijd had voorgehouden, nooit hoger springen dan zijn polsstok lang was; hun daarbij fijnzinnig onder de neus wrijvend dat die polsstok toch al een behoorlijk stuk langer was dan die van anderen. Maar ja, dat van die paraplu's, dat bleef een probleem. Of correcter uitgedrukt: Teuntje bleef een probleem.

'Nog stommer dan een gemiddelde vrouw,' liet hij zijn Julia weten. Waarop zijn vrouw het kind excuseerde voor haar trage fysieke ontwikkeling.

Waarop haar vader weer reageerde met een onbegrijpelijk: 'Dat is maar goed ook.' Hij wenste dit niet nader toe te lichten. 'De wereld is toch al zo'n zwijnenstal,' was zijn enig commentaar.

'Doe er dan iets aan,' snibde Julia dan, 'als iemand daartoe in staat is, ben jij het wel.'

Dan zonk Schrader weer weg in dromen van een verhoopte gerechtelijke almacht waarin hij Vrouwe Justitia, gemaskerd en met de zweep geheven... 'En moet je zien, nu zijn mijn manchetknopen ook al naar de bliksem, en waar denk je vandaag de dag nog manchetknopen te kunnen krijgen? Er is in heel Haarlem geen winkel meer waar je nog manchetknopen kunt kopen. Alles gaat tegenwoordig maar met knoopjes.'

Knoopjes, dat waren op dat moment de griezeligste dingen die hij zich kon voorstellen. Ze vertegenwoordigden het verval der tijden.

Terwijl Teuntjes vader zich op zijn manier een weg door het voor hem steeds ontoegankelijker leven baande, deed zij dat op de hare. Dolend van het paleis van de Romeinse landvoogd naar het sanhedrin der joden. En steeds met die vraag op haar lippen: hoe en waarom? Ze zag haar gemartelde Jezus aan de pilaar gebonden en tegelijkertijd zag ze hem, met het kruishout beladen, op weg naar nog hogere extase. O, ware Teuntje Veronica geweest! Ze zou hem het zweet en bloed van het gelaat hebben gewist. En ze wás Veronica en drukte de zweetdoek met het heilig effigie tegen het eigen gelaat en ademde de geuren diep, diep in om eindelijk iets van de verlossing te mogen ruiken; iets van die geur van heiligheid waarin de door haar aanbeden heiligen gestorven waren.

En verder ging ze, het veertienbomig woud van het lijden in, het woud van de twee maal zeven smarten, van de zeven maal zeven vergevingen en van de zeventig maal zeventig beladingen en belastingen. Zij passeerde daar waar Simon van Cyrene het kruis overnam, en het was Teuntje die het op haar schouders voelde. Tot twee, drie keer toe struikelde haar Heer en zij voelde zich onder het kruis bezwijken. Terwijl ze tot drie keer toe weer overeind worstelde, hoorde ze in de verte de hamerslagen vanaf Golgotha tot in het heelal weerkaatsen en ze spreidde haar armen al om de wondetekenen in haar handpalmen te ontvangen en ze zette haar voeten op de voetsteun om ook in haar voeten de wondetekenen te ontvangen (waarbij het een klein probleem was dat de geleerden het er tot op de dag van vandaag niet over eens zijn of Jezus de voeten al dan niet over elkaar geslagen hield) en wachtte op het moment dat haar hart met een lans doorboord zou worden, wat, zoals zij begrepen had, een liefdesdaad was om het lijden te bekorten. (Trouwens, ook het breken van de beenderen van de gekruisigde mag tot een dergelijke daad van barmhartigheid worden gerekend.) En ja, daar kwam de Romeinse legioensofficier, de 'honderdman', zoals hij in haar schoolbijbel werd genoemd. Hij leek wel wat op die student op de tjalk en even, heel even twijfelde ze aan haar roeping, om zich onmiddellijk daarop te realiseren dat bij de grootste heiligen de diepste duisternis aan het stralende licht van het inzicht voorafging. Toen dan ook de hemel zich als een kemelsharen zak over haar sloot, ervoer zij dat als het allesverblindende licht dat een Saulus tot Paulus had gemaakt en, in haar geval, een Teuntje tot Teun.

Niet lang daarna – maar wat wist zij op dat moment nog van tijd? – ging zij in verheerlijkte gedaante óm door de velden. Zij kwam wandelaars tegen, juist op weg van de *Cyrillus en Methodius* naar Emmaüs. Ze herkenden haar. 'Dag Teun,' zeiden ze, 'je hebt het gevonden, hè? Je hebt het licht gezien.' De wandelaars keken bewonderend naar haar op en een van hen, de vrouw met het gipsen halskorset, nam zelfs de zoom van Teuns jurk tussen de vingers, bracht hem naar haar lippen en drukte er een kus op.

'Een wijle verder gaand', zoals het geschreven stond, kwam haar op de Grote Markt, aan de voet van het standbeeld van

Laurens Janszoon Coster, een groepje discipelen tegemoet, onder wie zij Gabriël herkende. Of was het nu haar vader? Als het haar vader was, dan was hij in ieder geval voornemens haar, zonder haar te willen herkennen, voorbij te gaan. Maar was het Gabriël, dan vertoonde die al even weinig neiging haar te begroeten. Het was op aandrang van de anderen dat zowel Gabriël zich tot haar wendde en haar vader tenminste de moeite nam haar argwanend op te nemen.

'Maar ik ben het echt, jullie eigen Teuntje.'

Ze wilden het niet geloven. Als de ene man haar vader was dan zei hij: 'Zie dan maar eens een paar manchetknopen voor me te vinden.' En als de andere Gabriël was, zei hij: 'Een fatsoenlijke pij, daar zou je ook wel eens voor kunnen zorgen. Ik word morgen tot archimandriet voor de Benelux benoemd en heb nog geen nagel om aan mijn kont te krabben.'

'Lichtgelovigen,' zei Teun verwijtend, greep met beide handen haar bloesje bij de sluiting en scheurde het zo ruw open dat de knoopjes naar alle kanten sprongen. Ze zag haar vader verbleken, als het haar vader was. Terwijl ze als het Gabriël was, een begeerlijke blik in diens ogen zag oplichten. En ze wees, met een soortgelijk gebaar als waarmee de zegenende Christus op de oleografie boven de linnenkast van haar ouders was afgebeeld, naar haar van het wondvocht nog glanzende, licht openstaande hartwonde en zei tegen haar vader, of tegen Gabriël, dat kon haar op dat moment niet zoveel meer schelen: 'Kom, lichtgelovige, leg dan uw vinger in de wonde en zeg mij dan of ik het ben.'

Toen ze voelde hoe een vinger zich in haar wonde legde, jubelde ze: 'Ja en toen vroeg hij me of ik wilde ja of ik ja wilde zeggen mijn bloem van de bergen en eerst sloeg ik mijn armen om hem heen ja en trok hem op me neer zodat hij mijn borsten kon voelen een en al zoete geur ja en zijn hart bonsde wild en ja zei ik ja ik wil Ja.'

Het was een hard en ruw ontwaken uit haar kinderdroom. Boven haar stak Laurens Janszoon Coster triomfantelijk zijn letter A omhoog terwijl hij de omega listig achter zijn rug verborgen hield. Haar moeder inmiddels legde haar de verschillen uit tussen Nefa rood en Nefa blauw, en verklaarde haar het gebruik van spelden en gordeltjes, hoewel Teun allang van haar klasgenotes geleerd had dat er tegenwoordig tampons bestonden, die heel wat gerieflijker in het gebruik waren, al maakte ook die wetenschap haar er niet gelukkiger op. Nooit zou ze haar Theresia van Lisieux nog kunnen evenaren waar ze, hand in hand met haar vader, haar gang naar de paus maakte om dispensatie. Die leeftijd was ze voorbij en haar vader vertrouwde ze haar hand niet meer toe. Daar waren redenen voor waar ze maar liever niet aan herinnerd wilde worden. De door haar ooit bewonderde magistraat die onbewogen heerste over allen die aan hem werden voorgeleid, was verworden tot een zenuwachtige, voortdurend steels van haar wegkijkende, morsige oude baas.

Ook anderszins was de deur naar het klooster met een ongenadige smak voor haar neus dichtgegooid.

'Daar komt niets van in, mijn kind. Of wil jij, als frisse jonge meid, je dagen slijten te midden van een stel demente bejaarden? Je vader ziet je aankomen,' had haar moeder gezegd. En zelf had ze ook wel ingezien dat het klooster geen serieuze overweging meer verdiende. Wat zich nog aan zelfloze liefde manifesteerde, speelde zich elders af.

'Broek op Langedijk, woensdag. De kleur is terug op haar gezicht. Scherpe blik. Waar een week rust al niet goed voor kan zijn. Een opgeluchte topturnster: "Ik voelde me een vaatdoek. Uit medisch onderzoek bleek ik lichamelijk tegen allerlei grenzen aan te lopen. Trok het ook mentaal niet meer, hoor. Al die apparaten, oefeningen, steeds dezelfde gezichten in de turnhal. Het kwam me mijn neus uit. Ik verlangde steeds meer naar het 'echte' of 'normale' leven. Hoe ziet dat er nu eigenlijk uit? Na een week ben ik eruit: 't Heeft net zoveel ups en downs als een turnleven. En soms is het net zo saai. Ik trek dus maar weer gewoon mijn turnpakje aan."'

Ja, het leven is een bittere strijd, zoals maar weer blijkt uit het stukje dat de sportredactie mij heeft doen toekomen, en nog bitterder is het feit dat men van dit leven verslag moet doen. Bijna zou ik dan ook in de verleiding komen om het werk dat ik hier onder handen heb te laten voor wat het is, om daar het beschrijven van mijn eigen ervaringen voor in de plaats te stellen. Het is ook niet gering: het leven te beschrijven van iemand die, als dichter begonnen, de zielenroerselen van een sportvrouw persklaar moet maken. Terwijl ik inmiddels de woordelijke verslagen in handen heb van voor het publiek gesloten zittingen aangaande een zaak die nu juist datzelfde publiek in grote beroering heeft gebracht en waarvan ik nu tot de kern probeer door te dringen. Helaas niet in de illusie daardoor een groter inzicht te verwerven in het leven zoals het is. (Hoe men van een vaatdoek bijvoorbeeld weer een topfitte sportvrouw kan worden, of van een dichter een verslaggever, en zelfs niet hoe een Teuntje Schrader het van net ontloken jonge vrouw tot een geknakt schepsel kon brengen wier uitspraken onder het zegel van vertrouwelijkheid moesten worden geplaatst om haar... ja, om wat eigenlijk? Om haar tegen zichzelf in bescherming te nemen, om het publiek ergens voor te behoeden?) Men wist en weet het niet. Men jaagt en ziet geen haas. Het gerecht was toen al zo blind als het nu is. En verdorven wellicht ook. Want hoe anders valt te verklaren dat het, nu, zoveel jaren na het proces, de verslagen van de besloten zittingen aan mij heeft toegespeeld, ongetwijfeld met geen andere bedoeling dan een publiek te behagen dat tóen niets van Teuntjes uitspraken weten mocht. 'Gewijzigde rechtsopvattingen' en een zich inmiddels ontwikkeld hebbend 'recht op openbaarheid'.

Ja, ja, het recht neemt het publiek nu als volwassen. Terecht natuurlijk. Het publiek is in de loop der jaren, zoals die turnster, tegen 'allerlei grenzen' aangelopen; het heeft zich 'als een vaatdoek' gevoeld, het kwam het de neus uit, het trok het, ook mentaal, niet meer. Het publiek is kortom volwassen geworden en moet naar de mond gepraat worden.

Zoals ook mijn chef, zij het in andere bewoordingen, van mening is. Daarom zit ik nu hier, tussen het bewerken van andermans kopij door, de stukken over de zaak-Schrader te lezen. Om spektakel te maken van wat ooit als drama begonnen was. Alsof het toen al niet in een spektakel was geëindigd. Zij het een verouderd spektakel, want nog met 'het slimme bolletje' van de IBM geschreven. Wie heeft daar nu ooit nog van gehoord? Het stuk dient dus in nieuwe verpakking te worden gepresenteerd. Voorzien van al die smakeloze indiscreties waarop het publiek ook al recht schijnt te hebben. Het zou zich er anders als een vaatdoek bij gaan voelen, het zou het de neus uit komen, men zou het mentaal niet meer kunnen trekken.

Maar wat kan ik maken van de barre metaforiek waarin Antoinette Schrader haar bekentenissen verpakte? Of waren het de exacte beschrijvingen van haar ervaringen? Dan weet ik er nog minder raad mee. Dichter ben ik weliswaar van oorsprong en hopelijk van aard, maar des te minder heb ik kennelijk van het leven begrepen om het te nemen voor wat het, zeker in Antoinette Schraders geval, was.

In de tot nu voor pers en publiek verborgen gehouden verslagen is sprake van gruwelijke castigaties, mutilaties zelfs. Wonden werden toegebracht om ze tot etterende zweren te laten uitgroeien, zweren die dan weer werden uitgezogen; plukken haar zouden door kamers hebben gezeild als heksennesten in de storm; stoeten jongelingen zouden door diezelfde kamers zijn getrokken. Ontkleed, de jongelingen, tot op een lendendoek na, de ruggen overstroomd met het bloed uit de wonden, veroorzaakt door het geklauw van katten met zeven staarten, die de jongelingen besprongen zouden hebben. Gedecapiteerd werd er, op roosters gelegd; ingewanden werden, zó uit vers opengesneden buiken, op assen gedraaid en harten uitgenomen en voor de gieren gegooid. Zelfverbrandingen, zelfóntbrandingen. Gezang dat uit vuurovens zou hebben geklonken. Een oneindig aantal gruwelbeelden. Op reis was zij gegaan, zo heette het in haar eigen bewoordingen, 'in de christenheid om de Christus te vinden', terwijl ze slechts, alweer in haar eigen tekst, 'de geit van Mendes had gevonden'.

De geit van Mendes?

Vóór haar, op een klaverveld, zo las ik in een volgend verslag, zou een bloedend lam hebben gestaan. Het zou uit zijn zijde hebben gebloed, al zou het bloed geen bloed zijn geweest, maar 'een rozenregen, zo zoet, edelachtbare heren, dat mij de verlossing nabij leek'.

'Teuntje, Teuntje,' zou het lam haar hebben toegesproken, 'hoor naar mij. Ik wil je iets groots verkondigen.' En hier, meegesleept door Teuntje, ga ik van de veronderstellende wijs in de zekerheid van haar aanschouwing over.

Ze kreeg tranen in haar ogen toen ze de stem van het lam hoorde, en haar hart vloeide over van liefde. 'Lam Gods,' zei ze, 'ik hoor je met heel mijn ziel. Laat me de rozen kussen die uit je zijde stromen en laat me de wond uitwassen en met balsem drenken.'

'Het is mijn bloed, Teuntje, dat ik te jouwer verlossing vergoten heb. Je gebed is verhoord. Ik heb jou als laatste der christenen aangewezen en je zult niet scheep gaan op zo'n wrakke schuit als de *Cyrillus en Methodius*, maar op een schip gebouwd op de kiel van je eigen overtuiging. Geloof slechts. Geloof dat ik je heb uitverkoren.'

'Ik geloof,' zei Teuntje snikkend en zonk voor het lam neer.

'Uitverkoren om wat nog aan liefde rest in deze wereld voor mij te vergaren. Want zo heb je het toch op school geleerd: "Geloof, hoop en liefde, doch de grootste van deze drie is de liefde."'

'Want zo ik de liefde niet had...' vulde Teuntje automatisch aan.

'Zoek haar, Teuntje,' onderbrak het lam haar bevelend, zodat ze – o, voor één enkel moment maar – dacht de geit van Mendes voor zich te hebben die haar op alle mogelijke en onmogelijke plaatsen bezeten had. En het lam vervolgde: 'Zoek haar van land tot land in christenheid en elders, en laat je niet afschrikken door de moeite van de reis, of die nu over hoge, eenzame bergpassen leidt dan wel over snelvlietende rivieren.'

Heel oneerbiedig dacht Teuntje: dat lam heeft er kennelijk geen flauw benul van door welke hellekrochten ik al gegaan ben. Maar deemoedig als haar geboden leek, zei ze: 'Ik zal haar zoeken met al mijn kracht. Hoewel, ik ben maar een eenvoudig meisje, van goede komaf weliswaar, maar met een vijf voor Frans en een zes voor mijn Engels. De schone handwerken daarentegen, die gaan wel, die heeft mijn moeder me bijgebracht.'

Het lam van Mendes onderbrak haar geërgerd. 'Wie zoekt zal vinden. Wanneer je in het land komt dat je je in je koortsvisioenen hebt getracht voor te stellen maar dat in werkelijkheid nog oneindig barbaarser is, waar een oorlog heeft gewoed zoals de mensheid nog niet heeft meegemaakt, dan ben je waar je zijn moet. Zoek daar het onderdak van een verlatene, een eenzame. Want als ik spreek, spreek ik door de mond van de verachten, de uitgestotenen. Uit een van die monden zul je dan de naam horen van wie ik de liefde gegeven heb. En die liefde zal een kind zijn, onschuldig en onnozel, door een verachte verwekt bij een zwakzinnige.'

'Hoe zal het heten?' vroeg Teuntje.

Maar de bok was van de haverkist gesprongen en in het niets opgelost. Daar ook hield het verslag van die zittingsdag op.

Uit de volgende verslagen bleek dat Teuntje van de ene specialist naar de andere was gereisd. Dat ze door de een voor zijn dubieuze doeleinden was misbruikt, terwijl ze door de ander met een kluitje in het riet was gestuurd, terwijl bij weer een ander het verschil daartussen niet geheel helder was. Inmiddels werd ze een wandelende farmacopee, die dikwijls wel de haar soms begeleidende reisgenoten kon adviseren, hoewel ze er zelf zelden baat bij vond. Dan legde ze zich maar weer te rusten onder deze of gene brug of onder de overkapping van een station of bushalte, kromp daar als een foetus ineen, legde haar handen tussen haar dijen te warmen en hoopte op het verzengende vuur.

6

Aan de Pijlslaan waar, anders dan de naam doet vermoeden, zich het ene arbeidershuisje naast de andere bouwval voegt – het is een van die typisch Haarlemse verschijnselen die aan geen toerist kan worden uitgelegd – bevindt zich, ergens ter hoogte van de Geweerstraat, een antiekwinkel die zich 'Miens rommelzolder' noemt. Het pand is met de eenvoudige middelen die steuntrekkende, gescheiden vrouwen nu eenmaal ten dienste staan, tot een staat van majesteitelijkheid verheven, vergeleken bij de situatie waarin het in de late jaren zeventig nog verkeerde. Iets van die oude staat kan men nog bevroeden als men op Miens zolder is, die dus eigenlijk de voorkamer van een huisje met kamers en suite is. Laat ik daar niet al te uitvoerig op ingaan, anders ga ik nog de lof zingen van de glas-in-loodschuifdeuren die de twee hokjes nog steeds van elkaar scheiden. Hoe dan ook, ik heb daar enkele voorwerpen ontdekt die nog van de vorige bewoner afkomstig kunnen zijn geweest. Een roestig elektrisch broodrooster, een tafelschemerlamp met raffia kap, een tweetal oranjekleurige, keramische bollen met gaten die ooit ook lampenkappen moeten zijn geweest, een tot op de draad versleten, met bruin corduroy beklede tweezitsbank, een vermoedelijk uit de boedel van een bejaardentehuis overgenomen eenpersoonsbed, voorzien van een met de voet te bedienen mechanisme om de hoogte van het bed te variëren. Als hoogtepunt aan antiek van wat Mien van de vorige bewoner kan hebben overgenomen, kan de op een piëdestal prijkende, zwaarbeschadigde, emaillen nachtspiegel worden beschouwd. De blikken aapjes, brandweerwagens en treinstelletjes moeten uit een heel andere wereld stammen, terwijl ze vermoedelijk pas vervaardigd zijn na de dood van Miens voorganger, de eerdere bewoner van het pand, Gerard Habraken. En dan stond er nog een kinderledikantje met een katoenen huif, bedrukt met roze en blauwe clowntjes. Hoe Mien daar nu weer aan kwam?

Toen Habraken in het huisje neerstreek moest hij het 'al wel gezien' hebben, zoals nog levende buren hem later zouden citeren. Hoe hij in het pand terechtgekomen was, daar wist men zo niet het fijne van. Met hulp van de gemeente, zeiden sommigen; anderen hielden het erop dat hij 'nog wel wat onder zijn matras' zou hebben gehad. Ze wisten het niet zeker, want ze kenden hem niet, hadden hem nooit gekend, zouden hem nooit leren kennen en hadden dat achteraf maar beter gevonden ook. Er kleefde, zeiden ze, iets onbestemds aan Habraken. Dat hij aan de drank was zag je zó, al hadden ze hem nooit op het drinken van ook maar één druppel kunnen betrappen. Maar dat was het nu juist...

En dan had je nog die affaire gehad... Enfin, van de doden niets dan goeds. Bovendien deed men daar ook om andere redenen maar liever het zwijgen toe. De Pijlslaan was tenslotte een laan. Zou men openhartiger zijn, dan had men net zo goed in de Geweer- of Kogelstraat kunnen wonen en die waren, ja, toch juist iets minder dan de Pijlslaan, die niet voor niets laan heette en die, als een goed burgerlijke, kaarsrechte ruggengraat, net niet ten onder ging aan de armoe van kogel, boog, mortier en welke andere strijdmiddelen er verder nog tegen het fatsoen werden ingezet.

Maar die Habraken, nee, die had daar eigenlijk niet moeten wonen. Had hij bijvoorbeeld wel over een redelijk geoutilleerde keuken beschikt? Men dacht van niet. Volgens sommigen voedde hij zich uitsluitend met bonen uit blik, die hij dan nog wel op een butagaskomfoortje verwarmde... dat nog wel. De vitrage voor zijn ramen was altijd gesloten geweest. Was op het laatst zelfs gaan 'zijgen', volgens sommigen. Hoewel, dat zou nog geen inzicht in zijn huishouden hebben gegund omdat, volgens weer anderen, hij toch nooit in zijn voorkamer zat en hij de tussendeuren altijd gesloten had gehouden. Ja, dat van die keramische bollen, dat zou wel kunnen, en dat van dat schemerlampje ook, al leek het de woordvoerders waarschijnlijker dat Habrakens nachtleven zich hoofdzakelijk onder tl-verlichting had afgespeeld. 'Hij was niet zo'n gezelligheidsmens.' En of ze nu weer verder mochten. Want als mijnheer toch niet van de televisie was, dan hadden ze verder weinig boodschap aan hem. In de krant kwam iedereen, daar hoefde je alleen maar dood voor te gaan. Maar televisie... daar deed je als het ware een moord voor.

Toch heb ik weten te achterhalen dat Habraken van ver kwam. Men mag dat letterlijk nemen. De dromen die hij als jongeman gekoesterd had hadden hem ver van zijn geboortegrond gevoerd. Hij was, als Oolsdorp, afkomstig uit de bomenbuurt. En hoewel de wijk in Habrakens kinderjaren nog alle enthousiasme probeerde uit te stralen die men de arbeiders en kleine beambten in die tijd gunde, bleek hij, al voor Oolsdorps tijd, een funeste uitwerking te hebben op allen die er opgroeiden. Acacia's, berken, olmen en linden voldoende, daar lag het warempel niet aan. Maar gras, waar vond men, verdorie, ook maar een sprietje gras? Werden arbeiders en kleine beambten dan geacht zich tevreden te stellen met alleen maar de suggestie van landelijkheid? Ademen wilde men wel, maar wat men binnenkreeg waren de doorgekookte dampen van de buren. Wilde men daaraan ontvluchten dan... Ja, wat dan? Dan belandde men in de laaghangende lijfgeuren van de broeders en nonnen die er het onderwijs verzorgden. En waren het de dampen van de broeders en nonnen niet, dan toch die van het sociaal-democratisch fatsoen, die niet veel aangenamer roken. Of had men, met het beeld van Troelstra voor ogen, soms anders verwacht? De held die men wilde zijn kon men toch niet herkennen in die besnorde grootvader met zijn staande boordje, dat niet voor niets een 'vadermoorder' werd genoemd.

Van de weeromstuit hadden jongens als Habraken, voorzover ze uit SDAP-nesten kwamen, natte dromen over mannen als Lenin en Trotski. Maar omdat hun ouders, waar het om dromen ging, al even bekrompen waren als de roomse ouders van een straat verderop, zoutten de jongens hun dromen maar liever op, wat tot funeste, neurologische gevolgen in hun hersens leidde. Het ingehouden jonge zaad zocht zijn weg naar de linker of rechter hersenstam, wat weer fatale gevolgen had voor het beoordelingsvermogen. De door hen zo heimelijk bewonderde Lenin of Trotski veranderde in de baarlijke duivel, die te vuur en te zwaard vernietigd moest worden. Tja, als er dan toch vaders vernietigd moesten worden – want dat scheen sinds kort in de mode te zijn – dan mocht het gerust een onsje meer zijn. En was die Troelstra al niet veel soeps geweest, die Albarda was dat nog minder. En dus moest ook Stalin zijn kop eraf.

Dan was er nog iets, iets wat zeker bij de jonge Habraken het bloed tot koken bracht. Vadermoord... tot daaraan toe. Wat wist hij tenslotte van al die nieuwerwetsigheden? Wat hem bewoog ging boven die vadermoord uit; maakte patricide uiteindelijk tot een burgerlijk flauwekulletje. Je afkomst domweg ontkennen, dat was heel wat radicaler. Of viel er soms eer te stellen in het feit dat je vader als eenvoudige klerk bij een bankinstelling werkte? Beleggingsadviseur voor de beter gesitueerde clientèle. 't Mocht wat. Woonden ze daarom in de Essenstraat? Thuis rooie praatje verkopen en op kantoor knipmessen voor de klanten. Morgenrood? Water in de sloot. Zo was het en niet anders. De jonge Habraken las gedichten van Marsman en voelde zich geroepen tot grootse daden. Heel die wereld van jaegerborstrokken en molton onderbroeken waarin hij was opgegroeid, moest van de aardbodem worden weggevaagd.

Met lege blik voor zich uit starend zat hij op een stoel naast het granito aanrecht in zijn keuken, zijn bovenlijf slechts gestoken in een oud legerhemd. Altijd zat hij in een oud legerhemd. In het genadeloze licht van een tl-buis; in de rechterhand een pijpje bier, dat hij lamlendig op het aanrechtblad liet rusten. Met zijn linkerhand zocht hij, over het formica blad van het kampeertafeltje dat tegen de andere wand van het smalle keukentje was opgesteld, naar een asbak en brandde zijn vingers omdat de sigaret die hij daarin vasthield, tot aan zijn vingertoppen was opgebrand.

'Scheisse,' mompelde hij, want vloeken ging hem nog steeds het beste in het Duits af omdat hij het ware vloeken nu eenmaal in het Duits geleerd had. Daar waren later nog vloeken in allerlei andere talen bij gekomen, maar die talen waren hem zo vreemd gebleven dat hij er de bewuste of onbewuste blasfemie nooit in had leren herkennen. *Scheisse*, dacht hij, voorzover hij zich nog de moeite gunde om te denken, heeft dezelfde slissende klank als *Mensch*, dat moet iets te betekenen hebben. Voor hij deze poging tot een gedachtegang had kunnen vervolgen, waren zijn gedachten al weer afgedwaald naar gebieden waar het denken geen enkele rol meer speelde. Oorden, ver achter de Oeral gelegen. Voor zijn geestesoog zag hij weer eindeloze steppen opdoemen, hoorde hij weer het druppen van smeltende sneeuw op een modderige bodem. Dan dommelde hij weg in een lichte slaap; om weer wakker te schrikken als hij in de verte een berkenbos zag opdoemen, want daar moest hij heen, wilde hij die nacht overleven. Het gevallen en al half vergane berkenblad met zijn handen bijeenharken, zodat hij enigszins beschut lag tegen de felle vrieskou, niet te traceren door eventuele, hem achtervolgende patrouilles.

Na weer een slok bier te hebben genomen sukkelde hij opnieuw weg. Heel in de verte meende hij gejank van honden te horen, al konden het evengoed wolven zijn. Wolven boezemden hem heel wat minder angst in. Bij honden hoorden bewakers. Weer schrok hij wakker. Naast hem had iets geritseld. Een steppehaas, een marmot? Te laat. Hij had zijn uit een berkentak gesneden spies al in de hand moeten hebben, het beest al moeten hebben doorboord nog voor het zich van zijn, Habrakens, aanwezigheid bewust was geweest. Want de natuur was leep, had hij geleerd, leper dan de bewakers moordzuchtig waren. Want dat hij aan de bewakers ontsnapt was was zeker, maar of hij de natuur zou overleven was nog maar de vraag.

Zijn pijpje bier was leeg. Zou hij nog een nieuwe nemen? Dan moest hij van zijn stoel opstaan, naar de koelkast lopen, en hij had al zoveel gelopen in zijn leven. Van het land van de Boerjaten naar dat van de Oejgoeren, van de Jakoeten naar de dood. En hij leefde nog. Voor de zoveelste maal dommelde hij weg. Vaag rook hij de geur van vergaan blad, mos en half bevroren modder. Hij zag zich een armgebaar maken naar zijn kameraden. Alsof hij de hoofdrolspeler was in een aflevering van de *Wochenschau*. 'Scharführer Habraken kent geen vrees. Dapper en met ware doodsverachting leidt hij zijn mannen naar het dorp, dat nog verdedigd wordt door de bolsjewistische sluipschutters. Maar lang zal de tegenstand niet duren. Habraken en zijn compie zijn al tot de eerste huizen doorgedrongen...' Daarna had hij zijn *Funker* contact met de achter hen oprukkende pantsereenheid laten opnemen. Zijn mannen hadden het dorp omsingeld, zodat nog geen luis had kunnen ontsnappen als het eenmaal door de tanks aan splinters zou zijn geschoten.

Dorp na dorp hadden ze zo veroverd, alles *niedergemetzelt* wat hun voor de voeten was gekomen. Dieper en dieper waren ze in het land doorgedrongen, steeds stiller was het om hen heen geworden. Geen bolsjewist meer te bekennen op het laatst. Het enkele dorp dat ze nog troffen was verlaten. Hun roes zocht een diepere roes en verder lieten zij zich het land in lokken. Tot hun eenheid door een uit het niets opdoemende, vijandelijke tankbrigade van de hoofdmacht werd afgesneden en ze zich, gedwongen door voedsel- en munitiegebrek, wel moesten overgeven. Heel onheldhaftig, met de handen in de nek, ongeschoren, met hun sjaals tegen de koude om hun hoofden gewikkeld, de laarzen aan flarden, met berkenbast bijeengehouden, de handen in lappen gewikkeld, de oogkassen hol van de nog steeds niet bevredigde moordlust en honger.

Ja, eten moest hij. Zijn zoveelste schuifelgang naar de koelkast. Daar lag nog een stuk salami; het blik haring in tomatensaus kon hij maar beter voor morgen bewaren, dat zou hem weer een gang naar Albert Heijn besparen. Bier was er nog in overvloed. En whisky. Die was voor als hij zichzelf verwennen wilde, als hij het verdiend had. Als hij er, na een lange dag, weer in geslaagd was de avond te bereiken. De whisky dronk hij niet zomaar uit de fles. Die ging keurig in een glaasje. De eens in het leven gebrachte lijn moest worden aangehouden. Tucht en discipline waren de redding van de soldaat. Hij was een soldaat. Altijd gebleven. Maar goed ook. De laatste strijd moest nog gestreden worden en dan kon je maar beter paraat staan. De hakken tegen elkaar geslagen en: 'Zum Wohl, Herr Schnitter.' Hij toostte zichzelf met het inmiddels ingeschonken glas whisky toe. Bang hoefde je niet te zijn voor de grote maaier. Als je uniform maar *tadellos* zat.

O, bang was je heus wel eens geweest. Wat heet, in je broek had je gescheten. Maar uiteindelijk was je een *Dutzfreund* geworden van Herr Schnitter. Iedere avond dronk je een borreltje met hem en mijmerde je met hem over de tijden van weleer. Over het Boerjatenmeisje dat je onderdak had verleend, over je verdere tocht naar Vladivostok, van het ene Boerjatenkamp naar het andere Jakoetendorp, waar je steeds als een held onthaald werd omdat het verhaal ging dat je voor de tsaar gevochten had.

Bij die herinnering moest hij bijna glimlachen, maar zijn gezicht stond er niet naar. Hij nam nog een hap van de worst, viel met zijn hoofd op het aanrecht in slaap en herleefde de avonturen die die avond nog niet aan de orde waren gekomen.

De volgende morgen kwam hij, zo tegen twaalven, weer overeind. Tot zijn verwondering altijd weer in bed, terwijl hij dan zijn kleren over een stoel bleek te hebben gehangen. Dat waren wonderlijke dingen in een mensenleven. Hoewel, nu ook weer niet zó wonderlijk, want hij was een oude soldaat. Wat wonderlijker was, was eigenlijk het feit dat de grens tussen de ingestampte gewoonte, de tucht, en de verwondering daarover zo diffuus was. Alsof dat gebied tussen aangeleerde tucht en de wanordelijkheid die met de verbazing gepaard gaat, een aggregatietoestand was waarin ijskoud, maar vloeiend water door één geringe beweging in ijs kon overgaan. Zo bleef in ieder geval het leven op het scherp van de snede geleefd worden. Zo bleef het ook nog de moeite waard zeker drie keer per week 's morgens voor de klerenkast te gaan staan om een keuze te maken uit een van de twee kostuums die daar ordelijk aan knaapjes hingen.

Het waren kostuums uit zijn 'Franse' tijd, zoals hij dat noemde. Wat te ruim hangend rond zijn leden inmiddels, maar getailleerd genoeg om dat niet al te zeer te laten opvallen. Deerlijk uit de mode waren ze ook, maar dat viel in een land waarin iedereen in een spijkerbroek liep niet op. Verder beschikte hij over vier overhemden, twee hagelwitte en twee gestreepte button-down hemden. Die bracht hij na ze gedragen te hebben – nooit langer dan één dag – altijd naar stomerij Sassen op de Zijlweg, waar een Marokkaans meisje, Djamila, werkte, met wie hij zwaarmoedige grappen maakte. Het meisje was niet meer zo heel jong, dus ze begreep zijn humor. Hoopte hij. Lachen deed ze toch wel.

Nog even een das om. Hij had er drie; gehaakte, smalle dasjes, zoals die in zijn 'Franse tijd' in de mode waren. Ze werden toen gedragen door zogenaamde *zazous*, maar wat wisten ze daar in spijkerbroekenland van? Dat men hem met die dasjes voor een pooier kon aanzien, wist hij ook, maar wie in dit land, in deze stad, zou hem dat kunnen verwijten? Liever een pooier dan een langharige. Trouwens, die kop van hem met dat nog steeds *en brosse* geknipte, grijze haar... Zo niet een pooier, dan toch het magerder broertje van Jean Gabin. Maar wie wist hier nog wie Jean Gabin was?

Het deed er ook allemaal niet toe. Niets deed er meer toe als je in de taiga en elders was geweest. Waarom je je dan toch zo zorgvuldig bleef kleden? Omdat je een oude soldaat was natuurlijk. Maar daar zag men hem nu nooit eens voor aan. Misschien was dat maar goed ook. Met de twee, drie vrienden die hij in het café ontmoette sprak hij ook nooit over zijn soldatentijd, waarmee hij niet alleen die tijd die hij in de omstreken van de Oeral had doorgebracht bedoelde, want daar waren die vrienden te jong voor. Het was de tijd die op de Oeral gevolgd was. Nee, ook die tijd was geen onderwerp van gesprek. Dat wil zeggen, ze konden elkaars verhalen dienaangaande wel dromen, zodat, welk onderwerp ze ook aanroerden, die tijd op de achtergrond altijd meespeelde. Dat was voldoende. De geur van bloeiende vijgenbomen.

Ze troffen elkaar in café De Vijfhoek in de gelijknamige buurt in de binnenstad. Dat café werd toen nog bezocht door eerlijke werklui en marktkooplieden, onder wie je, als je per ongeluk al eens uit je rol viel, niet meteen de moralistische wind van voren kreeg. Want zo ging dat de laatste tijd. Naarmate men luidruchtiger betoogde de stem des volks te verkondigen leek men des te minder van datzelfde volk te begrijpen. Van dat soort types hield men in café De Vijfhoek niet, en dat was ook de reden waarom Habraken en zijn vrienden daar graag kwamen.

Waar ze opeens binnen kwam gezeild als een feloek in IJmuiden. Bijna binnen kwam gevallen door het tochtgordijn, waar ze zich in woordeloze paniek aan vastklampte.

Of Gerard die Amsterdammer nog wel eens zag... Hij wist wel...

'Lul niet, man.' Zijn aandacht werd door iets anders getrokken.

'...die toen in Sidi Bel Abbès...' Uit de jukebox klonk een lied vol weemoed en verlangen.

Met wanhopig zoekende blik keek ze de ruimte in. Geen bezoeker die aandacht aan haar besteedde. Behalve Habraken, die zijn vrienden met een dwingend handgebaar het zwijgen had opgelegd. Het meisje maakte zich los van de gordijnen, pakte een plastic tas op die ze achter zich in het tochtportaal had neergezet en begon een wankele gang naar de bar, begeleid door een accordeon, slagwerk en hammondorgel. Een lied over de zee en een zeeman die daar zijn enig thuis had gevonden zonder er ooit werkelijk thuis te zijn. Bij de bar aanbeland liet het meisje zich op een kruk vallen, zette de tas op de bar en begon er naarstig in te zoeken; haalde achtereenvolgens een lippenstift, een pakje shag en een T-shirt te voorschijn, waarbij ze zich bij ieder voorwerp de zin en de betekenis ervan leek af te vragen. Habraken had er goed zicht op.

'Hé, geen spatsies hier, hè,' hoorde hij Henk, de barman, zeggen. 'Een colaatje kun je krijgen of een kop koffie, en daarna sodemieter je maar weer op.'

'Maar ik heb niets gedaan,' jammerde het meisje met een onverwacht agressieve ondertoon in haar stem.

'Dat is het 'm nu juist, deed je maar wat. Heb je trouwens geld bij je?'

Weer begon ze koortsachtig in haar plastic tas te zoeken. 'Klootzakken zijn jullie... allemaal...'

Binnen twee minuten zou ze met kop en kont buiten het café worden gezet, begreep Habraken. Hij liep naar de bar en sloeg een beschermende hand om haar schouder.

'Ook dat nog, godverdomme,' loeide ze en sloeg Habrakens hand weg.

'Ik wilde je alleen maar een kopje koffie aanbieden.'

'Ik drink geen koffie.'

‘Je kunt haar beter met rust laten, Gerard,’ zei de barbediende, ‘dat akkefietje los ik zelf wel op.’

‘Dat kind is aan d’r end, jongen, zie je dat niet?’

‘Dat is dan precies waar ze thuishoort.’

‘Gun dat kind even de ruimte, ja?’

De barbediende haalde zijn schouders op. ‘Als jij er je klauwen aan wilt branden moet je dat zelf weten, Gerard.’

‘Kom,’ zei Habraken en begon ongevraagd haar spulletjes in de tas te proppen.

Stomverbaasd liet ze hem begaan; probeerde haar blik te concentreren op zijn bewegingen en bracht ten slotte uit: ‘Maar jij bent knettergek, man.’

Habraken maakte alleen een hoofdbeweging naar de deur. Het meisje klauterde van de kruk af en volgde hem gedwee, struikelend.

Op de jukebox klotste de zee voort in eindeloze deining.

Wat had Habraken bewogen? Hij wist het zelf niet. Misschien dat hij zich dingen van heel lang geleden herinnerde. Tedere momenten die zelfs hij in zijn leven had meegemaakt. Heel vluchtig, tussen het langsdenderen van de geschiedenis door: ogenblikken van luwte waarin hij zijn laarzen had kunnen uitschoppen en zijn voeten op een tafeltje had kunnen leggen, omdat hij voor andere blijken van huiselijke gevoelens geen taal meer had gekend. Misschien had hij in die tijd ook wel ademloos naar knieholtes gekeken, of waren hem bepaalde armgebaren opgevallen waarmee een vrouw haar hand naar het haar kon brengen. Men wist dat bij Habraken niet, omdat hij het nooit had laten merken. Hoogstens die voeten op tafel.

Wat er na die onbehouwen momenten van tederheid gebeurd was, deed er eigenlijk niet zo toe. Zijn handelen nadien was de gevolgtrekking geweest, voortvloeiend uit kennelijk gemaakte afspraken in een wereld die ver van hem was afgedwaald en waarin zich gewoontes hadden ontwikkeld die misschien wel noodzakelijk maar, in ieder geval in zijn ogen, zonder betekenis waren. Dat hij zich niettemin aan die afspraken hield, was zijn manier om aan te geven dat hij toch naar die wereld verlangde. Niemand die dat ooit begrepen had.

Men had hem altijd aangezien voor het soort man dat nam waar hij recht op meende te hebben. Wat hem weliswaar een zekere naam als 'onweerstaanbaar' had opgeleverd, maar waaraan men verder ook niet te veel consequenties wenste te verbinden. Een zwerver was hij tenslotte, en vanwaar hij kwam en van de doelen die hem mogelijk voor ogen stonden, wilde men al helemaal niet weten. Daar kon voor hen, die hem die korte momenten in hun gezamenlijk leven begeleidden, alleen maar teleurstelling uit voortkomen. Je hoefde hem maar te zien zitten in zijn legergroene onderhemd en met die lichtblauwe ogen, die voortdurend op niet-bestaande zeeën gericht waren... of op eindeloze heuvelrijen en daaropvolgende steppen, woestijnen of God mocht weten welke reizen die man allemaal achter zich had.

Zo hadden al die vrouwen gedacht. Behalve misschien het meisje van Sassen aan de Zijlweg. Maar ja, die probeerde nu eenmaal zijn zwaarmoedige humor te delen en hield daarom weinig tijd over om zich om andere dingen te bekreunen dan zich af te vragen hoe ze, na hun kortstondige ontmoetingen bij hem, op de Pijlslaan, weer veilig in het ouderlijk huis kon belanden. Ze was een oud meisje tenslotte en waar anders zou ze zich nog druk om maken? Om haar zwangerschap misschien? Ze zou het ouderlijk huis uit worden gegooid en dat was het enige wat ze beoogde: een godsoordeel in christelijke trant. Daar hoefde ze ook Habraken niet voor lastig te vallen.

Ze had het hem ook niet verteld, van die zwangerschap.

Nadat hij met Teuntje...

Ze had zich voorgesteld als 'Teun', heel nadrukkelijk als 'Teun'. Waarom ze daar zo'n nadruk op had gelegd, had hem, tot op zekere hoogte, onverschillig gelaten; dat wil zeggen, misschien had hij wel het gevoel dat hij bij haar, door het verkleinwoord te gebruiken, op lang ondergestoven lagen zou stuiten waar het nog vochtig en warm was aan herinneringen van weleer, zoals hij die lagen ook bij zichzelf vermoedde. Hoe anders dan onverschillig kon men daar tegenover staan?

...nadat hij met Teuntje – zoals hij haar stilletjes toch maar noemde – een cafetaria aan de Grote Markt was binnengegaan, waar hij haar bijna gedwongen had een kroket en een gehaktbal te eten, had hij een taxi besteld en was hij met haar naar huis gereden. Ze had geen vragen gesteld, niet geprotesteerd.

Naast haar op de achterbank gezeten nam hij haar nog eens nauwkeurig op. Hij wilde nu ook wel eens weten waarom ze onmiddellijk bij binnenkomst van het café zijn aandacht had getrokken, in plaats dat ze de weerzin bij hem had opgewekt die hij meestal voelde als hij met dergelijke types werd geconfronteerd. Ze droeg het haar kort, provocerend kort zelfs. Misschien was hij daar wel van geschrokken, al wilde hij zich niet realiseren waarom.

'Je hebt je haar wel érg kort.'

Ze haalde haar schouders op.

'Ik eis een antwoord.' Belachelijk, hij wist het.

'Kweenie.'

'Kweenie... kweenie... Zo praat je niet tegen mensen.'

'Nou, wel gemakkelijk, weet je wel.'

'Ik weet niets,' zei hij afgemeten. Hij begon spijt te krijgen dat hij het meisje had meegenomen. Ze stuurde zijn 'uurtjes aan het haardvuur', zoals hij zijn avondlijk gemijmer placht te noemen, in het honderd.

Ze verschikte de plastic tas op haar schoot en draaide de hengsels in elkaar. Haar vingers waren lang en benig, de nagels afgekloven, het opbollende vlees aan haar vingertoppen ontstoken. Hij kon de chauffeur vragen te stoppen om haar uit te laten stappen. Ze waren ter hoogte van de Schreveliusstraat, al te ver terug naar de stad zou het voor haar niet zijn. Hij kon natuurlijk ook zelf uitstappen en de terugrit voor haar betalen. Hij tikte de chauffeur op de schouder.

'Hé?' Het was Teuntje.

'Nee, niets, chauffeur, rijdt u maar door.' En naar het meisje: 'Ja?'

'Waar ben je geboren als je ene been langer is dan het andere?'

Zat ze hem nou te belazeren? Hij keek haar verbluft in het gezicht. Het stond ernstig, nadenkend. Habraken voelde zich opeens hulpeloos.

'Dat gaan we uitzoeken. Ik beloof je, Teun, dat gaan we uitzoeken.'

De chauffeur snoof verachtelijk.

Later herinnerde Habraken zich dat Teuntje in de taxi nog een opmerking over zijn leeftijd had gemaakt en dat ze, toen hij had geprobeerd zich daar wat mompelend van af te maken, had gezegd dat ze dat helemaal geen probleem vond. En dat ze er, na lang nadenken, aan had toegevoegd: 'Als Jezus nog geleefd zou hebben, zou hij nu precies negentienhonderdtachtig jaar oud zijn geweest... of eenentachtig... in welk jaar leven we precies?' Hij had daar verder geen aandacht aan besteed; dat met die benen nam hem al voldoende in beslag.

Maar nu begon hij een patroon te ontdekken, nu Teuntje al een keer of tien bij hem terug was geweest. Geheel op eigen initiatief. Nu eens met een taxi, dan weer te voet na, naar Habraken vermoedde, lange zwerftochten door de stad of de omgeving; heel duidelijk liet ze zich daar nooit over uit. Hoe dan ook, ze bleef terugkomen na die eerste keer. Hij had haar toen op zijn bed laten slapen terwijl hij zelf in de keuken was blijven zitten; hij was niet anders gewend.

Vanuit de keuken had hij Teuntjes onrustige ademhaling gehoord, hij had haar horen mompelen en hij had gehoord hoe ze, na veel blikkerig geritsel, een sigaret had opgestoken. Hij had toen willen opstaan, zijn woonkamer willen instormen en haar willen toeroepen: 'In mijn huis geen polonaise.' Hij had dat niet gedaan. Hij had, lamlendig op zijn stoel zittend, geroepen: 'Er staat wel ergens een asbak, hoor.' En hij was, met zijn hoofd op het aanrecht rustend, in een lichte sluimer geraakt en besprongen door de droombeelden die hem al sinds jaar en dag vertrouwd waren, maar hem niettemin uit de slaap hielden. Want echt slapen, 'de slaap der rechtvaardigen', zoals hij dat grijnzend noemde, was er al jaren niet meer bij. Zijn sluimeren was een reizen in de tijd waarin hij achter iedere mijlpaal meisjes als Teuntje zag zitten, angstig ineengehurkt, de armen rond de knieën geslagen, of in struikelende ren, weg van iets waar hij geen woorden voor had. Meisjes, zo had hij die avond voor het eerst begrepen, wier ene been wellicht langer was dan het andere. Het was stom van hem dat hem dat niet eerder was opgevallen.

Die morgen na haar eerste overnachting had Teuntje, rillend en bevend over haar hele lichaam, voor hem gestaan. Naakt. Hij had zijn jasje uit de kast gehaald en het om haar schouders geslagen.

'Je kunt je wassen aan de kraan,' zei hij, 'links zit de warme kraan, rechts de koude. Over een douche beschik ik helaas niet.'

Hij ging de woonkamer in om de schade op te nemen, die nogal meeviel. Wat gemorste tabak naast het bed, propjes zilverpapier. In de keuken hoorde hij het gas aanfloepen. Hij schrok ervan. In het dressoir tegenover het bed stond een ijzeren kistje. Hij nam er een briefje van honderd gulden uit en vouwde het zorgvuldig dubbel en dubbel tot het zich niet meer vouwen liet, en liep weer naar de keuken.

'Wil je misschien wat eten, of zal ik een dokter voor je bellen?' had hij willen vragen. Hij realiseerde zich dat hij niets in huis had en dat hij niet over een telefoon beschikte. Teuntje stond over de gootsteen gebogen, nog steeds naakt, haar magere billen achterwaarts. Schonkige heupen, benen als ooievaarspoten. De geiser maakte een hels kabaal.

'Het blijft stromen,' zei ze klappertandend, 'het blijft stromen zolang wij niet...'

'Zolang wij niet wat, Teuntje?'

Ze keerde zich met schokkerige bewegingen naar hem toe. Haar knokige ribbenkast, de kleine, maar stevige borstjes met nauwelijks opstekende tepels. Ja, zo had hij ze meer gezien, meisjes als Teuntje. Anemisch, met een waas van vlassig, dor schaamhaar. Weer voelde hij, als ooit, de woede in zich oplaaien. Een witte, allesverzengende woede. Een haat tegen wat?

Teuntje spreidde machteloos haar armen. 'Kweenie.'

'Ben je klaar met de kraan?' Hij liep omzichtig langs haar en draaide de kranen dicht.

'Wassen,' zei ze, 'wassen is heel belangrijk. Waarom heb je geen douche? Of een bad, dat zou nog lekkerder zijn.'

Hij vertelde haar dat hij een leven had geleid waarin van modern sanitair nooit sprake was geweest. 'Ik ben gewend me met water uit eettinnetjes te wassen.'

'Eettinnetjes... wat een grappig woord.'

Hij was weer naar de woonkamer gelopen en had haar kleren van het bed gepakt. Terwijl ze haar armen om zijn hals hield geslagen, had hij haar in haar broekje en daarna in haar panty geholpen. 'Met je rok en je T-shirt red je het zelf wel.' Met een misprijzend gezicht had hij op het schamele bundeltje gewezen dat hij op het aanrecht had gelegd. Weer voelde hij de haat in zich oplaaien. Hij greep haar hand, drukte er het opgevouwen briefje van honderd in en had haar vervolgens, niet echt ruw, maar toch dwingend, naar de deur geleid en haar, na eerst zorgvuldig naar links en naar rechts te hebben gekeken, de straat op geduwd.

Een week later had ze weer voor zijn deur gestaan. Met nog steeds diezelfde plastic tas in haar handen; een tas van de Kijkgrijp was hem toen pas opgevallen. Maar Djamila had hem juist verteld dat ze zwanger was. Hij had Teuntje aan de deur laten staan, was zwijgend naar zijn brandkistje gelopen, had er

balk urenlang tegenover elkaar. Hij had zelfs extra bier voor haar in huis gehaald. Soms verdween ze even naar de woonkamer, waar ze met aanstekers, zilverpapier en God mocht weten wat in de weer ging. Habraken wilde het niet weten, maar waardeerde haar discretie.

Hij vertelde haar van zijn tijd in Rusland, zijn ontsnapping uit het krijgsgevangenkamp, zijn terugkeer in Nederland na eerst drie jaar lang als matroos over de wereldzeeën te hebben gevaren, en zijn daaropvolgende aanmelding bij het legioen. Teuntje vertelde hem van het lam en van de geit van Mendes en van het rozenwonder waar ze ooit nog op hoopte.

Dan bleef Teuntje weer een volle week weg, alsof ze zich op de uitgewisselde verhalen moest bezinnen. Verhalen die, zoals ze hem later zou bekennen, inderdaad op een geheimzinnige wijze met elkaar in verband moesten staan. Waarna ze een verhaal ophing over de veertien kruiswegstaties, over zweetdoeken en lijkwades en goddelijke verrijzenissen. En ze bekende heel zeker te weten dat ook hij, Habraken, eens het licht zou zien, dat er rozen op zijn pad zouden worden gestrooid.

'Ja, ja, kindje,' knikte hij dan maar, 'neem nog een biertje, of heb je liever een glaasje whisky? Of wacht, ik heb misschien nog wel een potje bonen staan, of een blikje haring in tomatensaus. Want je moet goed eten, kind. Meisjes die zoveel te vertellen hebben als jij moeten goed eten.'

Soms schoof ze haar stoel dicht tegen de zijne en er brak een moment aan waarop ze haar hoofd tegen zijn schouder legde en hij zijn hand op haar bovenbeen, waarop ze, in die houding, soms urenlang bleven zwijgen. Waarna Teuntje dan gehaast opsprong en zei dat ze nog wat in de stad te doen had. Dan was het dikwijls al na twaalven, maar dat realiseerden ze zich eigenlijk geen van tweeën.

Habraken ging ook niet meer naar café De Vijfhoek, bang dat Teuntje anders voor niets aan de deur zou staan. Hij had haar nog zoveel te vertellen. Over zijn tijd in Algerije. Want hij had zich niet voor de lol bij het legioen aangemeld. In Nederland had hij nergens meer een baan kunnen krijgen, althans niet als men hem naar zijn verleden vroeg. Zodoende was hij dus bij de *képis blancs*, het legioen, terechtgekomen.

Zachtjes had hij weer 'Le boudin, le boudin, vive le boudin' geneuried.

Teuntje had daar hartelijk om moeten lachen. Wat had een bloedworst nu met dat legioen van hem te maken?

'Alles, kindje, alles...' Hij was weer in een langdurig zwijgen vervallen en Teuntje, op haar beurt, had zich weer overgegeven aan mijmeringen omtrent Christus, die voor ons aan het kruis gestorven en ten derden dage verrezen was in zijn goddelijke heerlijkheid. Waarop ze, met zevenmijlslaarzen, door de geschiedenis en haar zwijgen heen marcherend, luidkeels schreeuwend gewag maakte van de dag waarop 'de doden zullen worden geoordeeld op grond van hetgeen in de boeken geschreven staat, naar hunne werken'.

Habraken was hier zeer ontdaan over en twijfelde eens temeer aan de geestesgesteldheid van Teuntje en had haar er des te liever om. Om die reden ook schreef hij haar malle uitlatingen toe aan haar verslaving en nam hij zich voor haar daar ooit van te genezen.

'Zeg, Teuntje,' zei Habraken op een dag tegen haar, 'heb je eigenlijk wel eens over kinderen nagedacht?'

Ze had op haar karakteristieke wijze haar schouders opgehaald, een beetje ongelijk, alsof de ene schouder alleen in beweging kon worden gebracht door de andere. Alsof ze zich door een te kleine opening moet wringen, dacht Habraken, die alleen al bij de gedachte daaraan bijna tranen in zijn ogen kreeg.

Pas een maand of drie later was hij op zijn opmerking teruggekomen. Teuntje woonde, praktisch gesproken, toen al bij hem in. Ze had zich zijn bed als territorium toegeëigend en hij had haar een kopie van zijn huissleutel gegeven, onder voorwaarde dat ze geen 'vreemde kerels' binnenliet.

'Als het maar niet van pater Gabriël is,' had ze gezegd, 'want die zei gewoon "klootzak" tijdens de transsubstantiatie.'

'De transsubstantiatie?'

'Nou ja, u weet wel.'

Nu was het Habrakens beurt om zijn schouders op te halen.

Ze vervolgde: 'Want weet u wat het is, mijnheer Habraken, pater Gabriël heeft het lam niet gezien. Mijn vader trouwens ook niet. Het lam met de rozen, weet u.'

Habraken vroeg zich af of zijn idee, bij nader inzien, wel zo verstandig was. Al had hij er al lang over nagedacht en de daartoe benodigde stappen al ondernomen. Djamila zou op zijn kosten een halfjaar mogen onderduiken in de provincie. Vervolgens zou hij dan het kind, als zijnde geboren uit zijn relatie met Teuntje, wettig erkennen. Teuntje zou het kind dan als het hare opvoeden. Het was een idioot plan, maar niet idioter dan hijzelf, dan Teuntje, dan de hele wereld was. Want Habraken had het idee dat de enige manier om Teuntje van haar verslaving af te helpen een kind zou zijn, terwijl hij anderzijds niemand toevertrouwde een kind bij haar te verwekken, zelfs zichzelf niet.

Maar als die gekte van haar nu eens niets met die verslaving te maken had, in die zin dat die er eerder het gevolg van was? Hij had inmiddels wel begrepen dat ze weliswaar uit een goed, maar deerlijk verknipt nest kwam. Bigotte katholieken zoals hij ze al sinds zijn jeugdjaren uitgestorven achtte. Dan was het een aangeboren gekte en zou er weinig aan te verhelpen zijn. En toch, zoals hij eens in blinde zekerheid houten dan wel lemen hutten had bestormd, zoals hij in diezelfde zekerheid naar Vladivostok was ontkomen en later bekentenissen aan Maghrebijnse terroristen had ontlokt, zo was hij er nu van overtuigd dat Teuntje te genezen viel. Immers, zo luidde zijn in Sidi Bel Abbès verfijnde theorie, de vroomheid dient met evenveel religieus fanatisme bestreden te worden als de goddeloosheid. In feite zelfs feller, want wie met een fantoom aan zijn zijde strijdt, valt meer te duchten dan de landsknecht die de vele vaderlanden tot de zijne rekent; terwijl de vrome in onwankelbare trouw bereid is te sneuvelen voor desnoods een aap als die toevallig zijn God is. In Habrakens ogen waren alle religies apenreligies. Het was zaak de aap te treffen. Zoals hij destijds gehoopt had in Rusland te doen, en later in Algerije.

Inmiddels waren de jaren gaan tellen. Soms voelde hij zijn longen haperen en sloeg zijn hart een slag over. Voor hij in zijn eigen gal zou verzuipen diende nog een beslissende daad te worden verricht die dat verwaaide bestaan van hem zou rechtvaardigen. De laatste slag tegen het bavianisme. In Teuntje zou hij zijn leven rechtvaardigen omdat hij, in haar, de apen in het zand zou laten bijten. De Stalins en Lenins zo goed als de Troelstra's en Ben Bella's.

Aangeboren gekte? Dat was een apenuitvinding.

Hoe het ging, ging het. Mijn naspeuringen bij de burgerlijke stand hebben geen enkel blijk van dubbele boekhouding, omkoperij of wat dan ook opgeleverd. Ook tijdens de zittingen, zo is mij uit de verslagen gebleken, werd dienaangaande niets opgehelderd, al moeten hierbij wel heel vreemde opvattingen over politieke correctheid en prudentie in het geding zijn geweest. Het kind, dat oorspronkelijk Idriss heette, kwam bij hem aan de Pijlslaan in huis en het was Teuntje die het kind de eerste stappen leerde zetten en het was Teuntje die Idriss' poepluiers verschoonde en het daar zo druk mee had dat ze algauw geen tijd meer overhield voor andere zaken.

'Mijn lammetje,' zei ze, 'mijn rozenwonder.'

En Habraken, die nu hij Teuntje en haar kind aan zich gebonden wist, zag nauwlettend toe en kocht speelgoedtreintjes en blikken brandweerwagens, waar het kind overigens nog veel te jong voor was.

'Mijn uit hunkerende schoot geborene,' zoals Teuntje hem noemde als zij en Habraken de avonden in de keuken doorbrachten, terwijl het kind in zijn ledikantje in de woonkamer sliep. Habraken was daar een beetje verlegen mee.

Op andere avonden echter hield Teuntje weer hele betogen over de relatie tussen hunkering en zonde en die tussen zonde en schuld. Dan voelde hij zich heel wat minder vertederd, dan kwam zijn woede uit zijn soldatentijd weer boven en voelde hij de gal weer opkomen. Het moest maar eens afgelopen zijn met dat schuldgevoel. Hij begreep het wel, van dat schuldgevoel, maar had daar zo zijn eigen verklaring voor. Zolang het kind Idriss heette, onder welke naam hij het, dom genoeg, bij de burgerlijke stand had laten inschrijven, zou Teuntje dagelijks aan de vreemde herkomst van het kind herinnerd worden.

Nadat hij met een van pijn vertrokken gezicht de gal met een slok whisky had teruggedrongen, had hij tegen Teuntje gezegd: 'Mijn lieve kind, het is maar beter als je dat kind maar niet meer bij zijn bavianennaam noemt. Dat kind van ons is toch geen Kanaak? Jouw lammetje uit zondige schoot geboren? Ben je nou helemaal besodemieterd.' Hij had haar tegen zich aangetrokken. 'Apen, die worden in zondige schoten verwekt. Maar lammetjes niet, mijn kind, en rozenlammetjes al helemaal niet. Weet je wat, we gaan hem Jefke noemen.'

Ze had hem stomverbaasd aangekeken.

'Ja, dat is toch een goed christelijke naam?'

'Alsof jij je daar ooit iets aan gelegen hebt laten liggen.'

'Een kwestie van prioriteiten, kind. Je wilt toch zelf ook niet dat het kind als een Kanaak, als een naffer door het leven gaat?'

'Maar...' begon ze te protesteren.

Habraken gaf haar de kans niet. 'Waar ben je geboren als je ene been langer is dan het andere?'

Teuntje had hem niet-begrijpend aangekeken en dat had hem een groot genoegen gedaan. Hij had haar met haar eigen wapenen verslagen.

'Dat bedoel ik,' zei hij. 'Idriss heet voortaan Jefke, of om het wat deftiger te zeggen: Jozef. Jozef is als het ware zijn doopnaam, begrijp je?'

'Het water dat stroomt en de zonden van de wereld wegwast?'

'Heel goed, Teuntje.'

'Maar waarom Jozef... of Jefke...?'

'Omdat Gerard, zoals ik heet, of Pieter, zoals je broer heet, wel heel vreemde namen zouden zijn geweest. Jefke is exotisch en toch een beetje eigen, snap je?'

Hij voelde een nieuwe galaanval opkomen en schonk zich nog een whisky in. Boven hen zoemde de tl-buis, het kind in de woonkamer maakte pruttelende geluidjes.

Teuntje keek ademloos naar Habraken, die vervolgde: 'Ken je het verhaal van Jefke? Van "Jefke van de Zoölogie"?' Hij grijnsde. 'Dat was in de vorige eeuw een Congolees kereltje dat ze Jozef gedoopt en naar Antwerpen ontvoerd hadden. Toen hij eenmaal goed Vlaams had geleerd, was hij te slim om weer naar het oerwoud te worden teruggestuurd. Ze hebben hem toen tot oppasser in de Antwerpse dierentuin aangesteld. Baas over de kooien waarin later de collaborateurs, de incivieken zouden worden opgesloten. "Jefke van de Zoölogie" werd hij liefkozend door de bevolking genoemd. Daar is hij heel oud mee geworden. Ik geloof dat hij zelfs nog met een Vlaamse getrouwd is.'

'Jefke...' overwoog Teuntje proevend. 'Daar zal heel wat water overheen moeten, Gerard.'

7

De *Dutzfreund*, Herr Schnitter, heer Maaier, was dan uiteindelijk langsgekomen. Terwijl Teuntje, met de kleine Jef in de armen, voor het raam had gestaan om door de vergrijsde vitrage heen naar het langsrijdende verkeer over de Pijlslaan te kijken, had Gerard Habraken zijn hoofd voor het laatst op het aanrecht gelegd en de weldadige koelte nog eenmaal door zijn hersens laten trekken. In de verte had hij nog vaag gehoord: 'Zeg maar, Jefke: au-to... au-to... Ja, nog een auto... en nog een... zie je dat, Jefke, allemaal auto's. Zeg maar: au-to.' En hij had gehoord hoe het kind moeizame pogingen had gedaan zijn moeder na te brabbelen.

Toen had hij voor hem gestaan. In de gedaante van de Obersturmbahnführer Hartmuth of in die van de Général Salan, want ook die had hij nog persoonlijk gekend. Maar wat deed het ertoe? Habraken had voor de laatste maal zijn hakken tegen elkaar geslagen, 'Zum Befehl' of 'À vos ordres' gezegd en de geest gegeven.

Geen stalactieten of stalagmieten, geen fissuren of gordijnformaties. Alleen schimmen, tegen de wanden geprojecteerd, als je je zaklantaarn goed richt. Ik waagde me steeds verder in het gangenstelsel, dat ooit bij het Spaarne zou moeten eindigen. Als dat gangenstelsel al bestond. Maar ik was er toch zelf via de bakkersoven aan de Riviervismarkt in terechtgekomen? Ja zeker, zo ver zelfs dat ik het gangenpatroon niet meer van dat van mijn eigen hersenwindsels kon onderscheiden. Het bovengrondse Haarlem, zoals zich dat via allerlei neurologische processen aan mij voordeed, liet zich niet meer van het ondergrondse onderscheiden.

Uiteindelijk bleek het niet mijn eigen narrigheid te zijn, mijn onvrede met mijn echtscheiding, mijn gevoel van ongemak de kostganger van een vrouw te zijn die haar ongenoegens met de naald van de Bernina – 'de volautomatische naaimachine voor professioneel gebruik' – aan elkaar reeg, maar Oolsdorp. Die verdomde Oolsdorp, die me dat onder-Haarlemse labyrint in had getrokken, waar de dingen zich net even anders afspeelden dan dat in het bovengrondse Haarlem het geval was. Zeker, mijn speleologische hobby dateerde al van vóór mijn kennismaking met die nijdasserige balling in Twente. Maar naarmate mijn gesprek met hem, of liever gezegd zijn monoloog, verder vorderde, kreeg ik de indruk dat hij het was die het besluit om me in onderaardse zaken te verdiepen voor mij genomen had. Oolsdorp bleek over de gave van de terugwerkende kracht te beschikken. Niet voor niets noemde hij zich 'praktizijn'; hij kende natuurlijk alle trucjes waarmee hij het *nulla poene sine lege* op zijn kop kon zetten, zodat hij in staat was iemand schuldig te verklaren aan misdrijven die nog gepleegd moesten worden, terwijl ze bovendien nog niet eens als misdrijven gedefinieerd waren. Ik voel me de Dr. Serenus Zeitblom van Thomas Manns *Doktor Faustus*, de verteller van een verhaal waarvan hij zelf de portee niet begrijpt. Al hoef ik, in tegenstelling tot die onnozele hals van een Zeitblom, Leverkühns brieven niet te vernietigen – wat Zeitblom overigens ook niet gedaan heeft; logisch, anders had Mann zijn roman ook niet kunnen schrijven.

Zou Oolsdorp ooit iets van Mann hebben gelezen? Ik denk het niet. Te weinig verbeeldingskracht om zich in de hogere waarheden van de fictie te verdiepen. Anderzijds natuurlijk een groot manipulator waar hij erin slaagt mij, een alleszins ontnuchterde verslaggever, voor zijn karretje te spannen en me van allerlei omtrent onder- en bovenaardse geo- en topografieën te laten afvragen. Of die gesprekken of monologen zich wel in de fysisch waarneembare tijd hebben afgespeeld? Ik herinner me eigenlijk niet meer precies of ik gedurende de periodes van ons samenzijn wel voortdurend de blik op het rode lichtje van mijn recorder gericht heb gehouden.

Het is mogelijk dat hele flarden van zijn voordracht zomaar in de lucht zijn verdwenen, zonder een spoor op de band achter te laten. Nu ja, in de lucht... Ze zijn eerder weggesijpeld in het zand van mijn geheugen om uiteindelijk in dat gangenstelsel te belanden en vandaar uit hun weg naar het Spaarne te vinden. Of niet. Want het is nog steeds de vraag of dat gangenstelsel wel op het Spaarne uitkomt. De plaats waar dat zou moeten gebeuren bevindt zich rechts van het Waaggebouw, aan de Damstraat. Daar, op de plek waar zich dan een gat in de kademuur zou moeten bevinden, hebben ze de zaak dichtgemetseld. Krijg de gemeente maar eens zo gek om dat gat open te hakken. Ze zou het risico lopen dat bijvoorbeeld dat hele proces-Schrader in een machtige golf naar buiten zou stromen.

Oolsdorp, die nogal eens Silesius' cherubijnse pelgrim placht te citeren hoorde ik tijdens een van de sessies waarvan ik niet zeker ben of ik ze wel op de band heb opgenomen, eens zeggen:

Das groeste Wunder ding ist doch der Mensch allein:
Er kan / nach dem ers macht / Gott oder Teufel seyn.

Het moet die duivel in Oolsdorp geweest zijn die, met hetzelfde gemak waarmee hij Leverkühn of diens vriend Zeitblom uithing, als een ware Mephistofeles de naam Hüsstege liet vallen, de tovenaar van het Elisabeth Gasthuis die mijn vrouw bij me had weggegoocheld.

Men zal zich nog het kattendarmachtige geluid herinneren dat aangaf dat ons huwelijk op springen stond. En men zal zich ook herinneren dat ik gesuggereerd heb dat dat springen iets te maken had met onze wel zeer gescheiden belangstellingen. Waar zij de Costa del Sol of de Costa Brava zocht, daar dook ik dieper weg in de spelonken van vermoeide wereldsteden. Tja, dat zijn zo de verschillen tussen wat men een boekenwurm acht te zijn, en de levenslustige, op het aardse genot gerichte vrouw die werkelijk van mening is dat de zon bruint en de zee nieuwe energie geeft. Alsof de natuur een reclameproduct zou zijn waarvan de aanbeveling alleen al het bloed in de aderen sneller doet stromen. Dat doet het. Dat doet het waarachtig. Althans bij hen die daar gevoelig voor zijn. Mijn vrouw was dat. Bij haar stroomde het bloed al bij de geringste aanraking. En ik wist eigenlijk niet zo goed hoe ik haar aanraken moest. Nog geen tien seksuele revoluties die over dit land zijn geraasd hebben mij ooit verder gedreven dan tot waar ik uiteindelijk ben beland: in de brakke haven van de beschouwelijkheid. Van de grote hartstochten heb ik alleen de boeken gelezen en de vruchten daarvan zijn de rimpelige gedichtjes geweest die ik ooit geschreven heb. Als Joyces jonge Dedalus droomde ik van Mercedes. Terwijl mijn vrouw noodgedwongen voor de televisie ging hangen – wachtend op de druppels massagemelk die loom uit wulps gevormde flessen vielen, dan wel stevig gespierde jongelui die met ontblote torso's uit lawines of reusachtige golven te voorschijn kwamen – dwaalde ik door de straten van het Haarlemse. Vergaapte me voor de huizen van Zuidwest, waar men het beneden zijn stand vond de gordijnen dicht te schuiven, speurend naar het visioen waarvan ik me vooralsnog geen voorstelling kon maken. Iets zou mij onthuld worden. Maar wat?

Soms meende ik een vleug ervan waar te nemen als ik bijvoorbeeld een blonde vrouw met loshangend haar de duisternis in zag staren terwijl ze een lok van haar voorhoofd veegde. Dan meende ik in haar ogen dezelfde droefenis te lezen die ik in mijzelf voelde, en bijna was ik dan van achter de heg te voorschijn gesprongen om haar door het venster heen te kussen. Bizarre acties die je in Haarlem-Zuidwest maar beter uit het hoofd kunt laten. Immers, de straten heten er naar de familie en aanverwanten van het regerend vorstenhuis en bovendien heeft een horde feministische dames er eens een burgemeester weggetreiterd door haar intieme wasgoed bij hem in de tuin aan de waslijn te hangen. Stel dat de dames mij nu bij mijn wanhopige liefdesdaad zouden betrappen. Er moesten ongetwijfeld nog beschamender acties te bedenken zijn waarmee ze mij dan zouden treffen.

Evenmin dus als de jonge Stephen zijn Mercedes ontmoette, ontmoette ik de mijne.

Of het moet die keer geweest zijn dat ik voor het huis van een voormalige schoolkameraad aan de Schouwtjeslaan stond te koekeloeren. Die vriend had een zuster, wist ik, die 'bij het ballet' was. Ik had haar nog nooit in levenden lijve gezien. Wél had ik eens, toen mijn voormalige vriend en ik nog op het Mendelcollege zaten, een gouden, hooggehakte sandaal van haar in handen gehad. Dat was op een avond geweest dat zijn ouders niet thuis waren en zijn zuster evenmin. Die was natuurlijk naar 'het ballet'. We hadden HEMA-wijn gedronken en mijn vriend had me vol trots de voorraad schoenen van zijn zuster laten zien, als bewijs dat ze wel degelijk bij het ballet was. Toen had ik zo'n gouden sandaal met de angstwekkend hoge hak achterovergedrukt en me er later, thuis, in afgetrokken. Met die herinnering in het achterhoofd had ik voor dat huis gestaan. En ik had die zuster voor me gezien zoals ik meende dat een balletdanseres eruitzag. Lang, gespierd, het haar in een chignon op het achterhoofd; aan de barre staand, het bovenlichaam naar voren buigend tot het in een rechte hoek met de benen stond, waarna ze haar vrije hand traag en elegant zijwaarts strekte en het linkerbeen achterwaarts, waarop ik toeschoot...

Maar Reinhilde, zoals ze heette, was al twintig jaar geleden met een van radio en televisie bekende muzikant getrouwd en woonde al even lang ergens in Het Gooi; in Blaricum om precies te zijn, en ik wilde daar precies in zijn omdat het me pijn moest doen, heel erge pijn. En mijn vrouw had op de bank gezeten en met lege ogen naar het flakkerende scherm gestaard, misschien wel met haar vingertoppen haar tepels strelend of haar geslacht beroerend, terwijl ik in luizerige niksigheid langs de straten liep, van Mecklenburg naar Wilhelmina, van Anna naar Stolberg. En als ik goed gekeken zou hebben – maar altijd was ik met mijn gedachten waar ze niet behoorden te zijn – dan had ik wellicht Albert Hüsstege langs kunnen zien lopen in zijn verzorgd nonchalente outfit van Engelse gentleman. Het zou pas Oolsdorp zijn die me echt de ogen voor dat fenomeen opende.

Ja, het was zoals de manke surveillant tegen de jonge Stephen Dedalus gezegd had: 'Het is of je van de rotsen van Moher in de diepte kijkt. Er zijn er veel die in de diepte afdalen zonder ooit weer boven te komen. Alleen de geoefende duiker kan in de diepte afdalen om ze te verkennen en weer boven te komen.' Had ik, Wandelaar, daarop moeten antwoorden dat manke surveillanten altijd gelijk hebben als ze in het leven zijn geroepen door halfblinde schrijvers, omdat ik, evenals die halfblinde schrijver, gebukt ging onder de restanten scholastiek waarin wij beiden waren opgevoed? 'Aangezien al het denken gebonden moet zijn aan zijn eigen wetten.' Als dat zo was, dan was ik een al te gemakkelijk slachtoffer van de manipulaties van Oolsdorp, wiens bewandelen van gebaande paden nu juist zo arglistig bleek. Ik was hem al verder gevolgd dan ik aanvankelijk van plan was geweest. Hij had me zíjn gangenstelsel al in gelokt. Ik had weliswaar ooit geleerd dat je, om uit een labyrint te geraken, consequent rechts dan wel links af moest slaan, maar daar was ik in dit geval niet zo zeker van, terwijl ik vooralsnog geen idee had wat Oolsdorps Minotaurus, in welke gedaante hij het dier ook mocht opvoeren, voor me in petto had. Misschien was Hüsstege wel het eerste drogbeeld dat Oolsdorp me voortoverde waarbij hij, Oolsdorp, heel sluw, de aandacht van mijn hoorndragerschap afleidde. Zodat ik het in eerste instantie was die zich vrolijk maakte om Albert Hüsstege, die eeuwige corpsbal in mijn ogen, met zijn weerzinwekkende imitaties van de lang vervlogen glorie van Oxford en Cambridge. Wat zelfs zo ver ging dat hij in het eerste van Rood-wit speelde, het cricketteam van 'de Koninklijke'; niet te verwarren met het Rood en Wit, waarin Teuntjes zuster had gespeeld en dat een Aerdenhoutse club was.

'Leg before wicket.'

God, wat had ik die klootzak gehaat als wij, mijn toenmalige vrouw en ik, over het hek aan de Spanjaardslaan hadden gehangen en Albert, naast me staande – en met zijn elboog de hare beroerend; als goed journalist ontging me niets – zijn commentaar op het spel van een lager geplaatst team gaf.

'How's that, umpire. How's that?'

Meer nog dan om die opmerkingen haatte ik de man om zijn niet eens zo tersluikse beroeringen van mijn vrouw. 'Het is überhaupt belachelijk en tekenend voor de kwaliteit van de sport,' verklaarde ik haar, 'dat een man als Hüsstege, die toch zo'n tien jaar ouder is dan ik, nog in een eerste team kan spelen.'

'Hij is anders wel een hartstikke faste bowler,' had de trut daarop geantwoord.

Ooit heb ik eens een regisseur geïnterviewd die de Haarlemse variant van Die Haghespelers onder zijn hoede had genomen. En al liet hij die klompendansers op een wel heel schril pijpen hopsen, dat hij de hogere toneelschool had afgelopen – hoger wellicht dan de hopsers ambieerden – werd wel duidelijk uit de mist van woorden waarachter hij zijn bedoelingen liet schuilgaan. Toch is een flard van die mist altijd in mijn hoofd blijven hangen en in zekere zin zelfs tot het fundament geworden van mijn beroepsopvatting. 'Een verhaal moet een "go" hebben,' had hij me toevertrouwd. Een basisgegeven waaruit alle verdere acties noodzakelijkerwijs voortvloeien.

Zo had ik het nog nooit bekeken. Ik had altijd gedacht dat de dingen gebeurden zoals ze nu eenmaal gebeurden, en dat kwam weer voort uit het feit dat ze gebeurden. Daar had geen dramaturg zich ooit mee bemoeid. Het waren de dramaturgen en in hun kielzog de regisseurs, de schrijvers in laatste instantie ook, die een mate van causaliteit in dat hele ratjetoe van willekeurige gebeurtenissen hadden aangebracht.

'Maar u wilt toch ook,' had die regisseur gezegd, 'dat het publiek een zekere troost ervaart, hoe weerzinwekkend de handeling ook is die zich voor hun ogen afspeelt.'

'Verlossing, bedoelt u?' had ik geantwoord.

'Hoe u het maar noemen wilt. Maar beide, troost en verlossing, zijn alleen denkbaar als datgene wat men zich voor zijn neus ziet afspelen beantwoordt aan wetten en regels die diezelfde troost en verlossing tot hun systeem rekenen.'

Zou Joyces manke surveillant dan toch gelijk hebben gehad met zijn opmerking dat alleen de geoefende duikers weer boven komen? Dat alleen zij die zich aan het spel houden – al was het een spelletje Golgotha – uiteindelijk op verlossing mogen hopen? De kruisdood als 'go'.

In mijn geval Hüsstege, mij door Oolsdorp in zijn voorzienigheid aangereikt. En dan had je nog het woord 'go' als zodanig. Kon het toeval zijn dat het tevens de naam is van een Japans bordspel dat op strategisch inzicht is gericht? Oolsdorp als een go-meester?

Hoewel hij, wat uiterlijk betreft, meer weg had van die Franse schrijver en poseur die er, met pose en al, nog maar net in was geslaagd de guillotine te ontlopen; een querulant die zijn eeuwig verongelijkte gelamenteer tot kunst had verheven en in die zin niet eens zoveel verschilde van zijn Oostenrijkse evenknie, met dit verschil dat waar de een op de zwarte vakken verkoos te spelen, de ander de witte prefereerde. Beiden tot die keuze niet gedwongen door een hoger, zen-achtig inzicht – alle vormen van berusting waren beide schrijvers vreemd geweest – maar door de pure behoefte aan provocatie.

De 'go' lag dus in de provocatie die, boven alle wijsneuzige redenaties uit en als voedende, ondergrondse stroom, wel eens de ware motor zou kunnen zijn achter alles wat loopt, kruipt of zich anderszins over de aardbodem voortbeweegt.

Zo probeert men de dingen in kaart te brengen, door ze tot een hoger niveau dan dat van het toeval te beredeneren. Zo probeert men ze uit zijn leven te verwijderen. (Oolsdorps paradoxen moeten me besmet hebben.) Maar als mijn vrouw zich al uit mijn leven heeft laten praten, Hüsstege zeker niet.

Met brandende letters had ik zijn naam in de processtukken gelezen. De nog jonge Hüsstege, toen nog arts-assistent in Amsterdam en aankomend chirurg. En, toeval of niet, nog geen vier huizen verder woonachtig dan Reinhilde, die hij beter gekend moet hebben dan ik (maar wier hooggehakte sandaaltje ik nog steeds, veilig verpakt in een met tape omwonden doos oude manuscripten, bewaar).

Uit die stukken blijkt hij als een ander te voorschijn te komen dan zoals ik hem heb leren kennen. Hier moet sprake zijn van een hogere vorm van journalistiek-juridische wiskunde zoals die in die tijd juist in zwang begon te komen en waarin het recht gebogen werd naar wat het recht in die tijd beoogde te zijn: geen beoordelende instantie achteraf, maar een dwingend voorschrift voor toekomstig handelen. Hüsstege bleek niet het monster zoals ik hem mij had voorgesteld. Het was erger. Hij was geen monster. Hij was de sul die Antoinette Schrader was tegengekomen.

Nadat Habrakens as was uitgestrooid op Westerveld, was het Teuntje of die bittere regen op haar hart was neergedaald en, gepekeld als het was, berustte dat hart in een staat van onverschilligheid die in ieder geval als voordeel had dat Teuntje zich door geen enkele emotie meer uit het veld liet slaan. Haar verslaving had ze er omwille van Jefke, maar toch ook omwille van Gerard aan gegeven. Dat ze het wel degelijk ook omwille van Gerard had gedaan was haars inziens wel gebleken uit het feit dat ze de horden koude kalkoenen die ze door het huis had zien gaan, zorgvuldig voor hem verborgen had weten te houden. Ze had voldoende inzicht in het karakter van de oude krijgsman gekregen om te begrijpen dat hij volstrekt hulpeloos zou hebben gestaan als hij geconfronteerd was met de nachten vol zweet, bloed en koude huiveringen die zij dus maar in haar eentje had doorworsteld. Al was het dan met de stiekeme hulp van instanties waarvan ze wist dat Habraken er geen al te hoge muts van op had.

Gerard had haar gered, en in die zekerheid was Teuntje bereid haar en zijn Jefke op te voeden tot de volwaardige burger die Gerard, diep in zijn hart, altijd had willen zijn. De koortsdromen van haar jongemeisjesjaren, die ten slotte zó ondraaglijk voor haar waren geworden dat ze ze door die van de chemische visioenen had vervangen, leken in het niets opgelost. De zoenoffers van toen waren als het ware vereffend met de saturnaliën van later.

Leeg en ontmanteld zat ze met haar zoontje op het bed in de woonkamer aan de Pijlslaan en besloot dat ze haar voordeel moest doen met haar 'bekering' die ze, heel stiekem, ook wel eens haar 'afvalligheid' noemde. Ze had een broer die inmiddels substituut-officier was, en een zuster die hoog op de kieslijst van een milieupartij stond. Zij, Teuntje, zou hen nog een poepie laten ruiken. Tenslotte was ook zij de dochter van een kleinzielige vader en een al te sentimentele moeder.

Met haar hartverscheurende verhalen wist ze een appartement voor alleenstaande moeders los te praten. Het was ondergebracht in een omgebouwde villa op de Hoge Duin en Daalseweg, een voormalig klooster van de franciscanessen. In zeker opzicht, dacht Teuntje, heb ik er meer recht op dan al die malle meiden die ze hier verder hebben gehuisvest. Voor het eerst van haar leven verwonderde ze zich erover hoe het sinds enige tijd in de wereld toeging.

In het appartement links van haar woonde een alleenstaande vrouw van rond de vijftig die bij het circus wilde en op een eenwieler door de gangen reed. Ter verklaring vertelde ze dat haar ex-echtgenoot een beroemd toondichter was en zij dus wel wist hoe het artistieke wereldje reilde en zeilde. Rechts van haar woonde een dichteres wier talent, naar eigen zeggen, geen erkenning vond omdat haar poëzie 'de wortels van het vrouwzijn' raakte. Maar hoe triest en treurig hun levens ook waren, alle bewoonsters hadden een riant uitzicht over de duinen en ze behoefden zich, bij wijze van spreken, maar naar beneden te laten rollen om in het uitgaansleven van de stad te belanden. Daar waren altijd wel gewillige heren te vinden die bereid waren de dames vervolgens weer naar Alverna te rollen, want zo heette die villa.

Teuntje wist als enige wat die naam te betekenen had, maar die kennis hield ze zorgvuldig voor zich. Enig benul van, dan wel verwantschap met het roomse geloof viel in die tijd niet zo bijster in de smaak, en al helemaal niet bij eenwielige matrones of miskende dichteressen. Ze voelde een diepe minachting voor haar buren en liet zich van de weeromstuit Antoinette noemen, als het dan toch de gewoonte was dat men elkaar met de voornaam aansprak.

'Zoals ik heet, begrijpt u wel?'

Dat 'u' dat deed het 'm, en natuurlijk het feit dat ze weigerde mee te doen aan de woekerende neiging om eenvoudige, volkse namen aan te nemen. Van dat soort was zij niet. Ze was en bleef uiteindelijk een Schrader. En dat de dames om haar heen de brutaliteit hadden de zeden op het gebied van naamgeving van haar, Teuntjes soort, over te nemen, beviel haar al evenmin.

Teuntje leek in alle opzichten genezen. Ze volgde een Schoevers-cursus en solliciteerde als parttime secretaresse bij een vatenfabriek aan het Spaarne. Met enige hulp van thuis, waar men maar al te blij was dat ze zo in ieder geval niet op haar ouders zou terugvallen, kon ze een huisje aan de Vrouwestraat, tussen de Bakenessergracht en 't Krom betrekken. Daar woonde ze te midden van gezinnen die haar bekakte spraak wel amusant vonden en die ook bereid waren, als het nodig was, Jefke op te vangen. Het was de gelukkigste tijd in Teuns leven. De groenteboer op de gracht heette Rinus en hield duiven, haar achterbuurman scharrelde in deux-chevauxs, om de hoek woonde een in Haarlem bekende schrijver die haar nooit lastigviel omdat hij altijd in andere sferen leek te verkeren, en van de hoertjes in de Korte Begijnestraat, schuin tegenover haar, aan de overkant van de gracht, had ze nog minder last. Vermoedelijk vanwege Jefke ontwikkelde zich tussen hen en haar een soort verstandhouding. Zij was toch die dochter van Schrader? Ja, die kenden ze wel. Heel sympathieke man en nooit uit de hoogte. En Teun zag ze smelten als ze vertederd naar Jefkes olijfkleurige gezichtje keken en hem over zijn krullenkop streken.

''t Is een scheetje.'

'Wat je zegt, meid. Maar na twee van die scheten begint het al behoorlijk te stinken.'

Maar zo bedoelde de spreekster het niet. Teuntje geloofde het graag.

'V-v-v-v... pliegtuig,' becommentarieerde Jefke en wees naar de blauwe lucht boven hen, waar zich een witte streep tegen de hemel aftekende.

'O kind, die wordt vast piloot, wat ik je brom.'

Ja, Jefke zou het nog ver brengen. De naam Jefke was haar inmiddels zo vertrouwd dat het niet bij Teuntje opkwam dat er bij de hele KLM-vloot nog nooit een vliegenier in dienst was gekomen met de naam Jefke. En nog afgezien daarvan, het was de naam die Gerard hem gegeven had, en Gerard was dood en de doden diende men met eerbied te bejegenen. Want het was waar. Hoe ze zich ook had aangepast aan haar nieuwe omgeving, ze bleef met een gevoel van onbehaaglijkheid rondwaren in die wereld begrensd door kappersvitrage en Picasso-gordijnen. Al besefte ze tevens dat het het maximum aan geluk was dat haar geboden werd, ver van paradijstuinen en borduurwerk. Die vorm van geluk namelijk waarin ze haar herinnering aan Habraken het tederst kon koesteren; verborgen achter de banaliteit, in de schrijn van haar vereelte hart.

Al haar handelingen, al haar gedachten werden bepaald door die ene man in dat groene legerhemd. Die malle dromer over verre, Siberische volkeren en zondoorstoofde steden in de Maghreb. Die man die soms zó ver had kunnen kijken dat hij, over zijn dromen heen, de gruwelijkste dingen leek te hebben waargenomen. Dingen waarover hij met haar nooit gesproken had, maar waarover ze hem, terwijl hij met zijn hoofd op het aanrecht had gelegen, had horen lispelen, waarop hij dan met een panische blik in de ogen overeind was gesprongen en steun had gezocht bij haar, die zélf nauwelijks in staat was haar eigen leed te torsen.

Ja, ze had van Habraken gehouden als van geen ander mens ter wereld ooit. En naarmate ze vaster wortelde in dat middelmatige bestaantje, raakte ze daar meer en meer van overtuigd. Dat besef gaf een stille, gouden glans aan haar bestaan, een glans die dat koude hart van haar verwarmde.

Waar was de Heer, die haar ooit geroepen had? Was dat dan die Gerard gebleken die haar onuitgesproken gevraagd had: 'Onnozele, herkent gij mij dan niet? Leg dan uw vingeren in mijne wonde'? Het was een droom die naarmate hij verder achter de horizon verdween, zich steeds hartstochtelijker liet koesteren, die haar de kracht gaf het leven te aanvaarden zoals dat nu was. 's Morgens vroeg op, koffiedrinken, het kind wassen, het in het tweedehands autootje dat ze voor een zacht prijsje van Leen, 'de koning der deux-chevauxs', had kunnen kopen, naar de crèche brengen, dan naar de vatenkoning aan het Spaarne, het kind weer ophalen, lieve woordjes zeggen, met Jefke naar Rinus voor de boodschappen – ''t Wordt al een leuke opsodemieter', en zijn vrouw, malicieus lachend: 'Opsodemieter, wat je zegt' – met het kind naar het consultatiebureau – pokjes, mazeltjes: 'Kijkt u maar uit, mevrouw, daar is dat type nogal gevoelig voor, 't zijn de genen, hè' – met Jefke haar moeder bezoeken als ze wist dat haar inmiddels gepensioneerde vader afwezig was, 'broem, broem' in de deux-chevaux weer naar de Vrouwestraat, Jefke veilig naast haar in het kinderzitje, vastgesnoerd aan haar hart, Jefke naar bed brengen, naar zijn kamertje, waar door haar moeder geborduurde merklappen hingen met zijn naam erop – die van Jefke natuurlijk, want van Gerard had ze nooit geweten en Teuntje zou het haar nooit vertellen ook; van Gerard niet en de snotneuzen niet die hem, op hun snotterige wijze, waren voorgegaan – en de volgende morgen weer, nu zonder het vertrouwde 'broem, broem' van Jefke, naar de vatenkoning die haar soms een klap voor haar Gorrayrokje gaf omdat dat, naar hij zei, lekkerder sloeg dan een spijkerbroek en dat al die wijven met die spijkerbroeken wat hem betrof...

En dat jaar in, jaar uit. Wat ze verdroeg als de heilige Liduina haar ziekbed. Tot steeds hoger graad van heiligheid reikend, al realiseerde ze zich dat niet. Wel zag ze dat de wereld om haar heen steeds minder heilig werd. Dat ieder als vanzelfsprekend eiste wat slechts door genade verkregen kon worden en als het dan niet de genade was, dan toch de goede werken. Maar wie verrichtte die nog? De werken van barmhartigheid werden in loonrondes en dertiende maanden vertaald, en wie geen huis had wachtte niet op een toevallig passerende Samaritaan, hij verschafte zich eenvoudigweg toegang. Het beest ging om, zoekend wie het kon verslinden. Maar één ding was zeker, op haar Jefke zou het de klauw niet kunnen leggen. Al was het maar omdat ze het kind, toen het daar eenmaal oud genoeg voor was, naar een lagere school stuurde, ver van het centrum, aan de rand van de duinen, een ballingsoord van fatsoen, waar – ze begreep het wel, maar wilde er niet aan herinnerd worden – haar Jefke als een trofee van goede gezindheid werd rondgedragen door baardige pedagogen die haar koele afstandelijkheid op de koop toe namen. Ze hadden tenslotte, die pedagogen, voor hetere vuren gestaan. Republikeins tot op het bot bestierden ze een school die naar een regerende vorstin was genoemd. Lamzakken vond Teuntje het, maar het kind was er veilig geborgen.

Soms ging Teun met haar Jefke op zaterdag naar de Botermarkt. Het was niet ver van de plek waar ze ooit Gerard had ontmoet. Dat vertelde ze niet aan het kind. Kon ze ook niet omdat ze het nooit een vader had toebedeeld. Jefke was door de engel Gabriël op aarde gezet. En toen het kind met die door Teun nogal vaag omschreven herkomst geen vrede meer had, had ze het woord 'sneuvelen' laten vallen en daar had Jefke, geïntrigeerd door de raadselachtige klank van het woord, voorlopig vrede mee gevonden. Zijn vader was een 'sneuvelaar', zo had hij trots op school verteld en hij had niet gemerkt hoe de omstaande pedagogen daarbij tegen elkaar gegrinnikt hadden.

'Wordt het niet eens tijd...' hadden ze Teuntje daar later over onderhouden. Waarop ze geantwoord had dat die tijd heus wel eens zou aanbreken, zo ongeveer als zij hun valse Messiaanse baarden zouden afscheren, waarop zij op hun beurt meewarig de hoofden hadden geschud en er één achter zijn hand iets had gemompeld van dat dit toch werkelijk de laatste stuiptrekkingen waren van een ten ondergang gedoemde klasse, maar dat je er juist daarom respect voor moest hebben. Die vrouw was een curiosum. Maar dat van die korte bontjasjes die ze tegenwoordig droeg, dat ging toch wel érg ver.

Met haar korte bontjasje, hoog boven dit gepeupel uittorenend, liep ze met Jefke over de Botermarkt, hem schielijk wegtrekkend bij kraampjes waar mediterrane artikelen werden verkocht en gehoofddoekte vrouwen om een stuk fetakaas vochten of elkaar de dikste preien uit de handen trokken. Om terecht te komen tussen een groepje in camouflagepakken gestoken jongelui die met hun soldatenkistjes tegen de kraampjes schopten en elkaar daarbij hardhandig in de zij stompten of op de schouders sloegen.

'Als vleermuizen...' hoorde Teuntje achter zich. Ze greep Jefkes hand en trok hem dichter naar zich toe.

'Als vleermuizen? Als teken zal je bedoelen.'

'Als takkenbossen,' probeerde een ander zijn voorganger te overtroeven.

Gekraak van houtwerk. Hoefbeslag dat over de keien ratelde. Een laars tegen een onderbuik.

'Lachuuuh...'

'Ja, geinig, vind je niet?'

'Ach, man, ga je ouwe moer naaien.'

'Hé, joh, dat pik ik niet, wel een beetje respect, ja?'

'Respect... jij? Lachuh, joh.'

'Als vleermuizen, als teken, als takkenbossen.'

En daar was, door het gewoel heen, als een ware Melchizedek, een pondje in vetvrij papier verpakte kaas in beide handen als een offergave voor zich uit dragend, een man, iets ouder dan zij, maar wonderbaarlijk jong nog van gezicht, op haar afgekomen. Schrijdend, zonder de lachlust van wie dan ook op te wekken.

'Mevrouw,' had hij tegen haar gezegd, 'het vulgus roert zich, maar blijft u tranquillus in undis.'

'Ja, ja, wat u zegt,' had ze gestameld. Ze was door zijn verschijning meer ontdaan dan door het geloei van die jongens. Dat studentikoze aan hem. Het deed haar denken aan haar broer Pieter of aan, als ze heel eerlijk was, haar vader, toen die nog niet in zijn kleinzieligheid verzopen was.

'Ik ben maar een Schoevers-meisje, hoor,' had ze hem nogal dom geantwoord.

Zo dom kennelijk dat de man er geen raad mee had geweten en met een houterig gebaar het stuk kaas naar voren had gestoken en, opeens heel wat minder zelfverzekerd, gezegd had: 'Voor het Schoevers-meisje... een... Hoe noem je dat...? Een huldeblijk.'

Al even houterig reagerend had ze haar kind naar voren geduwd en gezegd: 'Mijn zoon... dit is Jef, mijn zoon.'

'Ruilen?' had hij gezegd en daarop waren beiden in lachen uitgebarsten.

Tot Jef aan de mouw van zijn moeder begon te trekken. 'Doe nou niet zo gestoord, mam. Je lijkt wel achterlijk.'

Ja, achterlijk was ze wel degelijk geweest. Ze had zich door Hüsstege – 'Albert, hoor, en voor mijn part noem je me gewoon Appie, zo noemen mijn vrienden me ook' – mee naar Brinkmann op de Grote Markt laten tronen, waar ze een glas sherry met Albert had gedronken en waar Jefke zich ongans had mogen eten aan waar hij maar trek in had. Drie borden patat, 'met oorlog, mam, met óórlog', en drie glazen cola.

'Blub.'

'Wat zeg je daar, jongen?' En ze had hem een niet al te bestraffende draai om zijn oren gegeven.

Albert had het tafereel met genoegen gadegeslagen. Nog diezelfde avond waren ze naar De Bokkedoorns gegaan. In zijn Austin-Healy, die hij zich toch moeilijk van zijn co-assistentschap kon veroorloven. Maar algauw zou ze weten hoe die vork aan de steel zat. Tijdens het eten vertelde Albert haar alles over zichzelf, terwijl zij in ruil nauwelijks iets over haar eigen achtergrond losliet. Om Jefke, die ze bij een van de buren had ondergebracht, kon ze natuurlijk niet heen. Ze voerde een Arabische diplomaat op en hij, Albert, wist hoe dat ging...

Ja, dat begreep Albert wel.

En dat ze geen cent alimentatie van hem had gewild.

Dat begreep Albert ook. Zo goed als hij al van meet af aan had geweten dat ze een Schrader was. Het verhaal van het geborduurde wapenschild had destijds ook in Zuidwest de ronde gedaan. Alle thuiszittende vrouwen hadden op een gegeven moment de sherryflessen in de vuilnisbakken gegooid en waren ook wapenschilden gaan borduren. De naam Schrader was voorgoed op de landkaart gezet, hun genealogie werd bestudeerd als die van de Oranjes. Het roddelen. Het aanschurken.

Van de balk in het wapen waren de gesprekken op Pieter gekomen die men 'zo'n peer' vond, en op Barber, die toen ze nog aanvoerster was van Rood en Wit 'Zet 'm op, witte muizen' had geroepen, en op Teuntje, over wie men liever niets wilde vertellen omdat men anders vreesde dat de doem die op dat meisje rustte wellicht ook naar hun gezinnen zou overslaan, zodat Teuntje de meest besprokene van alle Schilders was geworden en iedereen in Zuidwest een haarscherp beeld van haar had.

'Toen ik je zo op die markt zag lopen, dacht ik meteen: verrek, zeg, dat lijkt Mireille Mathieu wel. Ik ben gek op Mireille Mathieu, moet je weten.' Albert neuriede de melodie van 'Les saltimbanques'. Uit zijn mond klonk het als een wel zeer haveloos groepje.

'Maar ik heb mijn haar toch weer laten groeien?'

Albert maakte een vergoelijkend handgebaar alsof hij haar hele verleden in één klap onder tafel wilde vegen. 'Maakt goddomme niet uit, meid.'

Maar wist hij ervan?

'Verdomd lekker chablietje, wat?'

Hij had zijn tweed jasje en spijkerbroek verwisseld voor wat hij zijn 'kotspak' noemde, een donkerblauw kostuum dat tot op de draad versleten leek. 'Want je gaat in zo'n ballentent toch niet in je smoking zitten. Kóóóm nou toch, dat laten we maar aan de bediening over, nietwaar? Ik zeg altijd maar, qui modestus est bonum est, waar of niet?'

Nee, het was niet waar. Niets van wat die man beweerde was

waar. Waarom zat ze dan toch met hem aan tafel? Omdat hij mooie, slanke vingers had en heel verzorgde nagels. Maar dat was het niet. Misschien was het dat net beheerste aplomb dat, als hij ouder zou worden, in brute grofheid zou omslaan, in gevoelloosheid zelfs, in gezeur over manchetknopen of paraplu's. Teun bloosde tot diep in haar hals.

'Jezus, meid,' zei Albert, 'wat staat je dat mooi?' Hij kon zijn glas nog net voor omvallen behoeden.

Nee, Albert was niet de man die later grof zou worden; hij zou altijd blijven wie hij nu was, de aandoenlijke corpsbal. Ze voelde zich daarin bevestigd toen hij over zijn werk begon te praten. Hij werkte in het Onze Lieve Vrouwe Gasthuis en het was een schande onder welke omstandigheden ze daar werken moesten. 'Middeleeuws, Teuntje, daar kun je je geen voorstelling bij maken, een schande goddome.' En hij vertelde over de hoogleraren, die een stelletje arrogante kwasten waren die zich alleen voor een baantje in het bestuur interesseerden en de patiënten niet eens zagen liggen. Dat die hele medische opleiding maar eens op de helling moest en dat de eerste de beste verpleegster meer verstand van de medische wetenschap had dan welke hooggeroemde hoogleraar ook. 'Want we hebben het wél over patiënten, já. Mensen dus.' Waarbij hij zich zo opwond dat hij zijn glas alsnog omstootte. 'Geeft niks, meid. Ober!' Hij maakte een autoritair handgebaar in de ruimte. 'Doe nog maar zo'n flesje, zeg, en neem er zelf ook een, ha-haha. Ben je gek, kerel. Geintje. Nee, weet je wat, doe maar een gewürztraminertje. Een tweeëntachtiger, heb je die? Mooi zo, kerel. Wat zei je? Nee, brave borst, dan zit je volledig fout. In tuo vino non veritas est, begrijp je? Gewürztraminer is weliswaar een Duits woord, maar je spreekt het op zijn Frans uit. Gewürztraminèèr. Hebben ze je dat niet geleerd op de koksschool?' Zo'n man moest je dus doodslaan. Wat nu 'aandoenlijke corpsbal'?

Een proleet, welbeschouwd. Maar nog voor ze, misselijkheid

veinzend, van tafel had kunnen opstaan, was hij weer over zijn patiënten begonnen en had haar zo'n hartverscheurende schets van hun situatie gegeven dat ze haar oude geliefde, Catharina van Siena, weer voor zich zag oprijzen; de kloosterrokken opgetrokken rond de heupen, van bed naar bed gaand om hier een wonde te verbinden en daar een koele hand op een verhit voorhoofd te leggen. En achter Alberts nu kalme gestiek had ze als in een lauwe zomerwind wapperende vitrages gezien, die op het ritme van een trage hartslag metamorfoseerden tot met roestvlekken bespikkelde dwalen... lendendoeken misschien wel of lijkwades.

'Ik ben het', of: 'Hier ben ik,' had ze willen uitroepen, maar de nu priesterlijk monotoon klinkende stem van Albert had haar daarvan weerhouden. Een litanie van lijden had hij gebeden, vaten vol erbarmen over haar uitgegoten. Terwijl inmiddels het lamszadel werd opgediend, teder gevlijd in een bruinrode saus, gevangen in de hel blikkerende nimbus van het bord. De ober had, toen hij de borden neerzette, iets gemompeld van 'rozemarijn, tijm en honing' en zij had het verstaan als 'Deo gratias' en 'Laus tibi, Domine', waardoor opeens ook het prollerige potjeslatijn van Albert tot een hogere taal verheven werd.

'Zulke dingen doen pijn, Albert,' had ze gezegd. 'Je hebt geen idee hoeveel pijn zulke dingen doen.'

Hij had, over de tafel heen, haar rechterhand gegrepen en de rug gestreeld en haar daarbij diep in de ogen gekeken. En zij had, in zijn ogen, iets hulpeloos gelezen waardoor haar opeens de diepere zin van zijn kwajongensachtige grootspraak duidelijk werd. 'Albert,' had ze gevraagd, 'weet jij wat lijden is?'

Toen had hij schaapachtig gegrinnikt en gezegd: 'Moet ik mijn patiënten dan met door tranen verblinde ogen helpen? Kom, meisje, ik heb je helemaal van streek gebracht. Laten we het over iets anders hebben. Het diplomatenprinsje... Hij heeft echt genoten vanmiddag, nietwaar?'

Of ze die avond met elkaar naar bed waren geweest? Een goede vraag waarop Teuntje het antwoord niet zou hebben kunnen geven. Waar had het zich ook moeten afspelen? Bij haar? Waar Jefke sliep? De bitterzoete olijf, het kroezelkopje, het cherubijntje, amandeloogje, fladderaapje; zo'n grote jongen toch al, die met Lego Electro speelde. Ondenkbaar.

Bij hem, die nog bij zijn ouders woonde? Zij, een moeder, als een schoolmeisje op een zolderkamer? Ze vermoedde dat ook Albert dat banaal zou hebben gevonden. Wat ze nog wist was dat ze Sancerre hadden gedronken bij het nagerecht, dat Albert haar bijna gedwongen had – maar zó elegant – nog een paar nipjes van de eau de vie te nemen die hij 'als afzakkertje' besteld had. En zó scherp was dat drankje door haar keel gegaan dat ze niet anders gekund had dan het als straf voor de heerlijkheden te ervaren die haar overkomen waren. Wat haar ook alweer in een staat van verrukking had gebracht: dat ze gestraft was. Zodat ze koortsachtig had zitten bedenken hoe die straf nu weer bestraft moest worden. Door het bed met Albert te delen. Zo had ze wel aan de gang kunnen blijven. Ad infinitum, om in zijn termen te spreken.

Chateaubriand zou van haar gezegd kunnen hebben dat zij op een troon gezeten was, glansrijker dan de sneeuw. Dat zij op deze troon geschitterd zou hebben als een geheimzinnige roos, of gelijk de morgenster, aankondiger van de zon der genade. Hij zou haar door de engelen hebben zien dienen, hij zou de harpen en de muziek der sferen gehoord hebben die haar als de dochter der mensen, de toevlucht der zondaren en de troosteres der bedrukten zouden hebben bezongen. 'Ze is geheel goedheid, geheel medelijden, geheel toegevendheid,' zou hij van haar gezegd hebben. 'Een beschermster der onschuldigen' en 'een redster vol toegevendheid voor de zwakheden der ongelukkigen' zou hij haar genoemd hebben. En al zou zich 'onder de drom van haar vereerders' dan wel niet die 'menigte arme zeelieden' hebben bevonden die Chateaubriand de Heilige

Maagd toeschreef, één zeeman – technisch gesproken eigenlijk een zeesoldaat te land – zou zich in ieder geval onder hen hebben bevonden. En dan was er nog een andere die zich bij hen had kunnen, althans willen voegen: een chirurgijn, om in de opgeroepen terminologie te blijven. Want ook hij was, ondanks de schijn van het tegendeel, een ongelukkige – en dat heus niet omdat hij er later met mijn vrouw vandoor zou gaan; ik ben grootmoedig genoeg om te erkennen dat dat uiteindelijk nog zijn redding kan zijn geweest, in het oog der mensen althans, moet ik erbij zeggen, dat niet altijd even scherp is.

Op de Schouwtjeslaan opgegroeid, in de zekerheid van een aantrekkelijk buurmeisje dat hem, in tutu en op spitzen, ongetwijfeld af en toe het hoofd op hol moet hebben gebracht, en met ouders die niets anders om handen hadden dan de zeden en gebruiken van de villabewoners uit Aerdenhout te bespreken. Al van jongs af voor de medische stand voorbestemd omdat die studie, naast de juristerij, nu eenmaal de geknipte studie was voor wie eigenlijk geen idee hadden wat ze moesten gaan studeren. Waarom hij geen idee had hoe hij zijn latere leven moest gaan inrichten, is me pas later gebleken, toen ik mij in de processtukken heb verdiept en navraag heb gedaan bij mensen uit zijn onmiddellijke omgeving. Om voor de hand liggende redenen heb ik me natuurlijk niet direct tot hem kunnen wenden.

Het bleek dat Albert geen idee had van wat hij met zijn leven moest aanvangen, omdat hij er in zekere zin te hoge opvattingen over koesterde. Hij had zich doelen gesteld die men daar op de Schouwtjeslaan niet bevatten kon. Ik kan dat begrijpen, ik heb immers een vriend gehad die daar ook gewoond heeft. Diens bevattingsvermogen ging niet verder dan dat van zijn ouders, die als beroepsaanduiding achter hun naam in het telefoonboek 'balletdanseres' hadden laten vermelden, terwijl er 'accountant' had moeten staan. Men verkeerde in die contreien in ernstige onzekerheid omtrent de eigen existentie. Terwijl men er neerkeek op iedere andere beroepsuitoefening dan die der accountancy, haakte men er onbewust naar het hogere, zonder zich ook maar enige voorstelling van dat hogere te kunnen maken; nu, ja... iets fladderends tussen de coulissen, iets wat maar waaide. Het is tragisch voor die mensen dat in hun tijd van leven de karaoke nog niet was uitgevonden. Ze zouden anders ongetwijfeld 'karaokeartiest' achter hun naam hebben gezet.

Zo een was, door een curieuze speling van het lot bepaald, Albert niet. Minder een speling van het lot waren zijn taal en gestiek, die hem ertoe hadden veroordeeld beoordeeld te worden als wat hij scheen te zijn, zodat zijn werkelijke aandriften door niemand serieus genomen werden. Behalve misschien door Teuntje. Maar omdat hij haar toen nog niet kende, had hij voor de medicijnenstudie gekozen als het dichtst bij zijn geaardheid liggend.

In de taxonomie der medici, zo is mij gebleken, kon hij, als aankomend internist, geplaatst worden in de rangorde der onbaatzuchtigen; die van heiligen als een Benedictus Labre of een pastoor van Ars. Allen grote zelfwegcijferaars die daardoor, paradoxaal genoeg, des te nadrukkelijker op de kalender der vroomheid terecht zijn gekomen. Dat cricketgedoe van Albert, dat corpsgebral – het waren niet eens weloverwogen pogingen zich geringer voor te doen dan hij was. Het waren eerder handicaps die door zijn schepper op de levensweg waren neergelegd, en die hij met blijmoedige nederigheid aanvaardde. Het waren de tekenen van zijn uitverkiezing. Ik zou niet weten hoe ik het stuitende karakter van zo'n man beter zou kunnen omschrijven. Hoe Teuntje Schrader dat zelf ervaren heeft, weet ik niet. Ze bekeek de dingen anders.

Al gedroeg ze zich, op het oog, als een normale vrouw. Zo beklaagde ze zich bij Hüsstege over het onbeschofte gedrag van haar werkgever.

'Nou, je hébt ook een verrekt lekkere kont,' reageerde hij.

Maar wél stond hij de volgende dag op het kantoor om die vent in het bijzijn van zijn personeel deerlijk de mantel uit te vegen. En de man, geïmponeerd door het autoritaire gedrag van Hüsstege, durfde Teuntje niet eens te ontslaan. Dat ze niet veel langer in het emballagebedrijf werkzaam kon blijven, was overigens wel duidelijk. Of Hüsstege daar zijn kans zag, minder. In ieder geval stelde hij Teuntje voor om, in afwachting van een andere betrekking, in haar onderhoud te voorzien. Merkwaardig genoeg aanvaardde ze dat voorstel als de normaalste zaak ter wereld. Kende ze het woord 'maintenee' eigenlijk wel? Ze had natuurlijk kunnen tegenwerpen dat ze zich in het geheel niet liet mainteneren in de betekenis van het woord die daaraan gehecht wordt. Te vermoeden valt echter dat zelfs een dergelijke verdediging in haar opinie aan onbetamelijke grofheid grensde. Dat ze nu de kans kreeg zich nog intenser aan de opvoeding van haar kind te wijden, dat zou ze ongetwijfeld ter verdediging hebben aangevoerd.

Zonder aan zijn uiterlijk gedrag ook maar een steek te veranderen kon Hüsstege zijn onnatuurlijk aangeboren neigingen nu op haar botvieren. Bij Teuntje intrekken mocht hij niet – al was het maar omdat de huurovereenkomst dat verbood – maar verder bracht hij vrijwel ieder vrij moment in de Vrouwestraat door. Hij beklaagde zich dan over de gezondheidszorg en ontwierp theorieën hoe die beter opgezet zou kunnen worden. Ze klonken in Teuntjes oren nogal marxistisch, al liet ze haar wrevel daarover niet merken. Albert bedoelde het goed en het licht zou uiteindelijk daar het helderst stralen waar de duisternis het diepst was geweest. En ja, ze moest bekennen, ze hield wel een beetje van die malle Albert. Van zijn onverwachte, onmannelijke tederheid. Hij was galant in de betekenis van het woord zoals zij die van haar moeder had leren kennen. Het had iets te maken met onschuldige wuftheid, het eindeloos wegdromen in roze verlichte kapsalons, waar als Venetiaanse gondeliers vermomde figaro's elegant om je heen quickstepten of walsten om op de derde slag, onverhoeds maar teder, je hoofd tussen hun handen te nemen en je zachtjes te dwingen in de spiegel te kijken: 'Bellissimo... bellissimo...', al was je een onooglijke heks of een taart van in de zestig. Het was bijna net zo mooi als de wereld die je in de STER-spotjes werd voorgeschoteld. Zo anders dan de wereld van het lijden waaraan zij zich verslingerd had. Een lijden dat, anders dan ze in de werken van Bernanos uit haar vaders boekenkast had gelezen, niet het gevolg van een niet-zijn was – hoe was zo'n ketters boek in godsnaam in de boekenkast van haar vader terechtgekomen? – maar eerder het omgekeerde: een al te bewuste aanwezigheid waar je je geen raad mee wist. Hoe ze een dergelijke gedachtegang met Albert moest rijmen, wist ze niet. Al leek Albert haar iemand te zijn die het lijden van haar af wilde nemen. Die haar haarzelf wilde ontnemen. Dat laatste beangstigde haar. Maar hoe kon ze dat die schat duidelijk maken zonder hem te kwetsen, die als bootsman vermomde figaro? Want kappersroes en Bountygevoel was allemaal tot haar dienst, maar lijden hoorde erbij, daartoe was je op aarde.

Jefke, zich onbewust van zijn moeders muizenissen, kon het uitstekend met Albert vinden. Ze bezochten samen cricketwedstrijden en uit een soort schuldgevoel daarover had Albert voor hem een racefiets gekocht, een echte 'Eddy Merckx', die je, in Jefkes maat, alleen in België kon kopen.

'We gaan een echte coureur van je maken, hè Jef?' Hij had het kind speels in de kuiten geknepen. 'Echte wielrennersbenen, geen grammetje vet, één bonk droge spieren. En moet je die aanhechtingen zien, je lijkt Delgado wel.'

Jef haalde nukkig zijn schouders op. Hij was er minder van overtuigd dan Albert, die hij oom Albert noemde. 'Kweenie.'

'Wat weet je niet, kereltje?'

'Dat van die spieren en zo.'

'Ik voel het toch.' Opnieuw kneep hij in Jefs kuiten en liet zijn medisch geschoolde vingers langs de knieën en over de dijen gaan. 'En ik ben dokter, ik kan het weten.'

Jef trok een pruillip. 'De jongens op school zeggen...'

Wat ze zeggen wilden eindigde in een droge snik.

Albert bespeurde onraad. Hij keek nauwlettend om zich heen om te zien of Teuntje zich niet op gehoorsafstand bevond. 'Wat zeggen die jongens, goddome?'

'Dat negers en joden helemaal niet kúnnen wielrennen. Dat ze nog nooit...'

'Maar jij bent goddome geen neger, en een jood ben je al helemaal niet.' Albert schrok van zijn eigen stunteligheid. Dat kreeg je er nu van. Van de weeromstuit wist hij niet anders te reageren dan met: 'Heb je wel eens van Abou Zaaf gehoord? Dat was een Algerijn en in zijn tijd een beroemd Tour de France-renner.'

Het kon nog erger. Jefke zette het op een blèren. 'Ze hebben mijn fiets gepikt en 'm in elkaar getrapt. Zeker omdat ik Abou Zaaf ben.'

'Nu ja, zo beroemd was Abou Zaaf nu ook weer niet.'

Wat moest je met die toestanden? Het nam hand over hand toe. En niet eens altijd zo openlijk. Albert ging de laatste tijd mee naar ouderavonden en uit gesprekken die hij en Teun daar met ouders van andere kinderen voerden, had hij begrepen dat ze Jef zo'n beetje als het neefje van oom Tom beschouwden. Dat die ouders, progressief als ze waren, het Jefs ouders kwalijk namen dat ze het kind niet gewoon naar een zogenaamde gemengde school deden. Ze beschouwden dat als een 'toegeven aan racistische tendensen', zoals ze dat noemden. Het was van een ongehoord perverse dialectiek waar hij, als exact denkend medicus, geen verweer op had. Het was de verslonzing van het denken, waar de reacties van Jefs klasgenoten nog zuiver bij afstaken. Of hij dan maar eens 'naar die Nassau-blauwe, oranje angehauchte, rood dooraderde kutschool' moest gaan om ze dat eens onder de neus te wrijven?

'Je bedoelt de Beatrix?'

'Ik bedoel dat zootje linkse baardapen dat de hele school volhangt met antiracismeposters, maar er inmiddels voor zorgt dat het zijn schooltje blank houdt.'

'Appie, Appie... wil je dan dat ik Jef naar een school in het centrum stuur om te bewijzen dat wij het beter doen?' Nou, wat dat betrof, aan haar kind geen polonaise. En wat die middenstandertjes betrof, daar had ze maling aan.

In haar verweer hoorde Albert iets doorklinken wat hem beangstigde, al kon hij er de juiste woorden niet voor vinden. Het morele geknoei van anderen... Hij had er tot op zekere hoogte mee leren leven. Die lui waren, hoe abject ook, tenslotte ook maar krabbers die hun hachje probeerden te redden. Maar wat moest hij met Teun aan? Teun, die beschikte over een soort onkreukbaarheid die de maatschappelijke normen te boven ging. Teun wist niet eens wat maatschappelijke normen waren. Het gefoezel van haar voormalige baas, waar hij zich zo over opgewonden had, had in haar ogen minder voorgesteld dan hij ervan gemaakt had, zo had hij later begrepen. Het was voor haar een spel met conventies geweest, dat ze omdat ze zich eigenlijk onbewust was van de ernst van die regels, maar een beetje had meegespeeld om haar soevereiniteit buiten de discussie te houden. Er smeulde een vuur in die vrouw dat door God mocht weten wat gevoed werd.

Ze gaf zich niet. Dat was het probleem. Kon zichzelf wellicht ook niet geven omdat ze zichzelf niet toebehoorde. Albert kreeg zo zoetjesaan het gevoel dat hij dat letterlijk moest nemen. Al zijn veroveringstactieken hadden tot niets geleid, zelfs niet op die momenten dat de integriteit van zijn bedoelingen een verraderlijke alliantie was aangegaan met zijn verliefdheid. Nu ja, verliefdheid... waar dergelijke duizelingwekkende tactieken werden aangewend, mocht men rustig van liefde spreken. Al had het, alles bij elkaar, tot niet meer geleid dan tot een enkele kus op haar mond en één keer een gepassioneerde zoen in haar hals, waar ze, als letterlijk gestoken, op gereageerd had.

Aan hun relatie was een einde gekomen toen hij, na een borrel met zijn collega's, lichtelijk aangeschoten bij haar binnen was gevallen en haar had gevraagd of hij haar borsten zou mogen kussen, waarbij hij, hij moest het toegeven, wel heel onstuimig onder haar truitje had gegrepen.

'Mijn borsten zoenen?'

Hij had wat onzeker gelachen en, verlegen met de situatie, gezegd: 'Nou ja, gewoon, lekker aan je tieten zitten.' En hij had een ruk aan haar beha gegeven. Het scheurend geluid van de stof had hem als een gejammerde aanmoediging in de oren geklonken. Geil was hij geworden zoals hij van zijn leven nog niet geweest was.

Teun had hem in zijn gezicht gespuugd en hem met een blik van niet te bevatten haat in de ogen van zich afgestoten. 'Beest, monster,' had ze gekrijst. 'Bok van Mendes,' had hij zelfs horen brullen met een inmiddels hees en schor geworden stem.

Gek was ze geworden, de tale Kanaäns over haar vaardig in een mate dat het in een Babylonische ejaculatie van gevloek, getier en blasfemieën was geëindigd. Plukken haar had ze hem uit het hoofd getrokken, hem herhaaldelijk in het kruis getrapt, zijn gezicht opengehaald. 'Mijn tieten?' had ze met een beangstigend diepe bas geloeid. 'Mijn tieten, daar heeft alleen de onschuld aan mogen zuigen...'

De rest had hij niet meer afgewacht. Een excuus stamelend had hij zich naar de deur begeven, waar hij nog juist een half gehuild, half gestameld verhaal had opgevangen over pelikanen die zichzelf in de borst pikten om hun kroost te voeden.

Hij zou haar alleen tijdens de zittingen terugzien en zou pas toen begrijpen wat ze bedoelde.

8

'Maar mijn goede mijnheer Van de Bode, dat is toch allemaal onzin die u mij daar vertelt. Gissingen en plaagstoten naar het hart, om zo te zeggen, in een poging mij uit mijn tent te lokken. Maar ik zweer u, openhartiger dan tegenover u ben ik tegen niemand geweest. Ik probeer al die avonden dat wij hier bij elkaar zitten openhartig te zijn. Ik ben immers een openhartig mens, de totaal openhartige. Ja, en dan kijkt u mij zo aan van "wat zit die ouwe me nu weer te belazeren", maar u gelooft toch niet in ernst dat ik u hier heb laten komen om tegenover u een maskerade op te voeren? Misschien, mijnheer Van de Bode, bent u het wel die een maskerade opvoert. Bent ú het die mij belazert met uw verhalen, die u niet meer in de hand lijkt te hebben. Wat moet ik van uw doodgelogen moeder denken, die u tegenover mij hebt opgevoerd. Een schijnbare openhartigheid om uw fabuleerzucht achter te verbergen. Alsof het leven zoals het is al niet treurig genoeg is. En dan, zoals u mij sprekend invoert... Ben ik het wel die spreekt? Wie garandeert mij dat u daarbij niet een of andere literaire kankerpit te hulp hebt geroepen die de zaken wat markanter weet te verwoorden dan waartoe ik in staat ben? Daarmee doet u mij onrecht, mijnheer. Want ik ben niet alleen een sociaal mens, ik ben ook nog eens openhartiger dan uw literaire poseur ooit kon zijn. En gelooft u mij, ik lijd daaronder. Mijn openhartigheid komt me vaak als luchthartigheid voor, terwijl ze het absolute tegendeel beoogt te zijn.

Oog en hart, begrijpt u? Het oog dat naar het hart kijkt en ontdekt dat het hart het listigste orgaan van alle is, vol liefde en wraakzucht. Wie zal het kennen? Ja, het is zoals Jeremias zegt: "De zonde is geschreven met een ijzeren griffel, met de punt eens diamants, gegraven in de tafel van hun lieder hart." Pas als wij het hart van zijn voorhuid hebben besneden, mogen wij oog en hart verwisselen en zal het ons gegund zijn in andermans hart te schouwen. Dan mogen wij, zoals de dichter Kleist aan zijn verloofde schreef, weer op de knieën van ons eigen hart vallen. In dit geval om een loflied aan te heffen.

Maar zover zijn we nog niet, mijnheer Van de Bode. Voorlopig lijden we er nog aan, opgesloten als wij zitten in de vier hartkamers waarover wij beschikken. Dat is natuurlijk een nogal gewaagde beeldspraak, maar daaraan moet u toch zien hoezeer het mij ernst is. Tenslotte ben ik niet, zoals u, een man van de verbeelding, niet de schaamteloze plagiateur van andermans gevoelens. Een eenvoudige praktizijn ben ik, die met vallen en opstaan zijn boterham heeft verdiend.

Te beginnen op die dag waarop ik, door het dak heen, naar de hemel keek en eindigend hier, waar mijn hartslag in grafiek wordt gezet. Wat wil zeggen dat ik de zeis door de lucht hoor maaien. Zoef-zoef-zoef! In eindeloos trage, maar ook eindeloos zekere cadans.'

Ik weet niet of mijn bandrecorder nog aan stond toen Oolsdorp zijn onomatopee van een vermoeid armgebaar vergezeld liet gaan. Ik weet ook niet meer of het al begonnen was te schemeren of dat de nacht al gevallen was. Zelfs weet ik nu niet eens meer of ik daar, op die hofstede, wel aanwezig was. Als dat laatste het geval was, dan moet het de zoveelste keer zijn geweest tussen mijn bezoeken aan het gerechtelijk archief door.

Teuntje had zelfmoord gepleegd en Oolsdorp leefde, en ik wilde hem dat kwalijk nemen en had hem gevraagd of hij vaak aan de dood dacht. Terwijl ik natuurlijk heel nuchter naar zijn versie van het verloop van het proces en de daaraan voorafgaande gebeurtenissen had moeten vragen. Al kan ik achteraf en met enige trots niet ontkennen dat juist die vraag naar de dood de zekere weg was naar de waarheid, die ik ontdekken wilde, al had ik op dat moment nog geen idee van welk gehalte die waarheid zou zijn. Die van de volstrekte leugen misschien wel.

Tot die gedachtegang liet Oolsdorp mij voorlopig niet komen. Toen kon ik me alleen realiseren dat hij in mijn ogen zo zoetjesaan de gedaante begon aan te nemen van de meest genadeloze beul – dat wil zeggen de omslachtigst opererende – die ik me maar kon voorstellen.

'Ik aan de dood denken?' jubelde hij bijna. 'Geen moment in mijn leven. Maar de dood denkt wel aan mij. Dat is dezelfde zaak vanuit een geheel ander perspectief gezien. Dat van de thuiskomst namelijk. In de Bomenbuurt geboren, begrijpt u? Dan is thuiskomen nog eens iets anders dan wat men daar gewoonlijk onder verstaat. Ik bedoel, niet het thuiskomen in de Bomenbuurt. Acaciastraat, Iepenstraat, Berkenstraat... namen die niets te betekenen hebben dan de verschrikking die ze uitdrukken, zodat men naar een ander soort thuiskomst verlangt. De thuiskomst in een straat zonder naam. Daar heb ik het over, mijn beste Van de Bode. Eeuwige rust, eeuwig thuis... Maar altijd zal het toch weer die Bomenbuurt zijn, waar mijn vader huisschilder was en mijn moeder een overspelige soubrette. En ik maar verlangen naar een leven waar andere geveltjes geschilderd werden, andere deuntjes gezongen... Om uiteindelijk praktizijn te worden. Wat op zich geen onnut vak is. Maar toch, het ligt te dicht bij de Bomenbuurt, waar het vervullen van de kleine plichten de grote roeping overwoekert. De hele wereld had men willen redden... een enkeling desnoods. Men heeft tenslotte niets anders dan zijn boekhoudkundige plicht gedaan. "Gelukkig maar," zult u zeggen en dat is heel realistisch opgemerkt. Maar toch ook erg ontmoedigend.

De Bomenbuurt, ja, daar had ik het over. Daar waar in iedere boomtak het doodsvogeltje zingt. Ja, ik heb het gehoord, dat vogeltje, nog lang voor de huisarts mij naar de cardioloog verwees. En ik heb het gezien. En ik zal u vertellen hoe het eruitzag. Als een rachitische dwerg, mijnheer. Een dwerg met een nierprobleem, een aan een dialyseapparaat geklonken gnoom.'

Ik opperde de naam van een bekende televisiepersoonlijkheid.

Oolsdorp grijnsde bitter. 'De rouwclown van de beeldbuis.'

'Dat is tegenwoordig een serieus beroep, mijnheer Oolsdorp. Ze noemen zich "funerair humorist".'

'Dat bedoel ik en ik kan me niet aan de indruk onttrekken dat u er zélf een van dat kaliber bent. Met dien verstande dat u een rouwnagel aan mijn doodskist wilt zijn. En de grafhamer tevens. Ha-ha, hoe vindt u die... een grafhamer. Dat kan er nog wel bij in deze tijden van rijksgesubsidieerde innovatie voor minderheidsgroepen. Een grafhamer. U. U hebt immers zelf toegegeven de kist van uw moeder te hebben dichtgespijkerd terwijl ze naar alle waarschijnlijkheid nog een kaartje zat te leggen met de medebewoners van Vitae Vesper, Avondrood of Elim. U hebt mij krankzinnige verhalen opgedist over een derderangs journalist die door de krochten van Haarlem kroop, die niet eens bestaan, op zoek naar schimmen die hij zelf heeft opgeroepen. Die journalist is een Albert tegengekomen, een brave sukkelaar die er later met de vrouw van de journalist vandoor zou zijn gegaan. En u hebt die larmoyante situaties alleen maar in het leven geroepen om bij mij binnen te dringen. Als een worm in de appel van mijn verdriet. En waarom? Om de rechter over mij te spelen? U, die van uw leven niet meer hebt weten te maken dan een banale kruisweg, beginnend bij uw schamele ambities en eindigend bij een oude man op een boerderijtje in Angerloo. Maar als rechter, mijnheer Van de Bode, zit u achter de verkeerde haas aan. U had dat domme schrijvertje moeten blijven dat u had willen worden. Dan had u waarheid en leugen, ambitie en teleurstelling rustig met elkaar kunnen blijven verwarren en zou niemand u op vals spel betrapt hebben. Als rechter blijken uw ambities te verreikend. De rechter heeft namelijk geen andere doelen voor ogen dan een oordeel uit te spreken dat hem binnen de grenzen van de geschreven kortzichtigheid is toegestaan. Toch, onderschat u dat ambt niet. Het wekt de vleermuis in de mens, zoals dat rare pakje dat de rechter draagt al te vermoeden geeft. Heeft híj koppijn, dan wordt ú tot drie jaar veroordeeld; volgt híj een chemokuur, dan stuurt hij ú naar de galeien; en heeft hij goede zin, wel, houdt u dan helemaal vast – dan drijft hij u de zelfmoord in. Ik weet waar ik het over heb, mijnheer Van de Bode. Ik ben praktizijn geweest en ooit getrouwd met een vrouw die leefde in het licht van de gerechtigheid. Bovendien heeft de medische wetenschap, zoals ik u al eerder verteld heb, altijd mijn warme belangstelling gehad. En ik kan u verzekeren, er is op de wereld geen ziekere mensensoort dan de magistratuur. Is het de zittende, dan heeft zij pijn aan haar voeten; is het de staande, dan heeft zij last van aambeien. En tot overmaat van ramp kan ik u melden dat het met de advocatuur al niet veel beter is gesteld. Het lijden van de magistratuur is endemisch en slaat over op allen die met haar in aanraking komen. Neemt u mij nou...'

'Uw hart... uw hart... ik weet het.'

Door de krochten kroop ik, al wist ik niet langer door welke. En de schaduw die mijn eigen gestalte tegen de wanden projecteerde, waren dat nog wel emanaties van mijzelf? En welke krant dacht ik hier eigenlijk nog te vertegenwoordigen? Oolsdorp had natuurlijk gelijk gehad toen hij de naam van Hüsstege had laten vallen. Pas toen ik diens naam in de verslagen was tegengekomen, was ik mij werkelijk voor de zaak gaan interesseren. De goede, brave Albert die hij gebleken was te zijn. De dief van mijn gemoedsrust. Maar goed, meer heeft hij me niet ontstolen. Met Oolsdorp blijkt het een andere zaak. Die is er, in de aanvankelijke schemer van een winteravond, in geslaagd me de poolnacht in te lokken. Waar het duisterder is dan in de diepste gangen onder het Haarlemse.

Ik heb me over laten halen tot een wandeling die ik niet begeerde, naar een doel waarvan ik het bestaan niet vermoeden kon. Er staat een ijskoude wind en ik heb me er niet op gekleed. Terugkeren is niet meer mogelijk. Oolsdorp heeft me in zijn houdgreep. Bij iedere poging tot verzet voel ik zijn greep krachtiger worden. Ik had me warmer moeten aankleden, dat is de enige gedachte waar ik nog toe in staat ben. En of de metertjes van mijn Uher nog uitslaan, of het opnamelichtje überhaupt nog brandt? Ik had me warmer moeten kleden. Maar toch, als je eenmaal op weg bent en je je niets aantrekt van de fysieke beperkingen – pompt het hart nog wel, zwellen de longen nog, hoe staat het met het neurologisch systeem? – dan begin je al te zweten en krijg je het ondraaglijk heet. Vanuit de gangen waaien je koude windstoten tegemoet. Je gezondheid hangt aan een zijden draadje, maar je voelt je kiplekker. Toch is er maar een klein duwtje nodig om je te laten omvallen. Manmoedig houd je je staande op de stutten van de taal. Je voelt de hete adem van Oolsdorp in je nek. Oolsdorp die je tot iets dwingt, al weet je zelf niet tot wat.

Je artikel, dat wel zal uitdijen tot een reportage in vele afleveringen, moet af. Daarna wordt het op de mestvaalt geworpen en begint het te stinken. Zoals alles begint te stinken omdat het bederf al in de kiem aanwezig is. Mijn chef zal zeggen dat het onzin is, dat artikel van mij, geleuter. Dat alles wat ik in die lange, moedeloze jaren geschreven heb onzin is geweest, gezwets. En hij heeft gelijk. Al die jaren hebben me bedrogen omdat ik mezelf bedrogen heb. Die jaren lachen me uit, kotsen me uit als een onverteerd leven. Het is niet ten volle geleefd. Het lijden heeft er geen toegang toe gehad. Ik heb het leven van een verwaten creatuur geleefd wiens ambities, hoe gering ook, voldoende waren om de gebreken te rechtvaardigen. *Gewalt*!

Oolsdorp zit weggedoken in zijn fauteuil inmiddels, de ingevallen kop tussen de schouders getrokken, terwijl hij af en toe treiterig met de pantoffel aan zijn voet speelt. Hij observeert me. Met een dun glimlachje op dat smoel van 'm. Dat denk ik tenminste, want zien kan ik niets. Het is donker in de kamer. Of het rode lampje van mijn bandrecorder nog brandt, wil ik niet eens meer zien. Wél gloeit het groene oog van de radiogrammofoon, die ergens in een hoek staat opgesteld. 'Telefunken,' mompel ik, om toch iets te zeggen, 'of is het een Erres?'

'Een Loewe Opta,' zegt hij, 'hetzelfde merk als van mevrouw Goldschmidt. Want,' vervolgt hij, 'wat is er mooier dan een verleden gemeen te hebben? Het vervelende is alleen dat niemand iets met iemand gemeen heeft. Als je dat eenmaal begrepen hebt, dan is zo'n meubel, hoe monsterachtig ook, een hele troost. Vindt u ook niet, mijnheer Van de Bode?'

'Wandelaar, mijnheer Oolsdorp, ik heet Wandelaar.'

Toch ben ik daar niet zo zeker meer van.

'U hebt geen kinderen, nietwaar?' klonk het uit het duister. 'Dat is heel verstandig van u. Al weet ik heel zeker dat u ze had willen hebben. Al was het maar om dat lammenadige huwelijk van u in stand te houden. Nu goed, als men geen zinnige motieven kan bedenken, dan zijn de onzinnige even deugdelijk. Als ik nog één keer op mijn ervaring in Aken mag terugkomen... Weet u wat mijn eerste gedachte was toen ik de hemel in vuur en vlam zag staan? Ik dacht: als nu mijn laatste uur geslagen heeft, dan ga ik kinderloos het graf in. Dan ga ik niet "gentle", zoals u dat eerder in dit verslag heeft genoemd, "into that good night", dan zal ik, zoals de dichter voorschreef, toornen tegen het sterven van het licht. Ha-ha, en dat juist op het moment dat het opflakkerde als het hellevuur. Ik was natuurlijk nog een snotneus, nog niet eens oud genoeg om stante pede naar het concert van de Stalinorgels te worden gejaagd. Maar evengoed, mijnheer Wandelaar... De koorts had me te pakken. Dezelfde koorts trouwens die mijn achteraf zo te betreuren keuze heeft bepaald.'

Ik maakte een vergoelijkend gebaar. Hij kon het niet gezien hebben.

'Ja, ja, ik weet wat u zeggen wilt. Er waren er veel in die tijd die het te pakken hadden. Het aandoenlijke verhaal over Habraken, zoals u me dat geschilderd hebt, is me niet ontgaan. En ik moet zeggen, het klonk heel wat ontroerender dan ik het in de rechtszaal heb horen recapituleren. Juristentaal is nu eenmaal vleermuizentaal – gepiep dat tegen de muur kaatst met geen ander doel dan de heren rechters enige oriëntatie te verschaffen. Een stenografisch verslag in braille. Terwijl het uiteindelijk de leugen van het ware leven is die een verhaal kleur geeft. Ik moet toegeven, ik was werkelijk geroerd door uw gloedvol betoog. Ik had die arme Habraken wel op de schouder willen tikken om hem te zeggen: "Laat u niet door die Wandelaar meeslepen, hij voert u alleen maar het duister van zijn verbeelding in." Maar wie ben ik om aan zo'n sprookje van menslievendheid een einde te maken? Temeer daar u zelfs mij van een heimelijke kinderwens voorzien hebt. Nobel van u, mijnheer Wandelaar, zeer nobel. Maar houdt dat in dat ik ook de rest van mijn bekentenissen aan uw plan zal moeten aanpassen? Wie zou in dat geval en vanaf dat moment in wiens verbeelding rondlopen? Zullen we het maar bij de simpele waarheid houden?'

Om te beginnen met het feit dat de oude Schrader, de kantonrechter, ergens onderweg, op zoek naar een paraplumaker of manchetknopenfabrikant, was overleden. Nu ja, overleden... Gestikt in zijn gram over een tijd die zich niet meer wilde voegen naar zijn opvattingen. Gestikt ook in zekere geheimen die hij zijn rechtersleven lang onder de matras van zijn notabiliteit verborgen had gehouden. Een matras waarvan de springveren hem danig in het vlees moeten hebben geprikt.

De paraplumakers en de knopenboeren waar hij, tot nauwelijks verholen hilariteit van zijn omgeving, zo luid om geschreeuwd had, bleken nog wel degelijk te hebben bestaan en hij wist dat. Ze oefenden hun nering uit in de Bakenesserbuurt, niet eens zo ver van het kantongerecht gelegen. In hun etalages brandde rood licht en ze gingen gekleed in jarretels en broekjes zonder kruis. Voor Schraders genoegen wilden ze zich nog wel eens in minder conventionele dracht steken. Dan kwamen er hooggehakte, tot aan de liezen reikende laarzen aan te pas, leren korsetjes en van venijnige haakjes voorziene zwepen. Onder het aanroepen van alle heiligen die zijn jongste dochter voor zijn geestesoog had opgeroepen, knielde hij dan voor de dames neer en liet zijn rug tot bloedens toe bewerken. Wat ook wel een van de redenen zal zijn geweest dat hij en zijn vrouw al lange tijd gescheiden sliepen.

Zo was hij van de eenvoudige ambachtslieden bij de meer geacheveerde *artisans* verzeild geraakt. Dat waren lui die je in heel Haarlem niet kon vinden en voor wier diensten hij naar het verre Amsterdam moest. Wat in ieder geval als voordeel had dat zijn anonimiteit er des te beter gewaarborgd was. Daar, in Amsterdam, had men de ultraviolette tl-buizen al uitgevonden, wat de sluwe magistraat tot duizelingwekkende voorstellen omtrent de enscenering van zijn privé-theater bracht. Adembenemende tournures in de roomse ritus van transsubstantiatie, kruisiging en verrijzenis, die hem na afloop van de sessies suizebollend, ja, bijna beschonken huiswaarts deden keren. Lange, martelende tochten in een coupé eerste klasse. Martelender wellicht nog dan de sessies zelf, omdat hij zich pas dan het hoe en waarom van zijn omzwervingen begon af te vragen. Dan zag hij in zijn verbeelding niet alleen het verwijtende gezicht van zijn vrouw voor zich opdoemen, maar ook dat van zijn jongste dochter, alsof tussen die twee een verbond was gesloten waar hij de vinger niet op kon leggen. En naarmate de jaren verstreken, zijn vrouw zich verder in zichzelf terugtrok, zijn dochter dieper verdwaalde in de doolhof van haar eigen angsten en verwachtingen, raakte hij onontwarbaarder verstrikt in die wereld aan de andere kant van het recht, waarin alleen nog de anarchie van de teugelloze lust heerste, waar gekners van tanden klonk en op tongen werd gekauwd. Een wereld die, vermoedde hij vaag, niet ver van die van zijn dochter verwijderd was en alweer vroeg hij zich dan af in hoeverre zijn vrouw en dochter in vereniging voor zijn – voor ieder verborgen – teloorgang verantwoordelijk waren. Hoe lang hield men zo'n leven vol, waarin men met de ene hand verdedigde wat men met de andere verkwistte? Met andere woorden: hoe kon men leven met een leven dat haaks op zichzelf stond; waarin recht voor genade ging, terwijl men als privé-persoon nu juist zo naar die genade hunkerde? Een genade die hij diep in zijn hart als een hem persoonlijk geschonken koninklijk prerogatief beschouwde. Waaraan hij zijn status ontleende.

Dat zijn dochter Antoinette, zijn geliefde Teuntje, het kind dat het meest op haar moeder leek, al meerdere keren wegens winkeldiefstal en gesjacher met verdovende middelen veroordeeld was geweest, was zuur, maar te overleven. De mores in zijn milieu waren zodanig dat hem dat niet persoonlijk werd aangerekend. Maar daarnaast liet men de blikken wel tersluiks op Julia vallen, en daar stak het probleem. Venijniger dan hij zichzelf wilde toegeven. Daar stak niet alleen het probleem met Teuntje, maar ook dat met hemzelf. In zijn keuze destijds voor Julia had hij tegen zijn eigen milieu gekozen, tegen de prerogatieven. Het was de doorn in zijn vlees geweest die hem daartoe gedwongen had.

Al vanaf hun eerste ontmoeting – hij was nog maar kort afgestudeerd en net aan zijn stage bij de rechtbank begonnen – had hij geweten dat hij zich met Julia ver buiten de door hem gekende domeinen begaf. Want al mocht ze dan over een oudoom beschikken die haar de adelsbrieven tot het rijke roomse leven had verschaft, de man was achteraf een convertiet gebleken. Terwijl de zaken er waar het de directe afstamming betrof nog veel troebeler voor stonden. Julia zélf had er altijd omheen gepraat, maar ze was, of ze nu wilde of niet, een geboren Goldschmidt, een muzikantendochter. Salonmuziek had haar leven bepaald. En ofschoon dat binnen het rechtersgezin en daarbuiten altijd een diep bewaard geheim was gebleven, was dat nu juist de reden geweest waarom Schrader zich aanvankelijk tot haar aangetrokken had gevoeld. Het moet iets met transsubstantiatie te maken hebben gehad. Met een donker ruisen dat hij door zijn en haar aderen meende te voelen stromen. Dat kwam, hij had als student nogal wat boeken van Hanns Heinz Ewers gelezen en daarbij een duistere notie opgedaan van erfschulden en streptokokken die het bloed belaagden, en het was nu juist die duisterheid waardoor hij geobsedeerd was geraakt. Ook had hij zich in diezelfde tijd verdiept in het leven van Ignaz Semmelweis, de arts die de ultieme waarheid omtrent de medische hygiëne alleen had kunnen bewijzen door zichzelf met het virus van de kraamvrouwenkoorts te besmetten. Die Semmelweis was de man geweest die zijn, Schraders, opvattingen omtrent het recht en de gerechtigheid op een metajuridisch niveau had bevestigd. In samenhang met de juridisch-ethisch gesproken heel wat onzuiverder Ewers had hem dat tot een aanzoek aan Julia gebracht. Waarna Ewers uit zijn boekenkast was verdwenen ten faveure van oprecht katholieke auteurs en zijn bezoeken aan de hoeren een aanvang hadden genomen. 'Ja, ja, Schrader, troublesse oblige,' had een studiekameraad hem ooit eens voorgehouden. Om die opmerking had hij nooit kunnen lachen.

Julia, ach Julia... die was roomser gebleken dan hij ooit had kunnen worden. In hoeverre had zij zich geleend voor het troebele spel dat hij in zijn huwelijk had gespeeld? Het was iets wat hij haar nooit had durven vragen. Toen hij aan die vraag toe was – ongeveer in die tijd waarin zijn Teuntje zich, godbetert, over een Afrikaantje had ontfermd – had hij zijn laatste adem uitgeblazen. Opgebrand aan een wereld waar de grond hem te heet onder de voeten was geworden. Hij had er geen plaats weten te vinden voor de wensen en verlangens die hem nog meer beangstigd hadden dan die wereld zelf.

De geestelijke die hem de sacramenten van de stervenden kwam toedienen, deed dat in het Nederlands en het feit dat de priester zei een gebed van Huub Oosterhuis te zullen lezen, verschafte hem nog minder soelaas. Eduard Schrader ging de dood in met de stank van de hel in zijn neusgaten en zijn enige troost was dat men in die hel misschien nog het Latijn uit zijn jeugd zou spreken.

Aan zijn graf stonden Julia, Pieter en Barber. Onder de verdere aanwezigen bevond zich Bernhard Oolsdorp, die menig appeltje met Schrader geschild had.

Terwijl haar vader in de grond lag weg te rotten, bouwde Teuntje de muur rond haar en Jefke hoger en hoger. Om gevrijwaard te zijn van de stank die ze overal om zich heen rook. De stank van kaalkoppen en politieagenten. De stank van slagers en schuldeisers, die van dignitarissen en deurwaarders, van zittende en staande magistratuur, van rabiaten en socialen, van wereldverbeteraars en opportunisten, van mannen met driedelige pakken en mannen in gerafelde spijkerbroeken, van vrouwen in deux-pièces en meisjes in tuinbroeken.

Ze zweven allemaal boven de afgrond, wrokte Teuntje, en toch slaagt de een er altijd weer in de ander naar beneden te trappen. Er is geen mens die zijn plaats nog kent in dit bestel.

Ze trok een kam door Jefs weerbarstige haar, dat aanvoelde als prikkeldraad en dat haar bij iedere aanraking een schok bezorgde. Jij en ik, dacht ze, wij gaan niet door de knieën. Als je iemand hebt gevonden met wie je voor altijd samen wilt blijven, dan wil je hem bezitten; dan moet hij je eigendom worden, dan moet je muren om hem heen bouwen tegen de eindeloze onbeschaamdheid die het leven blijkt te zijn.

Dat ze zo dacht kwam doordat het al zo lang, zo godvergeten

lang, geleden was dat ze van haar God vernomen had. Vanaf de dag dat haar vader gestorven was had die God zich teruggetrokken in hooghartig zwijgen. Ze wist wel waarom. Omdat ze de dode geen eer had bewezen en daarmee hem ontkend had naar wie ze haar leven lang gehongerd had. Het lam dat de zonden van haar zou wegnemen. Eigenlijk al vanaf het moment dat ze Jefke had, had ze een weerzin tegen het lam ontwikkeld en tegen het bloed dat het eiste. De huiver was in haar leven getreden en dat was een huiver tegen alles wat hij geschapen had. Behalve Jefke, die was niet door hem geschapen. Jefke was haar geworden door een andere macht dan de goddelijke. Jefke zélf was het lam. Met tranen in haar ogen herinnerde ze zich een bidprentje waarop de heilige Agnes een lam droeg, een lam zo wit en zuiver dat het wel van zijn eigen wol gemaakt leek.

'Jefke...' zei ze, terwijl ze een trui over zijn hoofd trok of zijn natgeregende broek naar beneden stroopte, '...Jefke...' Verder wist ze het dan ook niet. Ze wist alleen dat het haar Jefke was en dat er ooit een onverlaat in haar wereld was gekomen die hem had willen weggoochelen met aan de wielrennerij ontleende toverformules. Ze had de man, al was hij geen Habraken geweest, gemogen. Niet meer dan dat. Al was dat al meer dan ze aan gevoelens jegens wie dan ook had kunnen opbrengen.

Teuntje werd gekweld door gevoelens van neerslachtigheid. Ze wist dat er in haar leven iets vervuld moest worden. Maar wat?

Zij die een antwoord op die vraag meenden te hebben, waren in groten getale komen opdraven. Ze hadden haar overweldigd, wat met die vervulling niets te maken had. Ja zeker, na Albert Hüsstege waren er meer geweest. De dignitarissen, de slagers, de driedelige pakken, de socialen en de magistraten. En allen hadden ze, ieder op zijn manier, haar Jefke proberen weg te toveren. De een met vrome spreuken, de ander met een hardnekkig stilzwijgen, maar allen met de scheve blik van de schuldigen. Allen met het meestal onuitgesproken excuus van

Jefkes verwekker op de achtergrond. Dat zij, Teuntje, met een... nu ja, een diplomaat, maar toch... Er kleefde iets onreins aan haar. En al was het nu juist dat bezoedelde dat hen aantrok, het was de tegenspraak in haar zelf die hen weer afstootte. Al kregen ze de tijd niet zich dat te realiseren. Tegen de tijd dat ze daar aan toe waren, had ze hen al weer aan de deur gezet. Zodat ze, op weg naar parkeergarage of troostbrengend café, vanuit de Vrouwestraat, waar ze nog steeds woonde, door de Korte Begijnestraat moesten, waar ze, na vijf gulden in een automaat te hebben gegooid, een tourniquet mochten passeren om alsnog hun heil te vinden bij de inmiddels ordelijk en hygiënisch gehuisveste hoertjes. Want, ja, ook in de Begijnebuurt waren de zeden veranderd. Kijken was niet meer gratis en neuken mocht je alleen nog met een condoom. De hele wereld leek verder uiteen te vallen naarmate de pogingen krampachtiger werden de samenhang te handhaven.

Vanaf het Spaarne klonk het melancholieke getoeter van passerende schepen. In het duivenhok van de groenteboer koerden de duiven. Vanuit de garage van Leens Lelijke Eendenfarm klonk het amechtige gehijg van een net niet aanslaande automotor. Jefke lag languit op zijn buik in de woonkamer en joeg met veel geweld een kudde marsbewoners op. Het spelletje had een naam, maar verder dan de gedachte dat het een computerspelletje was kon Teuntje niet komen. Ze wilde het ook niet. Want welke naam ze het ook zou geven, het waren altijd namen die er op duidden dat ze ooit afscheid van Jefke zou moeten nemen. Het kind, had ze begrepen, stond op het punt de wereld te aanvaarden zoals deze was, en dat betekende het begin van verwijdering. Tussen haar en het koekoeksjong dat ze had grootgebracht. Dat ze daadwerkelijk met haar eigen bloed gevoed had. (Hier verloren de processtukken zich in een oudtestamentische wirwar van spraak-, taal- en stijlverwarring waarin de ene notulant kennelijk kool en geit had proberen te sparen, terwijl een andere zich te buiten leek te zijn gegaan aan persoonlijke, dikwijls nogal freudiaans aangedane interpretaties, terwijl weer een andere naar zekere Amerikaanse televisieseries leek te verwijzen waarin 'krachten uit een niet-waarneembare wereld' hun invloed moeten hebben laten gelden.)

Jefke zat nu in groep acht van de basisschool en kwam thuis met verhalen zoals Teuntje die eertijds van haar broer Pieter en haar zuster Barber had gehoord. En ze hoorde ze met even grote verbazing aan, omdat ze die geschiedenissen nu eenmaal niet uit eigen ervaring kende. Als kind al had ze zelf te zeer naast het gewone leven geleefd om er meer van te begrijpen dan haar door schuld- en verlossingsgevoelens omwoelde brein haar te begrijpen had gegeven. In zekere zin waren Jefkes verhalen haar te klein, te gering om de gevoelens te voeden die ze voor hem koesterde. Zoals hij wegdreef van háár, zo dreigde zij weg te drijven van hém. Verraad lag op de loer en ze wist niet van welke kant het kwam. Het was de verlatenheid. Ze had zonder haar God willen wandelen omdat haar Jefke haar genoeg was.

Er waren nachten dat Gerard, slechts gekleed in zijn legergroene ondergoed, door haar gedachten spookte. Dan hield ze hem staande en vroeg hem mee te gaan naar die keuken aan de Pijlslaan, waar ze ooit – hoe moest ze het zeggen? – gelukkig met hem was geweest. Als hij haar verhalen vertelde over Voronezj, waar hij aan bloeddoorweekte oevers van de Wolga... Of over Bab el Oued, waar hij met het roestrode zand knarsend tussen zijn kiezen en met de bajonet in de aanslag... En dat ze dan het gejammer van de opgedrevenen hoorde en het gebrul van de gemassacreerden en dat ze dan aan zijn lippen had gehangen. Zoals hij daar zat, in zijn ondergoed, aan het formica tafeltje, waarop nog een half gevuld flesje bier had gestaan, terwijl de lege flesjes in slagorde op het aanrecht, links van hem, stonden en hij moeizaam overeind was gekomen om de fles whisky uit de koelkast te halen, omdat hij zonder whisky niet in staat was zijn moeizame missies in de verre buitengewesten van de beschaving te voltooien. Daarbij had ze de culpa, de maxima culpa, de overgrote schuld in zijn ogen gelezen. In zijn troosteloze, verbitterde verhalen had ze de vraag om verlossing gehoord. Ja, dat waren de momenten dat ze bijna gelukkig was geweest omdat ze haar hang naar het onbenoembare hadden gevoed. Uit die eindeloze, schuldbeladen litanieën was uiteindelijk de gestalte van het kind opgerezen. Het kind van de wasvrouw, dat háár kind was geworden omdat echte wasvrouwen tot dat sprookjesland hoorden dat allang achter de horizon was verdwenen. Zoals God verdwenen was.

Een baliemedewerkster van stomerij Sassen als moeder van Jefke was overigens een gedachte die Teuntje nog meer benauwde dan de wurgende melancholie van de verdwenen sprookjeswerelden. Daarom ook had ze zich nooit een voorstelling van Djamila gemaakt en had ze met Jefke ook nooit over haar gesproken. Ze wist dat hij, op weg naar de school aan het Houtmanpad, als hij met zijn fiets de route over de Zijlweg nam, langs het nog steeds bestaande stomerijbedrijf kwam. Maar met geen woord had ze er ooit tegenover hem van gerept. Tegenover Jefke durfde ze niet te reppen van het ijle wit van de pasgewassen en versgestreken lakens waartussen hij verwekt was. Dat wit was een vloek.

Lamlendig kroop Jef overeind en kondigde aan buiten te gaan spelen.

'Moet je je computerschijfjes niet eerst opruimen?'

Het kind haalde onverschillig de schouders op.

'Je moet niet denken dat ik eeuwig de troep achter je kont blijf opruimen.'

'Zal me een rotzorg wezen.'

'Een beetje meer respect voor je moeder zou je anders wel sieren.'

'Je bent mijn moeder niet eens.'

'Waar haal je dat soort idiote verhalen nu weer vandaan?'

Jef trok de capuchon van zijn trainingsjack over zijn kroeskop en keek haar somber broedend aan. Op het zwart van zijn jack stond, in iriserend geel, het woord 'SWOOSH' geblokletterd. Ze begreep niet wat dat te betekenen had, en wist niets beters te zeggen dan: 'Ik wist niet dat je hier vriendjes in de omgeving had.'

Ze zag zichzelf oud worden en ze had niets liever gewild dan met hem samen oud te worden. Om samen met hem over zijn vader te praten. Om als hij daar oud genoeg voor zou zijn – pedagogisch gesproken was ze niet geheel onbekwaam – met hem naar verre oorden te reizen, ver van de Begijnebuurt en de koninginnenscholen en de bebaarde leerkrachten en de reikimoeders en de glurende heren, de krachteloze acteurs met hun bleke kinderen die spelen dat alles wat gebeurt gewoon is, terwijl alles in werkelijkheid van een geheime huiver doortrokken is. De huiver waarvan ze haar Jefke deelgenoot wil maken. Haar Jefke, die ze mee wil zuigen in het diepste van haar schuldige slaap. De slaap waarin ze met hem de dromen wil delen die ze van haar vader geërfd heeft en waarin de bok van Mendes met het lam slaapt.

Ze schrikt op uit haar overpeinzingen omdat haar vader voor de gestalte van Gerard is geschoven. Het liefste wat ze wil is haar kind haar verontschuldigingen aanbieden. Voor hem op de vloer knielen, haar armen rond zijn benen slaan, met haar haren het stof van zijn soldatenkistjes wissen, de beplate schoenpunten laten glanzen van haar tranen. Maar het kind heeft de deur al achter zich dichtgeslagen. In de verte, ergens ter hoogte van de Bakenesserstraat, hoort ze zijn stem die roept: 'Hé, Danny, heb je nog geneukt vandaag?' En Danny, die met zijn al brekende stem iets terugroept wat ze niet kan verstaan omdat ze het niet wil verstaan.

Ik moet hem loslaten, denkt ze. En ze troost zich met de gedachte daarmee misschien wel haar hemelse bruidegom terug te kunnen winnen. Want eenzaamheid, denkt ze, is een erg ding.

DEEL III

9

Heen en weer reizend tussen Haarlem en Angerloo. De ene dag de stukken bestuderen, de volgende luisteren naar Oolsdorp. Hem met de stukken confronteren. Zijn reacties op de band registreren. Of niet. Het is een verhaal dat zich zo zoetjesaan zelf aan het schrijven is.

Mevrouw Irmgard, die af en toe vanuit het duister opdoemt, een hand op Oolsdorps schouder legt of hem door het haar strijkt. Ooit heeft ze zich Julia laten noemen. Het is of die naam uit haar leven verdwenen is. Of dat verdwijnen een wedergeboorte heeft ingeluid.

Oolsdorp wipt met zijn pantoffel. Geen socialer mens dan Oolsdorp. Een mensenvriend. Geeft kappers een fooi, en het personeel van het plaatselijke eethuis. In de herfst gaat hij jagen met de vrienden die hij in Angerloo heeft opgedaan.

'Louter nette mensen,' zegt hij. Hij vraagt of ik niet eens mee wil op de vossenjacht. Ik ben toch verslaggever? Dan moet ik nu mijn kans grijpen. 'Over een jaar of wat is het gedaan met de vossenjacht. Dat hebben ze daar in Den Haag bedisseld. Waar ze alles bedisselen. Waar ze je de dood in de schoenen schuiven nog voor je eraan gesnuffeld hebt. Aan die dood natuurlijk. Parfumeurs daar in Den Haag die nog nooit de koeienstront van het ware leven hebben geroken.'

Mevrouw Irmgard kijkt lichtelijk geamuseerd neer op zijn kalende schedel met het piekende haar. Ziet zijn ingevallen gezicht met de diepliggende ogen, de neus als van een havik, het vermoeden van een ooit wilskrachtige kin. Koenraad van de arbeidsdienst. Geloogd door het zout der tijden. Een ongezonde man met een hart dat niet meer wil. Die zijn hart de sporen geeft om het voort te jagen omdat hij bang is voor de dood. Daarom ook beperkt hij zijn tirades niet tot de socialisten en de pacifisten, de 'milieugestoorden', zoals hij ze noemt, de 'zogenaamde liberalen', de 'grootkapitalisten' en de 'kleingrutters', 'de spekslagers en de spekkopers, heel die wezenloze rimram van graaiers en snaaiers en stadsproleten uit de grachtengordel en het schorriemorrie uit de buitenwijken, het jeugdig geteisem dat de straten onveilig maakt, en de leerkrachten die daar een premie op zetten omdat "assertiviteit" nu eenmaal het toverwoord van deze tijd is'. Maar die, als het zo uitkomt, zijn woede ook richt op zijn beste vrienden: de herenboeren en notabelen uit Angerloo die zich nog heer en meester wanen op een platteland dat ten dode gedoemd is.

'Want ziet u, mijnheer Wandelaar, als je zelfs geen vossen meer mag jagen, dan worden de kippenhokken geplunderd en zoeken de wolven hun heil op de akkers. Vertelt u mij wat. Als ik geen praktizijn was geworden, had er een groot ecoloog in mij gestoken. Ik ben altijd een mens geweest met een diepgaande belangstelling voor het milieu. En niemand dan ik is in staat beter te zien hoe het land naar de bliksem gaat. Het platteland welteverstaan, de rest doet er niet zo toe. Die rest was al brak nog voor hij boven het water verrees. Maar als het platteland verkommert, dan verkommeren de bewoners mee. Dan beginnen ze een Etos-winkeltje, een Blokker of een Zeeman, een kampeerboederij, een bungalowpark of een manege voor die verwende teven uit de stad die, met derlui vagijnen vol tampons gestampt, met hun dikke konten op een paard gaan zitten. Waardoor de kwaliteit van het ras, dat van de paarden uiteraard, zienderogen achteruitholt. Zwakke ruggen... let u maar eens op, mijnheer Wandelaar, de degeneratie van het ras wordt het eerst zichtbaar in de kwaliteit van de rug. Waarom anders denkt u dat de hele Engelse adel met ruggenmergtering loopt? Waarom anders denkt u dat er geen gezonde herdershond wijd en zijd meer te koop is? Het zijn de ruggen die het het eerst begeven. Dan volgt het platteland, waar ze, in navolging van de stad, aan echtbreuk gaan doen, aan huwelijksbedrog, partnerruil. Kerels die hun vrouw de kont toekeren om door haar genaaid te worden. En reken maar dat ze het lekker vinden. Die wijven zo goed als die kerels. En wist u dat de godemiché een Arabische uitvinding is? Welnu, dan hoef ik toch niet verder uit te weiden?'

Et cetera en ad infinitum. Nachtenlang. Soms afgewisseld met een terloops terzijde naar 'de zaak', naar Teuntje, wier naam hij overigens zorgvuldig vermeed te noemen. Waarschijnlijk omdat hij altijd mevrouw Irmgard in zijn aanwezigheid wist of vermoedde.

'Neem nu het Friese volbloed...'

'Bennie...'

Dan greep hij haar hand, streelde de rug ervan en zei: 'Maar je wilt toch niet dat ik het dáárover heb?'

Maar misschien wilde mevrouw Irmgard dat nu juist wél. Dat hij eindelijk sprak over wat hem en haar benauwde. Waarover te spreken zij nog minder de moed leek te hebben dan hij. Daarom had zij bemiddeld in mijn bezoeken aan Oolsdorp. Het was haar niet om de 'Hofball-Tänze' te doen geweest, noch om de halsbrekende toeren van 'Eisele und Beisele' zoals zij die voor mijn neus opvoerden. Het was hún 'G'schichten aus dem Wienerwald' die ze me wilden laten horen. Gezongen op het ritme van de wippende pantoffel. Onder het meedogenloos starende, groene oog van het Loewe Opta-meubel, dat om de drie minuten een schijf schellak naar beneden kon laten donderen.

Nee, het was niet met die rachitische dwerg begonnen. Die was pas later in het spel gekomen. Toen er al niets meer te redden viel, zoals hij me later nog hoopte duidelijk te maken. 'Dat soort mediamieke mongolen daagt altijd pas op als het kalf al verdronken is.'

Oolsdorp grijnsde en zocht naar mevrouw Irmgards hand, die hij op dat moment zo gauw niet vinden kon. 'Wilt u zo vriendelijk zijn,' vroeg hij mij, 'die schemerlamp daar even aan te doen? Ik kom wat ongemakkelijk uit mijn stoel, zoals u al gemerkt zult hebben.'

Het was een lamp uit de tijd van Loewe Opta en wellicht nog vroeger: een staande lamp met een perkamenten kap boven een getordeerde houten poot.

Ik weet niet waarom ik dit onzinnige detail in mijn verslag heb ingevoegd. Misschien wel om de aandacht af te leiden van het feit dat de aanleiding tot het hele drama, vanuit Oolsdorp gezien, een bericht in mijn eigen krant, de *Kennemer Bode*, was geweest. Niet meer dan een fait divers op een van de stadspagina's. Door mijzelf nota bene geredigeerd aan de hand van het dagelijkse politierapport. Daarin was sprake van de vermissing van de twaalfjarige Idriss Schrader. Het jongetje had bruine ogen, donker kroeshaar en een olijfkleurige huid – dat het hier een kereltje met een onmiskenbaar Noord-Afrikaans, dan wel Marokkaans voorkomen betrof, mocht ik toen natuurlijk nog niet schrijven, al had het als zodanig wel nadrukkelijk in het politierapport vermeld gestaan – en was gekleed in een donker trainingsjack met het opschrift 'Swoesj' (sic), een spijkerbroek en zogenaamde 'soldatenkistjes'. Het zou voor het laatst gesignaleerd zijn op de Zijlweg, waar het zijn mountainbike voor de gevel van stomerij Sassen zou hebben neergezet om aldaar door de etalageruit naar binnen te gluren, waarna het naar binnen zou zijn gegaan om naar een voormalige werkneemster te informeren om vervolgens met onbekende bestemming te zijn vertrokken. Vervolgens was mijn bureauredactionele leven zijn gewone gang gegaan. Kleine zwendeltjes binnen de gemeenteraad werden blootgelegd, halve woonwijken werden afgebroken wegens 'asbestgevaar', de bewoners werden zolang in een stel roestige containers bijeengedreven. Levantijnse vaders sloegen hun dochters half dood, maar daar werden we geacht geen melding van de maken. Die 'asbestmoord', zei mijn chef, daar moesten wij ons maar op 'focussen'. Niet op die arme bewoners, maar op 'die criminelen van aannemers' die het, ergens in de jaren vijftig, hadden bestaan willens en wetens een 'langzaam tikkende bom' onder de fundamenten van de nieuwbouw te leggen.

'Met de beste bedoelingen,' herinner ik mij nog te hebben tegengeworpen, 'ander isolatiemateriaal was in die tijd nog niet voorhanden en harde cijfers omtrent het risico van asbest waren toen nog niet beschikbaar.'

Mijn chef had me met een meewarige blik aangekeken en iets gemompeld van dat ik niet 'op de huid van de tijd' zat en het deswege wel nooit verder zou brengen dan de functie die ik toen bekleedde, die van stadsredacteur. 'Kun je je leven lang over vermiste roetmoppen blijven schrijven.'

Al werd ik ook van die zaak afgehaald toen hij zich eenmaal tot een echt drama begon te ontwikkelen. Het zou me dienaangaande aan 'subtiliteit' ontbreken, omdat ik in mijn redactie met alle geweld op de etnische herkomst van het knaapje had willen wijzen. Waarmee ik mij een nog grotere crimineel zou hebben betoond dan 'die asbestmaffia die op onverantwoorde wijze met de volksgezondheid' had gespeeld met geen ander oogmerk dan 'de eigen zakken te vullen', zoals een succesrijker collega in de *Bode* zou schrijven.

Nadat de asbestmaffia gekruisigd was en ik een ontroerende reportage had gewijd aan het uitzichtloze bestaan van een Anatoliër die, sinds hij 'door zijn rug' was gegaan, de dagen doorbracht met theeslurpen en het verrichten van koeriersdiensten voor een illegaal goksyndicaat, kwam het bericht binnen dat het levenloze overschot van een ongeveer twaalfjarige jongen in de Brouwersvaart, ter hoogte van het Houtmanpad, was aangetroffen. Het zou hier, naar de uiterlijke kenmerken te oordelen, gaan om de enige dagen eerder als vermist opgegeven Idriss Schrader wiens moeder, A.S., ter zake op het bureau was gehoord.

'Dat "A.S.", dat heeft mij de das om gedaan. Die duistere dreiging van de initialisering, de misdadige hypocrisie die daarachter verborgen ging.'

Vanuit het perkamenten halfduister hoorde ik een schellakplaat naar beneden kletteren; daarna het ruisen van een naald in een groef, een geruis waarin ik na enige tijd een niet-aflatende stroom van initialen en afkortingen meende te horen: AOW, BTW, NOB, HBO, LAVABO, NEVOBO, VERDINASO, REMOVO, ADHD, NSDAP, GGZ en INTERNET, kom werken als AIO, dan wel AGIO, ABRONO zoekt een KITSEROO, ARBO, RABO, VWO, eenieder vindt zijn WATERLOO.

Of ik begreep wat hij bedoelde? Nee? Dan zou hij het me uitleggen. Sinds hij door het gat in het dak van de kadettenschool de hemel had gezien, had hij zich tegen de initialisering verzet. Het was als het ware zijn tweede natuur geworden. Zijn praktizijnschap had geen ander doel gehad dan zich tegen de afkorting van het leven in het algemeen te verzetten. Want ik moest goed beseffen dat hij sinds zijn verblijf in Aken de wereld als een afkorting van het leven had leren kennen. Nee, hij moest het anders formuleren. Hij had zich aanvankelijk door dat visioen van efficiency laten meeslepen, het had hem als mannelijk, als het toppunt van vitalisme in de oren geklonken. Pas later had hij begrepen dat de wortel van het kwaad gestoken had in die bureaucratentaal, waarmee alles gesuggereerd en niets tot uitdrukking werd gebracht dan, zoals hij het noemde, 'Wichtigmacherei'. Het was de taal van de leegte geweest, die ieder naar eigen behoefte kon invullen, waarachter ieder zijn boosaardigheid kon verbergen onder het mom de wereld eens een schop in de goede richting te geven. Hij had dit ingezien, zei hij, toen het te laat was. Maar als een echte soldaat, zei hij, was hij zich ertegen blijven verzetten. Heel zijn rechtskundige adviespraktijk was een strijd geweest tegen deze 'hebraïsering', deze 'kabbalisering' van de taal. Zijn praktizijnschap was niets anders geweest dan een heroïsche strijd tegen de ontaal van het juridisch en sociologisch jargon dat de wereld tot in het merg had aangevreten. Nooit echter was hij zich dit ten volle bewust geweest. Tot hij de initialen A.S. had gelezen, die hem op dat moment aan 'de niet uit te spreken naam', die van 'de onzienbare' hadden herinnerd. Toen had hij begrepen dat hij zijn leven lang een mond- en voetschilder was gebleven, terwijl zijn handen zich met ontuchtiger zaken hadden beziggehouden. Zijn hele rechtspraktijk was één grote onanie geweest. Een fluiten in het duister. Recht voor zichzelf had hij gezocht om de keuze te rechtvaardigen die hij als jongeman gemaakt had. Ondertussen was men voortgegaan met de afbraak van de wereld. Ieder begrip was door een afkorting vervangen, ieder gevoel door een paragraaf, iedere emotie door een artikel. Ieder inzicht door een logie, psycho- dan wel pedo-. De afbraak van de wereld was pas begonnen na de triomfantelijke overwinning op wat men gemakshalve maar 'het kwaad' had genoemd. De leer waar hij zich destijds toe had laten verleiden was een heilsleer geweest vergeleken bij die waar we nu in terecht waren gekomen. 'De ontmanteling van de taal,' had hij gezegd, 'is de ontmanteling van de mens.' Daarbij had hij, heel gewiekst, de pantoffel weer van zijn voet laten schieten.

Hij zou weer ter zake komen. Als ik tenminste de moeite wilde nemen zijn slof weer aan zijn voet te schuiven. Het hart, moest ik weten, stond hem dat op dat moment niet toe. 'Een banaliteit die mijn menselijke kracht te boven gaat.'

Op de *Bode* werden wij gebeld door mensen die het hadden zien gebeuren.

'Hebt u wel contact met de politie opgenomen?'

'De politie? Die doet toch niks, die staat alleen nog maar bij de stoplichten om fietsers te arresteren die door rood rijden. De echte boeven laten ze lopen.'

'U bedoelt de asbestmaffia?'

'Dat zijn nog heiligen vergeleken bij wat ik heb gezien, mijnheer.'

'Maar wat hebt u dan gezien?'

'We worden toch niet afgeluisterd, hè?'

'U spreekt met de *Kennemer Bode*, niet met de politie, gewest Kennemerland.'

'Nou, ik zal u vertellen...'

Een lange stilte op de lijn, nu en dan onderbroken door vaag gehijg, gesmiespel op de achtergrond, ruggespraak, in tranen uitbarsten.

'Je hoort de laarzen weer door de straten dreunen.'

'Ik begrijp niet...'

'Nee, dat zult u wel niet begrijpen, daar bent u veel te jong voor. Ik begrijp niet dat ze bij uw krant dergelijke snotneuzen aannemen. Maar ik, mijnheer, ik heb nog in het verzet gezeten. U hoeft mij niets wijs te maken over wat er gaande is.'

'Maar ik probeer u helemaal niets wijs te maken. U probeert mij iets te vertellen en ik probeer te begrijpen wat u bedoelt.'

De ongelijke strijd van de redacteur met zijn verongelijkte lezers.

Kaalkoppen hadden ze gezien, jongens met bomberjacks en het eens zo trotse rood, wit en blauw van onze vlag op de mouwen van hun jacks gestikt.

'Bij de Beatrixschool? Maar daar valt toch helemaal niets te demonstreren? Die school is zo blank als een pasgeboren lammetje.'

Ik heb het zelf door de telefoon geroepen en wist nog niets van Teuntjes obsessies.

Of ik stront in mijn ogen had?

Mijn chef zei: 'Schrijf dat allemaal maar keurig op, jongen. Wij zijn een onverdachte krant en de onderzoeken hebben uitgewezen dat onze lezers zich in het B- en C-segment van de markt bevinden, weet ik veel... In ieder geval stemmen ze overwegend links. Dat zijn de feiten, daar hebben wij rekening mee te houden.'

'Maar de politie zegt van niets te weten.'

'De politie...' Mijn chef snoof verachtelijk. 'Uniformdragers... dat zegt genoeg.'

'Die staan alleen nog bij de stoplichten om...'

'Heb je 'm?'

Ik had 'm.

'Dus jij schrijft dat verhaal gewoon op. Zoals je het van de mensen gehoord hebt. Dat noemen wij wederhoor. Een goed journalistiek gebruik.'

'Wederhoor van wat?'

'Als commentaar op de politierapporten natuurlijk. Of geloof je nu werkelijk dat het hier een eenvoudig verdrinkingsgeval betreft? Een roetmop... Die gasten zwemmen als ratten.'

'"A.S." schrijven. Terwijl ieder mens met verstand in zijn hoofd, althans ieder mens met een spoor van argwaan in zijn botten, kon begrijpen dat het hier om een Schrader ging. Zoals eenieder weet dat het bij een RIAGG om een gesubsidieerd gekkenhuis gaat, met dien verstande dat de gekken er de dienst uitmaken terwijl de verplegers zich, tegen vorstelijke honorering, als krankzinnigen laten gebruiken.'

Oolsdorp vloekte zachtjes.

'Met gebruikmaking van dat initiaal was de vrouw al aangeklaagd. Al wist geen mens nog op welke grond. Deed ook niet ter zake. Ze was een dochter van Schrader. Dat was de onuitgesproken aanklacht. Want Schrader was, u weet dat zo goed als ik, een generatiegenoot van de beruchte rechter R., van wie iedereen wist dat het de aan drank verslaafde Rambonnet was, die, na een aanrijding te hebben veroorzaakt, zich, met een beroep op zijn functie, aan de gerechtigheid had proberen te onttrekken. Dat waren nog eens tijden, ja. Maar zo heel veel zijn ze nu ook weer niet veranderd. Hoogstens binnenstebuiten gekeerd. Nu was dus een dochter van Schrader aan de beurt. Schrader, een man met wie ik het menigmaal aan de stok heb gehad en die au fond een zwijn was. Ik heb hem in zijn graf zien zinken en hij stonk de kuil al uit nog voor de eerste schep aarde op zijn kist was gegooid. Een mens niettemin, vader van een dochter. Vatbaar, die Schrader, voor alle chantagemiddelen die ik op hem beproefd heb. Ik had destijds zo mijn informanten. En dat uitgerekend dit toonbeeld van fatsoen een dochter had die het met een allochtoon bleek te hebben aangelegd. Ik had het zelf kunnen verzinnen. Als ik althans zo'n gastarbeider onder mijn clientèle zou hebben geteld. Maar die lui hadden mij niet nodig. Die hadden geld genoeg om een officieel erkende advocaat in de arm te nemen als dat nodig bleek. Tant pis pour lui, zeg ik altijd maar. Want ze kregen altijd de stagiairs toebedeeld. Raakten ze van de regen in de drup. Eerst Ali, toen Hassan, daarna de hele misjpoche en toen... ja, toen ontdekten de heren van de maatschap dat er handel in zat. Vanaf dat moment hadden wij, eenvoudige praktizijns, helemaal het nakijken.

Maar waar het om gaat, Wandelaar, ik had onrecht geroken. Toen ik dat van dat Houtmanpad had gelezen, dacht ik: maar daar kun je toch helemaal niet verdrinken? Wat probeerden ze die treurige vrucht van een miserabel rechtertje eigenlijk aan te smeren?

U moet weten dat de eerste winter dat mijn Marie-Louise hier in het land was, ik haar heb proberen te leren schaatsen. Op die vaart naast dat Houtmanpad. Het was de tijd waarin ik nog hoopte dat ze de moeder van mijn kinderen zou worden. Een goede Hollandse moeder moet als het ware het schaatsen onder de knie hebben; haar Belgische antecedenten moesten worden kaltgestellt. Het ijs op, met oude keukenstoel en al. Als het moest desnoods met een ijsvrijer, kon die haar desnoods bezwangeren.

Terwijl Marie-Louise over het ijs schutterde, ben ik erdoor gezakt. Ik weet het nog precies: ter hoogte van het dierenasiel. Waar het ijs poreus was van de hondenzeik. Maar daar gaat het hier niet om. Het gaat erom dat ik niet verder wegzakte dan tot aan mijn knieën. Waarna ik weliswaar voorovertuimelde en in volle lengte door het gele fondant zakte, maar ik hoefde alleen mijn armen te strekken om het kopje boven water te houden. Een gênante vertoning alleszins, zeker voor iemand die beoogde zijn krachten op het aanstaande vaderschap te beproeven. Maar niet dodelijk. Het water was er nauwelijks dertig centimeter diep. En Louise, mijn lieve Marie-Louise: het schaap wist niet hoe of wat. Riep haar hele kennis van het Romeinse recht te hulp, sloeg haar handen tegen het kokette bontmutsje dat ze droeg, en wist niets anders uit te brengen dan: "Amaai... amaai, zunne..." '

Door de schemer klonk het geluid als van een brekende tak. Vanuit de gang hoorde ik geschuifel over de plavuizen klinken, een achter de hand weggemoffelde lach. Oolsdorp bleef doof voor dit alles en staarde, met zijn magere, besproete handen op zijn dijen, voor zich uit.

Hij had, zo hervatte hij na een lang stilzwijgen zijn betoog, het plan opgevat de initialen inhoud te geven. De wereld terug te brengen tot menselijke proporties. Oolsdorp was, zo vertelde hij, langs stomerij Sassen gelopen, had er naar binnen gekeken en er niets dan kwebbelende huisvrouwen en een enkele 'zijn eigen lakens vouwende nicht' aangetroffen. Wat hem in woede had doen ontsteken. Bijtijds echter zou hij zich hebben gerealiseerd te oud te zijn voor woede, prioriteiten te moeten stellen.

'Men brengt zijn tijd maar door,' zei hij, 'met tandenpoetsen, aan- en uitkleden, al naargelang het moment van de dag, en inmiddels valt de wereld uiteen in initialen, om vervolgens op nog minder samenhangende wijze weer aaneen te klonteren tot nieuwvormingen, neologismen... de ene van nog nazistischer aard dan de andere.'

Hij ging daar een einde aan maken.

'Het is toch gruwelijk, te moeten zien hoe de mensen zich miljoenen malen daags aan- en uitkleden, tandenpoetsen, gat afvegen, nagels knippen, een paar gulden overmaken naar de arme zeehondjes of safarireizen naar de Sahel maken, klapmutsen sponsoren en rijk worden aan de uitgeteerde ribbenkasten in de Kalahari met geen ander doel dan zich opnieuw aan en uit te kleden, tanden te poetsen, gat af te vegen en herhaalt u de hele riedel maar. Alles heeft alleen nog tot doel langs het werkelijke doel heen te scheren. Televisieloterijen, bankgirocasino's, hardloopwedstrijden ten bate van de bosjesmannen, poppetjes breien voor het abortusfonds... Het hele leven is een ruimtevlucht geworden, gebaseerd op een valse berekening. Het vliegt ergens heen zonder ooit ergens anders aan te komen dan in die hel van gezelligheid die wij de welvaartsstaat noemen. Het door de artiesten zo geroemde nomadisme. Het nomadisme van kippen zonder kop.

Heb ik de naam Angelus Silesius al eens laten vallen? Die zou u eens moeten lezen, die engel van de waarheid, die Silezische roeper in de woestijn van humanitaire en humanistische eigendunk. "Das edelste Gebett ist wenn der Better sich / In das fuer dem er kniet verwandelt inniglich."

Het zou maar het beste zijn als men helemaal niets meer deed. Iedere daad is er een van zwakzinnigheid of huichelarij. Omdat men zichzelf niet meer kent. Hoe zou men dan nog tot de ander kunnen veranderen?'

'Maar u dan, mijnheer Oolsdorp, met uw frontale aanval op de initialen?'

'Ik ben oud. Ik verveel me. Een andere reden voor mijn handelen kan ik niet bedenken. En als het me nog wat oplevert... een beetje gemoedsrust... des te beter. Of moet ik op mijn leeftijd nog kinderen maken? De wereld redden? "Gotteshilfe ist Eigenhilfe", zo hebben wij dat op de kadettenschool geleerd. Die is niet van Silesius... van de een of andere Pruisische filosoof of staatsman. Ik zou het voor u kunnen nakijken, maar eerlijk gezegd voel ik me ook daar te moe voor. Weet u, ik voel me voor alles te moe. Zelfs te moe om te sterven. Vandaar ook mijn bezoek aan het ziekenhuis.'

'Dat doet u omdat mevrouw Irmgard u daartoe dwingt.'

'Mijn Immie is een goede vrouw. Maar u moet niet proberen mij op het verkeerde been te zetten. Ik was op weg naar het Houtmanpad en u probeert me naar God mag weten welke liefdadige instelling te krijgen. Het RIAGG misschien wel. God helpe me de brug over. Ziet u mij de telefoontjes beantwoorden van misdadige subsidietrekkers? Ik ben op weg naar het Houtmanpad en laat me door niemand weerhouden.'

Opnieuw klonk op de gang een verstolen lach. In het ingetreden duister staarde ik naar het groene oog. Er leek een rilling door de lampenkap te voeren.

Hij was, vertelde hij, van de stomerij linksaf gegaan, het Hasselaersplein over. 'Die *lieu de mémoire* voor aftandse doctorandussen die zich daar eens hebben suf geneukt om er nu hun kleinkinderen te ontvangen en ze vol te proppen met de misdadige dromen uit hun jeugd.' En daarna rechtsaf, de Brouwerskade op. 'Waar je tenminste nog de geuren rook van vooroorlogse nederigheid, boenwas en gesteven lakens.' Waar hij weer een boutade op liet volgen over gezonde seksuele aandriften zonder welke de mensheid definitief verloren zou zijn, zo hij dat niet al was.

Vermoeiende omwegen naar een doel dat Oolsdorp weliswaar had aangegeven, maar dat voor mij pas werkelijk contouren begon te krijgen door alles wat hij ongezegd liet.

Liever bleef hij wel tien minuten lang stilstaan onder het viaduct aan het einde van de Brouwerskade, om me uit de doeken te doen hoe hij daar, als kind op weg naar het Brouwerskolkje, dikwijls minutenlang was blijven staan in afwachting van de boven hem passerende trein. 'Stokstijf en zonder me te verroeren, anticiperend op het moment dat ik bezeken zou worden door een uit de trein neerplensende urineregen. Alsof ik al niet genoeg vernederd werd door de kleinburgerlijkheid van mijn opvoeding.'

'Met die pislucht van mijn jonge jaren in mijn neus', vervolgde Oolsdorp, was hij verdergegaan. Langs de Houtmankade, het houten bruggetje bij de Lorentzkade over, waar het Houtmanpad begon. Niet meer dan een meter breed, hier en daar een plak asfalt; voor de rest kuilen, modder, zand. Links een verwaarloosde heg waarachter ooit een uit idealisme opgetrokken school had gestaan en waar nu, na een brand, het schuim van de natie huisde in aftandse bestelwagens en uit sloophout opgetrokken hutten. 'De revolutie bezingend,' zei hij, 'in dienst van het rijksvrijgesteldenkoor der ontheemden. Paffend, spuitend, stelend en verkrachtend; bezwaarschrift na bezwaarschrift indienend tegen de herbouw van de school omdat ze, die puisterige nomaden, door hun verblijf inmiddels gewoonterecht hadden verworven.' Wat Oolsdorp een hoogst originele variant achtte van de revolutie... dat je haar gaande hield met een beroep op de wetten van de geordende wereld. Al wilde hij dat letterlijk in het voorbijgaan hebben opgemerkt. Want rechts van hem zwommen de eenden en de waterhoentjes en dreef af en toe een koppel zwanen langs met een sliert onooglijke jongen in het kielzog. Wat hij altijd een aandoenlijk gezicht had gevonden, omdat het, zei hij, alleen nog maar die stomme, zichzelf gelijkblijvende natuur was die je nog enige vreugde verschafte.

Peilloos diep leek het water, maar hij wist dus beter. Trouwens, als je goed keek kon je zien dat het niet meer dan een laag snot was waarover het gevederte zich verplaatste. Te wijten, volgens hem, aan het schandelijke beheer van de waterschappen, die slenken groeven in de duinen om de zogenaamde natuurlijke toestand terug te brengen, terwijl ze de vaart lieten dichtslibben. 'Want gelooft u mij, mijnheer Wandelaar, waterschap en dierenliefde verdragen zich niet met elkaar.' Die waterschappen waren in zijn ogen al even misdadige bedenksels als al die andere schappen: 'Bureaucratisch-nazistische bedenksels uit de bezettingsjaren.' Maar ik moest niet denken dat hij zich door dit soort zwartgalligheden liet afleiden. Scherp hield hij de blik op de wallenkant gericht. Ieder geknakt grasprietje observerend, iedere half in het water hangende wilg aan een uitgebreid onderzoek onderwerpend.

Dit was het gebied waar hij ooit zijn Marie-Louise over het ijs had zien krukken. Dit gebied kende hij als zijn broekzak. Sinds haar dood was de tijd hier stil blijven staan en kon zich geen grasspriet meer verroerd hebben, geen boom een nieuwe wortel hebben geslagen. Deze vaart was bevroren tot een monument ter herinnering aan het echec van zijn leven. De ontroering die hij gevoeld had toen hij zijn Habsburgse prinses daar zo aandoenlijk over het ijs had zien schuifelen, haar licht geëxalteerde kreetjes, de blossen op haar wangen... Hij haar, de handen op de rug, met korte, strakke slag tegemoet schaatsend, met scherpe, krassende draai voor haar langs kerend, zijn triomfantelijke blik (vanavond, Marie-Louise, vanavond trek ik je schaatsjes uit, neem ik je bontmutsje af en draag je naar het bed van onze dromen en ik zal je kussen en likken en kussen en likken, tot je smelt als het ijs in de lente en je Habsburgse bodem zal vrucht dragen als de akkers van het paradijs) op haar gericht, de handen in zijn zij geplant, zich sterk, zich goddelijk voelend en bereid die goddelijkheid met ieder te delen, zelfs met hen die op zijn praktizijnschap neerkeken. Want zo stak de ware liefde nu eenmaal in elkaar.

Kom, kom, mijn aanstaand Vlaams moedertje, dochter van Timmermans en Streuvels, mijn volbloed onder het Waalse juk. Beef met je schonken en laat je zwartgele bloed door je aderen ruisen. Zij zullen haar niet temmen, dat trotse leeuwinnetje op het Hollandse ijs. En zie je daar de blauwvoet langs de duinrand scheren? Storm op zee! Ja, vannacht zal het stormen, lieve kind. Mijn parel van de Peel, mijn Oostakkerse gedicht, mijn tedere distel van de Zuidwesthoek, mijn parelmoertje uit Oostende. Toen was hij door het ijs gezakt.

'Zomaar. Pats-boem, *mir nichts dir nichts*. Alsof ik weer met mijn blote gat onder de hemel zat.'

Hij wist, zei hij, nog precies waar het zich had afgespeeld. Bij de houten barak die, zo meende hij zich nog te herinneren, ooit deel had uitgemaakt van een hospitaal voor teringlijders. Hij zag de aangedane zielen nog zó voor zich: op hun buisstalen bedden, stevig ingepakt tegen de voorjaarskoude, in het magere zonnetje. Het was de lijders kennelijk niet goed bekomen. Weggemaaid waren ze, de een na de ander. 'Want het was een tijd van wederopbouw, moet u weten, men wilde liever niet aan lijders herinnerd worden.'

De loods was door de dierenbescherming overgenomen. En waar eens de zorgzame pleegzusters waren omgegaan, loeiden nu de honden in hun hokken. Nóg kon hij ze horen als hij aan zijn Marie-Louise dacht.

'Maar kwelt u mij toch niet,' onderbrak Oolsdorp zichzelf, 'kwelt u mij toch niet met uw vragen. U hebt geen idee hoe wreed het is door een onwetende gekweld te worden. Ik ben door het ijs gezakt, nu goed. Maar dat is lang geleden, dat was in de tijd dat ik nog hoop putte uit mijn liezen, die nu verdord zijn. Nu zit ik op de mestvaalt van mijn herinnering en klaag, in tegenstelling tot die Lord Wanhoop uit de bijbel, mijn God aan, die niet rechtvaardig is geweest. Ik mag dat constateren, want ik heb mijn leven lang mijn brood verdiend met het onderzoek naar de subtiliteiten, wat heet, de onrechtvaardigheden van het recht. Onderste stenen heb ik boven gekeerd en ik heb de pissebedden voor me uit zien vluchten en ze de kans tot ontsnappen niet gegund. Ik heb ze doodgetrapt. Met de hakken van mijn bepaald niet goedkope schoenen. Begrijpt u? Ik heb mezelf niet gespaard. Heb vuile voeten durven maken. Vergeefs. Doe er iets aan, mijnheer Wandelaar. Gooi de eettafel om, zet een mes in de crapauds, heb vooral geen achting voor waar u hier mee omringd bent. Het zijn de schamele restanten van een schamel leven. Een ridicule opeenhoping van niets. Zet er de brand in, laat het vuur maar laaien. Als niets verbrandt, blijft er nog minder over. Een vage gaslucht hoogstens, de stank van ondank.'

Mevrouw Irmgards hand uit het niets, die door zijn haren streelde; die op zijn schouder bleef rusten, er een ongerechtigheidje wegplukte (een 'ongerechtigheidje', want 'roos', zo had ik hem eerder horen zeggen, 'dat is de bloem die je op de schouders van een lijk plant').

'Blijft natuurlijk de vraag hoe diep ondiep water is. Waar ik nog met de schrik vrijkwam, kon een ander natuurlijk de nek hebben gebroken, als u me de kromme beeldspraak wilt vergeven.'

Oolsdorp bedoelde te zeggen dat hij, toen hij ter hoogte van het dierenasiel was gekomen, aandachtig de wallenkant had bestudeerd. Men had hem, zo vertelde hij schraal lachend, daar moeten zien rondscharrelen. Met een uit de heg gerukte tak in het gras poerend en prikkend, zich vooroverbuigend, dan weer recht staand, de handen in de zij plantend, over het algenveld heen, naar het paardenweitje aan de overkant van de vaart starend...

Beelden zouden voor zijn geestesoog zijn opgedoemd. Beelden uit de zogenaamde 'realistische romans' die hij als kind uit de boekenkast van zijn ouders had gepikt. Zwoegende boezems en langs bleke gezichten slierende, natte haren. 'Engeltjesmaaksters' en 'kinderen van de zonde'. Men kon wel zeggen dat heel zijn levensvisie door dit soort boeken bepaald was. Wanhopige zondaressen... Hij had er destijds wel pap van gelust. En echt overgegaan was het nooit.

O, heel zeker, Marie-Louise had hem een volmaakt tegengif tegen deze aberratie geleken, maar het middel was uiteindelijk erger gebleken dan de kwaal. Wat niet zo gek was, zei hij, want tenslotte was ook Marie-Louise uit een Courths-Mahler-romannetje afkomstig en die romannetjes waren uiteindelijk niet meer dan de versuikerde versies van dat zogenaamde realistische genre gebleken. En nu hij het toch over de verwarring van genres en de niet-beoogde effecten van de auteurs had... Kende ik de ervaring dat juist de braafste kinderboeken een schrijnende pijn in de liezen kunnen bezorgen als de lezer maar voldoende jeuk heeft?

Als voorbeeld noemde hij een kinderboek dat hij eens op de zolder van de ouderlijke woning in de Bomenbuurt had gevonden. *Hoe raar een bal soms rollen kan* had het boek geheten. Het had niet meer behelsd dan de onschuldige kennismaking tussen een jongen en zijn nieuwe buurmeisje. Maar, mijmerde Oolsdorp, met graagte afdwalend, hij had de jongen en het meisje *gezien*. Hij, de jongen, gekleed in een kniebroek met kniekousen, het meisje met een tot op de enkels vallend jurkje waar hij, Oolsdorp, nog net de laklederen rijglaarsjes onderuit had zien piepen. 'Een onschuldig verhaal, mijnheer Wandelaar. God helpe ons de brug over.'

Natuurlijk, vertrouwde hij me, steeds verder verdwalend in zijn herinnering toe, had hij ook die Victoriaanse prenten van Lysistrata's en Ophelia's gezien. 'Daar werd je in mijn tijd nog mee doodgegooid.' En dat alles had liggen rotten op de bodem van zijn ziel. Terwijl hij boekhouding na boekhouding vervalste, met NV's en BV's scharrelde, lucratieve faillissementen organiseerde en debiteuren tot crediteuren omgoochelde en vice versa, had het gegist en gegierd, en hadden de dampen een uitweg gezocht, zoals, zei hij, hijzelf een uitweg had gezocht uit de Bomenbuurt, die een cloaca was gebleken en waar geen pleisters tegen het stikken voorhanden waren.

Daarom, zei hij, liep hij daar, langs het Houtmanpad, in het gras te poeren. Daarbij het risico lopend voor een gevaarlijke gek te worden aangezien want – nietwaar? – vlak naast dat dierenasiel lag immers die lagere school, waar het weergalmde van de heldere, juichende kinderstemmen. Jefkes school, had hij uit de krantenterichten begrepen.

Omdat hij de moeder wilde redden, wilde hij Jefke redden. Door diens verdrinkingsdood tot meer te maken dan een dom toeval waar hij niet in wilde geloven. En waar hij al helemaal niet in wilde geloven, was in de door de initialen gewekte suggestie dat Antoinette enige rol in die verdrinkingsdood zou hebben gespeeld. Nee, het kind kon niet domweg verdronken zijn. Trouwens: kind? Een knul van twaalf jaar, had hij begrepen. Zo'n knaap was, voorzover hij wist, uit ander hout gesneden. Draufgänger waren die gasten die, als je ze niet tegenhield, regelrecht de stormen van het leven in marcheerden. Hij wist wel degelijk waar hij het over had. En gezien door de ogen van 'dat zwarte hummeltje' woedden er stormen genoeg. Hij, Oolsdorp, mocht dan de naam hebben blind te zijn voor wat er in de wereld gaande was – een die met zijn kont naar de toekomst leefde, zo hadden, zei hij, zelfs zijn beste vrienden beaamd – maar hij had zijn ogen niet in zijn zak.

Hij las de krant. 'Jawel, jongeheer, uw bloedeigen *Kennemer Bode*. Waagt u het maar eens daar kritiek op te leveren. "Lux et libertas", nietwaar, of "Oprechte Haerlemse Courant 1656" of hoe de onderkop ook moge luiden. De oudste krant van Nederland, zegt u? Nu ja, ik wil maar zeggen...'

Het kon ook mij, uitgerekend als redacteur van 'dat blaadje', niet ontgaan zijn dat de hele brievenpagina van die krant zo zoetjesaan overspoeld was geraakt met verdachtmakingen die stolden tot vermoedens, die op hun beurt weer verhardden tot onomstotelijke bewijzen. Al sinds maanden zou die keurige, achter de school gelegen buurt onveilig worden gemaakt door jongens op scooters, jongens die, per krantenaflevering, een gevaarlijker uiterlijk begonnen aan te nemen. Van eenvoudige scholieren die hun rokersheul zochten in de bosschages langs het aan het eind van de vaart gelegen parkje, evolueerden zij tot apocalyptische hanenkammendragers, tot tropische, met ringen en botten getooide wildemannen met kunstmatig vergrote onderlippen en tot aan de schouders uitgerekte oorlellen, met door tribale inkepingen verwoeste huiden. Vijftig jaar naoorlogse wederopbouw in één klap weggevaagd door de nieuwe Hunnen. Hij, Oolsdorp, kon dat moeilijk ontkennen. Spijkerlaarzen en camouflagejacks. Nog grotere milieuverpesters dan de mij, Wandelaar, ongetwijfeld bekende asbestmaffia.

Er was, toen hij daar zo liep te snuffelen en te loeren, een jongetje op hem afgekomen, zo'n mongool, zei Oolsdorp, in statu nascendi, voorzover Hunnen over besproete neuzen beschikten. De knul was, met de handen in de zakken van zijn legerbroek, naast hem komen staan en had hem argwanend van ter zijde opgenomen.

'Zo brave borst, heb je hier iets verloren?' zou Oolsdorp hem hebben gevraagd en ten antwoord zou de jongen hebben opgemerkt dat ouwe lullen hun kop moesten houden of anders maar achter hun rollator aan moesten sjokken, richting Westerveld. Oolsdorp zou niet geweten hebben wat een rollator was en dat aan de jongen hebben laten blijken, waarop die hem 'met een spoor van sympathie in die brutale ogen van 'm' zou hebben aangekeken en aarzelend zou hebben opgemerkt: 'Mijn vriendje is hier verdronken.'

'De Hun,' vertelde Oolsdorp met licht trillende stem, 'heette Danny en bleek Idriss' boezemvriend te zijn geweest. Dat woord "boezemvriend" alleen al... *das gibt es noch*... dat brengt je toch de tranen in de ogen?'

Of Danny ook wist hoe het met de moeder van zijn vriend gesteld was?

'Die legt een dossier aan.'

'Een dossier?'

'Nou ja, weet ik veel. Ze knipt al die ingezonden brieven uit en prikt ze aan de muur. Als u het mij vraagt heeft ze de helft ervan zélf geschreven. Het is een raar wijf, maar evengoed was Jef wel een toffe gozer.'

'Ik zal u verder jeugdjargon besparen,' besloot Oolsdorp. 'Het snijdt me door de ziel.'

10

Geruchten voeden geruchten. Er gaan geruchten dat de geruchten op werkelijkheid berusten. Dan zijn de geruchten al geen geruchten meer. Vluchtig zijn ze nog steeds. Maar zo vluchtig als sarin, dat in de jonge jaren van Oolsdorp onder een andere naam bekend was en waarvan de vluchtigheid zich in moordende cijfers liet definiëren.

Wat zich aanvankelijk nog tot een plaatselijk schandaal leek te beperken, nam allengs ruimere proporties aan. Teuntje verscheen op de televisie. Ik heb het programma toen gemist. Pas nu ik de zaak aan het reconstrueren ben, heb ik de band gezien en is mij veel duidelijk geworden.

'Gemiste kans,' zei mijn chef. 'Wij zitten in het hart van de duisternis en jij, mislukte literator, laat de scoop liggen. Dat kost ons duizenden lezers. Ik haal je van de zaak af. Houd jij je voortaan maar bezig met de nieuwe rechtbank die nooit gebouwd zal worden, met het asbestschandaal dat nooit bestaan heeft, en voor mijn part met je ondergrondse gangen die nooit gegraven zijn. Of weet je wat? Je krijgt een eigen wekelijkse rubriek waarin je mag mijmeren over hoe gezellig het in Haarlem was in de tijd van het bisschoppelijk mandement. Mag er een foto met die al kalende kop van jou bij. Noemen we het een "column". Ben jij in je ijdelheid gestreeld en heeft de directie geen last meer van je. Want zoals je ongetwijfeld ontgaan is, zijn we inmiddels opgenomen in een holding en de holding wil dat we de waarheid schrijven, niets dan de waarheid.'

'Geruchten... geruchten...' probeerde ik me te verdedigen.

'Geruchten?' Mijn chef hield me een in bijna onleesbare hanenpoten geschreven brief voor. '"We weten jullie te vinden, links schorum dat je bent." Kijk, dat zijn nou die zogenaamde geruchten van jou. Dit is zwart op wit, daar hebben wij wat aan.'

Reconstruerend met de nauwkeurigheid ingegeven door de spijt achteraf de zaken niet te hebben gezien zoals ze zijn.

Aarzelend, schuw wegkijkend. In een kwebbelprogramma rond theetijd. De slanke, blanke handen krampachtig rond een glas spa geklemd, gekleed in een zwart, strak afkledend jurkje, de sleutelbeenderen als mikadostokjes boven de rechte halsafsnijding balancerend: Antoinette Schrader. Natuurlijk waren ze er juist in Hilversum in geslaagd haar identiteit van achter de initialen te voorschijn te peuteren.

'Dat moet wel een afschuwelijke ervaring voor u zijn geweest.'

Teuntje leek niet te begrijpen waar het over ging. Haar ogen zochten naar een houvast ergens buiten beeld.

De presentatrice, bijna olijk de camera in kijkend: 'Mevrouw Schrader?'

O ja, ze wist het weer: ze zat in een studio. Links van haar een vettige man met een leren jasje aan en een gouden ketting rond zijn nek. Die zou het straks over zijn nieuwe, nu al platina cd gaan hebben, was haar tijdens het inleidende gesprek verteld. Die man had veel meegemaakt, dat was haar ook verteld; hij was aan de drank geweest en bijna gescheiden, maar nu was alles weer goed gekomen en hij had haar 'Moppie' genoemd en ze had toen al niet geweten waar ze kijken moest. Nu richtte ze de blik op de juffrouw tegenover haar. Die had donker krullend haar en heel lieve ogen, grote, bruine pupillen in melkachtig wit. Ogen die haar aan die van Bernadette Soubirous deden denken, het herderinnetje uit Lourdes. Teuntje glimlachte.

'Mevrouw Schrader?'

De vette man begon geagiteerd met zijn vingers op het tafelblad voor hem te trommelen en keek op de Rolex om zijn pols.

'U hoort het, luisteraars, of beter gezegd, u ziet het, kijkers... een kind verliezen, dat is iets... dat is iets heel ergs.' En zich tot de man wendend: 'Wat denk jij ervan, André... jij bent toch ook behoorlijk te pakken genomen door het leven.'

Oolsdorp had wél naar de directe uitzending van dat programma gekeken. Zoals hij plichtmatig naar alle programma's keek die hem geen zier interesseerden. Hij was toen nog in de kracht van zijn oude dag. Wat hem ook maar het minst zou kunnen verontrusten, liet hij ongezien. Hij had naar André willen kijken en was op de dochter van Schrader gestuit.

Ze leek wel wat op haar vader. Ogen die het leed zochten, de wat weke onderkaak, de bleke gelaatstint, het sluike haar. Wat hem het meest intrigeerde was de lichte zweem van haargroei op haar bovenlip. Die gaf haar iets mediterraans. Dat moest ze van haar moeder hebben. Oolsdorp dacht: ze hoeft niet meer te zeggen dan ze doet. Het is mij alles bekend. Ik heb aan het Houtmanpad gestaan. Ik heb het kind gezien en mij een voorstelling van de moeder proberen te maken. Ik kijk naar een theepauzeprogramma en word op mijn heimelijke wenken bediend. Ik zal mij ervoor moeten hoeden verder nog naar theepauzeprogramma's te kijken. Ze ondermijnen de gemoedsrust.

Toen hij, om erger te vermijden, drie dagen later een christelijk praatprogramma aanzette, zag en hoorde hij hoe een schrale en bebrilde man Teuntje toebeet: 'U voelde zich dus geschoffeerd?'

Teun droeg nog steeds datzelfde zwarte jurkje met de rechthoekige halsuitsnijding. Oolsdorp raakte gebiologeerd door de aarzelend door de huid naar voren springende sleutelbeenderen.

'"Geschoffeerd" is het woord niet.' En Oolsdorp dacht: zoals haar initialen, die sleutelbeenderen, zo broos dat men om geweld zou gaan schreeuwen.

Teuntjes vingertoppen tastten aarzelend naar die verdomde, breekbare sleutelbeenderen. Oolsdorp had het gevoel of er een mes in zijn hart werd geplant.

'Maar ik was even... ik bedoel... er is zo veel lelijks in de wereld. Terwijl ik had gehoopt dat die mevrouw... ze had zulke lieve ogen...'

Nu leek de presentator haar bijna te bespringen. 'U bedoelt dat wij, van de televisie, vaak te ruw met de mensen omspringen. Dat wij maar van ták-ták... en scoren maar?'

'Ik begrijp niet wat dat te maken heeft met...'

'Is het waar, mevrouw Schrader, dat men uw kind met kneuzingen op het lijfje heeft aangetroffen?'

'Mijn kindje, mijn Jefke is dood.'

De camera zwenkte naar het publiek, dat ademloos toekeek.

'Het is duidelijk dat dit muisje nog een staartje zal krijgen, beste kijkers.'

Dit werd gezegd door de close-up van de presentator, wiens bebrilde kop streng de huiskamer van miljoenen Nederlanders in keek. Maar Oolsdorp had de rode vlekken in de hals van Teuntje Schrader gezien en er was een grote leegte in hem neergedaald. Hij had gedacht: nu ga ik deze leegte koesteren. Ik ga alles wat ik ooit gedacht heb, alles waar ik me ooit over heb opgewonden elimineren. Ik ga mij op die sleutelbeenderen concentreren, op die rode vlekken, en nooit weer zal ik denken aan Marie-Louise, die ook rode vlekken in de hals kreeg als ik haar bepaalde dingen toefluisterde; Marie-Louise, wier sleutelbeenderen even delicaat horizontaal lagen als zij lijdzaam onder mij lag, geduldig wachtend op het zaad dat ze, volgens alle Habsburgse en Vaticaanse wetten, geacht werd in liefde te ontvangen.

Herinneringen, prikkelingen, gevoelens – alles is ongepast, dacht hij. Alles is leugen, misverstand en verminking. Wie te lang geslikt heeft zal moeten braken, zal om genade moeten smeken om wat hij gedaan of gelaten heeft. Ik moet mij aan de knieën van iemand werpen en om vergeving smeken.

'U denkt dus dat er neo-nazi's in het spel zijn?'

'Ik kan dat niet bewijzen. Het is me natuurlijk wel opgevallen dat ze hem wel eens naschreeuwden. Maar ja, ik heb daar toen niet zo'n aandacht aan besteed. Het was toch altijd al zo rumoerig in de stad.'

De jongeman met het vlotte, open overhemdboordje onder zijn nauwsluitende colbert keek triomfantelijk om zich heen en trok, toen hij de camera op zich gericht wist, zijn gezicht in een ernstige plooi. 'Ja, beste mensen, dat geeft te denken. En mag ik nu een hartelijk applaus voor deze vrouw die...'

Het forum: 'Wij hebben de mond vol van te veel dit en te veel dat, maar we hebben inmiddels de jeugd verwaarloosd.'

'Wat nog niet wil zeggen dat we zomaar iedereen ons land moeten binnenlaten.'

'U praat om de zaak heen, we hebben het hier over neo-nazi's.'

'Maar u vergeet inmiddels dat de geregistreerde criminaliteit voor zo'n vijfenzeventig procent kan worden toegeschreven aan allochtonen.'

'Ja, nu formuleert u heel slinks de kip-of-eikwestie, maar u zult toch niet willen beweren dat het neo-nazisme een uitvinding van de buitenlandse asielzoekers is, die nota bene zélf het slachtoffer zijn van de moderne vormen van nazisme.'

'En vergeet het veenhooibekje niet, het gentiaanblauwtje en de roerdomp... je reinste milieufascisme.'

'Een strenger beleid...'

'En inmiddels worden de slachtoffers vergeten. Zij staan als het ware in de kou.'

De gespreksleider: 'Hier hebben wij een slachtoffer. Mevrouw Schrader... ik mag toch wel Teuntje zeggen...? We hebben een aantal deskundigen gehoord. Maar u, als direct betrokkene en ik mag zelfs zeggen met hart en ziel betrokkene... U bent zelf immers een, ja, ik kan niet anders zeggen... een autochtoon... Terwijl uw kind, Idriss... de naam zegt het al...'

'Jefke,' verweerde Teuntje zich zwakjes. Weer zochten haar vingertoppen naar de sleutelbeenderen, verschenen er vlekken in haar hals, zochten haar blikken vergeefs steun bij het ene forumlid na het andere. Ze had hun iets willen toeroepen, maar wist zo gauw niet wat. Oolsdorp zou het geweten hebben. Wist het zelfs. Maar zat werkeloos voor het scherm. Zag de gehate partijgezichten, de smoelen van functionarissen, de tronies van deskundigen, wereldverbeteraars, moordenaars, komedianten en dramatische talenten. Een wereld vol gepuntmutste rechters, zielensnijders, wamstekers, slagers in bebloede schorten, krijsende varkens, wankelende ossen, aan roestvrijstalen haken hangende karkassen, in chromen bakken lillende levers, milten, nieren; de darmen van de wereld door haar eigen aars naar buiten getrokken. En een arme vrouw op de brandstapel van haar eigen onnozelheid.

Hij had veel gezien in zijn leven. Dit kon hij niet langer aanzien.

Hij had de stap gewaagd. De stap die hij al jaren eerder zou hebben gezet als hij haar eerder ontmoet zou hebben.

Na het overlijden van zijn vrouw had hij geen moment zelfs maar overwogen een nieuw huwelijk aan te gaan. De spaarzame keren dat hij de hoeren had bezocht, dan wel voor de beschaafdere aanpak van de escortdames had gekozen, was hij gekweld geweest door schuldgevoelens.

Met des te meer fanatisme had hij zich na dergelijke uitstapjes op zijn werk geworpen. Alsof hij aan dat geteisem dat hij adviseerde iets goed kon maken wat hij aan Marie-Louise misdreven had. Waren het aanvankelijk nog kleine knoeiers geweest wier dubbele boekhouding hij schreef, pooiers en malafide aannemertjes, gaandeweg was zijn praktijk uitgegroeid tot een juridisch hof, niet alleen bezocht door criminelen van groter kaliber en hun advocaten, maar in de loop der jaren was er ook een heel gevolg van wethouders, gedeputeerden, lagere en hogere ambtenaren, secretarissen-generaal, consuls en vertegenwoordigers van duistere staatjes in nog duisterder continenten aangeslibd. Zijn personeelsbestand groeide. Er werden grotere en grotere panden betrokken. Tot in het Kennemer Jeruzalem aan toe: Aerdenhout. Een in Jugendstil opgetrokken paleis in een lieflijke duinvallei, waar het een af en aan was van Bentleys, Jaguars en Rolls Royces en waar hele scheepsladingen met één pennenstreek van, zeg, erts in iets anders werden omgetoverd en vaten vruchtensap in weer iets anders. Onder de hooggeheven vlag van liberalisme en vooruitgang werden obscure pornobladen er als trendy tijdschriften gepresenteerd en hun eigenaars, mitsgaders hun naar kinderzweet ruikende levenswandel, werden er bekwaam uit de wind gehouden. Sportclubs die de trots van de streek vertegenwoordigden, werden gesponsord, liefdadige stichtingen gedoteerd.

In de ogen van Oolsdorp was het niets. Niets, vergeleken bij wat hem ooit voor ogen had gestaan. En juist omdat het niets was, werd hem door overheid noch hogere instantie ook maar een duimbreed in de weg gelegd. Hij erkende deze instanties domweg niet. Een vorm van struisvogeltactiek die door de eeuwen heen bewezen heeft alleen daar te functioneren waar wet, orde en fatsoen weliswaar tot dwingende normen zijn uitgeroepen, echter met geen andere bedoeling dan te dienen tot leidraad van hen die in het 'niets' van Oolsdorp hun levensbestemming zagen. Hijzelf dacht daar anders over, maar maakte niettemin deel uit van dat systeem. Hoe had hij het ook anders moeten aanpakken?

In zijn kostbaar ingerichte privé-vertrekken in een tot het landgoed behorend, uiterst gerieflijk verbouwd koetshuis bracht hij de avonden in eenzaamheid door. Dromend van zijn verblijf in Aken en uit die dromen wakker schrikkend om zichzelf in een omhelzing met Marie-Louise aan te treffen, de altijd ontwijkende vrouw met de ondoorgrondelijke passie voor een al even ondoorgrondelijke zuiverheid. Eentje van beneden de rivieren weliswaar, maar van Habsburgse snit. Soeverein. Onder wier onaangedane blik hij met de snollen van zijn opdrachtgevers verkeerde.

Gonzend van eenzaamheid was zijn leven. En of het nu onder de marmeren tegels van zijn woonvertrekken was of onder de plavuizen van zijn riante keuken, altijd hoorde hij het tikken en knagen van de worm die groef en groef... 'Sie gruben und hörten nichts mehr; / sie wurden nicht weise, erfanden kein Lied, / erdachten sich keinerlei Sprache. / Sie gruben,' had hij bij Paul Celan gelezen.

Oolsdorp had het op een lezen gezet. Lukraak aanvankelijk, alles schrokkend wat hij in handen kreeg. Met de honger van de jongen uit de Bomenbuurt die hij gebleven was. Al snel bewonderend wat de muzische kwaliteiten van zijn ouders te boven ging; allengs scherper selecterend met de kritische zin die hem sinds Aken had bevangen. Die hij had gewet aan zijn rechtspraktijk, waarin hem was gebleken dat in de fraaiste coleratuurpartij dikwijls een leugen werd bezongen, terwijl hem uit een gestamelde repliek soms de koele bries van de waarheid tegemoet was gewaaid. Onder de sierlijke krullen van barokke zangers had hij niettemin ook palimpsesten van lapidaire eenvoud gelezen en achter hysterische jammerklachten de droge snik gehoord van fanate zoekers die hun weg ten einde waren gegaan.

In hoeverre dit alles hem troost had geschonken bleef de vraag, al kon hij zich vermeien in de kleinere troost dat al die lectuur zijn mimetische vermogen had versterkt. Hij kon gelijk worden aan het nietswaardige, zo goed als hij de indruk wist te wekken in kolossale levenservaring alles onder zijn hakken te kunnen vertrappen. Een kunstje, wist hij, dat bepaald geen kunst was, al was het meer dan hij ooit gedroomd had te zullen bereiken: de onthechting als spel voor wie zich niets behoeft te ontzeggen. De lange, lange leegte die zich voor je uitstrekte als je, met een borrel in je hand en gezeten in een gerieflijke fauteuil, voor je uitstaart over het goed verzorgde gazon van je landgoed, dat je godbetert ook nog 'Kareol' hebt genoemd om je bezoekers met de neus op het feit te drukken dat je niet van de Iepenstraat of de Acaciastraat was, terwijl door je hoofd toch een potpourri uit 'Im weissen Rössl' of 'Gräfin Maritzka' bleef zaniken. Altijd op mijn plaats, dacht Oolsdorp, en nergens thuis.

Natuurlijk, die initialen waaraan hij weer een paar van zijn maatschappelijke boutades had kunnen koppelen. Maar wat was het werkelijk geweest dat hij met meer dan oppervlakkige belangstelling de stadspagina's van de *Kennemer Bode* was gaan lezen toen daarin de eerste berichten over Antoinette Schrader en haar verdronken kind waren verschenen? Wat had hem ertoe gebracht om, tegen al zijn instinct tot zelfbehoud in, het pad van Jefke te volgen, van stomerij Sassen tot aan het dierenasiel aan het Houtmanpad? Wat had hij daar in de trage rimpelingen van het door algvorming verpeste water gelezen, behalve dan die herinnering aan Marie-Louise, die hij ook wel zittend in zijn stoel voor zich had kunnen oproepen?

'Ik heb uw vader nog gekend. Een aimabel man.' Hij gluurde langs haar heen de gang in, waar hij een baseballpetje aan de kapstok zag hangen.

Teuntje had op het punt gestaan de deur voor hem dicht te gooien toen een bepaalde beweging van de man – nee, niet ván maar ín hem, een onverhoeds knakkende beweging – haar daarvan weerhield.

'Ja,' zei ze, 'ik herinner me uw naam nog wel. Volgens mijn vader was u een van de meest doortrapte criminelen van het land. Een pest heeft hij u genoemd.'

'Ach,' probeerde Oolsdorp weg te wuiven, 'dat kwam omdat uw vader op mij neerkeek. Hij zag mij als een onbevoegd indringer in zijn wereld; daar had hij in zekere zin gelijk in.'

'En nu wilt u, zomaar op een zondagmorgen, uw hart komen luchten?'

'De zondagochtenden, mevrouw, zijn tot niets goed. Ze ruiken, met uw welnemen, naar verschaald bier en urine; de ontucht sijpelt nog door de goten. Het zijn de ochtenden waarop men troost zoekt, nietwaar?' Hij keek haar recht en dwingend in de ogen.

'Niet alleen de zondagochtenden, mijnheer.'

Oolsdorp stond al in de gang. Werktuigelijk nam Teuntje zijn jas aan. 'Ik weet niet...' stamelde ze, 'ik weet niet...' Er hing een onbestemde geur om de man. Niet die van ongewassen lijf en kleding, zoals ze aanvankelijk vermoed had. Nee, het was eerder een zuivere, geëxtraheerde geur van chemische processen zoals ze die wel geroken had toen ze nog op de vatenfabriek werkte.

Terwijl ze zijn jas aan de kapstok hing, nam Oolsdorp het baseballpetje van de haak. Hun handen raakten elkaar. 'Pardon,' zei Oolsdorp, 'maar u begrijpt...'

Woedend griste ze hem het petje uit handen. 'Daar moet u afblijven, hoort u dat, anders dondert u maar meteen op.'

Dit had ze eigenlijk niet willen zeggen. Ze had willen zeggen: 'Mijnheer, mijn vader had gelijk, ik ben bang voor u. U besmet, bezoedelt de mensen.'

Maar omdat ze dat niet gezegd had en Oolsdorp wel begreep dat ze dat had willen zeggen, had hij zijn grote handen om de hare geslagen en ze met een vaag maar zeker gebaar in de richting van zijn mond gebracht, alsof hij een kus op haar handen had willen drukken. Die handen waarin ze het petje nog geklemd hield. En ja, Oolsdorp had de vlekken in haar hals zien verschijnen. Enigszins plechtig, alsof hij een diep bewaard geheim onthulde, had hij toen zijn handen opengevouwen en een diepe zucht geslaakt. Zo teder als zijn grove handen dat toestonden had hij haar het petje ontfutseld en het weer aan de haak gehangen. 'Ik begrijp het, mevrouw Schrader,' had hij gelispeld, 'u moest eens weten hoezeer ik dit begrijp.'

Met onmerkbare dwang had hij haar in de richting van de woonkamer geloodst. Ze had zich laten dwingen... Als de pest dan toch eenmaal over de drempel is, had ze misschien wel gedacht.

Mevrouw Schraders interieur bracht hem de tranen in de ogen. Zó, dacht hij, had eigenlijk de hele wereld ingericht moeten zijn. Waar men ook kijkt: overal rotanmeubeltjes en tweedehands zitmeubels met een foulard erover om de slijtplekken aan het oog te onttrekken. Manmoedige pogingen tot gezelligheid. Gehaakte lampenkappen met spiegeltjes erin verwerkt, alsof de jaren van pret en jool nooit voorbij zouden gaan. Parketvloeren die bij nadere beschouwing van balatum bleken en golfden als de Noordzee bij straffe wind. Schrootjeslambrisering en Tomado-rekjes. Een ijle kookgeur vermengd met die van boenwas en bleekwater. Boven de tegen de wand geschoven eettafel hingen twee reproducties, oleografieën zo te zien, in zwaar geornamenteerde lijsten. Op de linker prent zag hij een Jezusfiguur die de ene hand zegenend gestrekt hield terwijl hij met twee vingers van zijn andere hand op zijn bloedende hartwond wees. De pendant stelde de Heilige Maagd Maria voor, wier op haar kleed liggend hart met zeven zwaarden doorstoken was. Door de banale kleuren, maar ook door de omgeving waarin de prenten hingen, deden ze hem denken aan die van Indische goden, zoals hij die zo'n vijfentwintig jaar geleden wel op studentenkamers had zien hangen.

'Mevrouw Schrader,' zei hij zonder nadere introductie, 'het is een schande.'

Teuntje haalde verontschuldigend haar schouders op. 'Tja,' zei ze, 'met zo'n uitkerinkje... en Jefke was geen goedkoop manneke.'

Dat bedoelde Oolsdorp niet. Hoe zou hij dat ook gekund hebben als de inrichting van het huisje hem zo geroerd had? Maar hoe had zij, opgevoed als ze was in betrekkelijke rijkdom, dat kunnen beseffen? Hij nam de moeite niet eens het haar uit te leggen. Oolsdorp bedoelde: 'De manier waarop u benaderd wordt, mevrouw. U bent een item.'

Ze begreep niet wat hij bedoelde en gebaarde hem te gaan zitten. Misschien dat ze dan gemakkelijker die geur kon thuisbrengen. Was het lysol, naftaline? Er kwamen nog andere geurassociaties bij haar op, die ze niet nader durfde te benoemen. En in tegenstelling tot die door haar onbenoembare geuren – of in tegenstelling...? Misschien hoorde het bij elkaar als de bok bij Mendes – dat galante gedrag van hem, dat sinds de dood van haar vader uit de wereld verdwenen leek. Men kon daarbij denken aan herenzanggroepen in jacquet die zoetgevooisde liederen zongen van bloemenstruiken en naderende lentes; aan onheilspellend hoge, bijna onmannelijke tenoren en goedmoedige bassen als van haremwachters die hun ogen overigens niet in hun zak hadden.

Ze schonk de koffie die ze gezet had naast het kopje en offreerde hem een koekje uit de trommel waarin ze haar handwerkspulletjes bewaarde. Oolsdorp moest hartelijk lachen en Teuntje lachte, aarzelend eerst nog, hartelijk mee, om te eindigen in gierende uithalen die niet meer te stuiten leken.

'Rustig maar, kindje,' had Oolsdorp gezegd, 'kalm maar, het komt allemaal wel goed. Maar de manier waarop je behandeld wordt, de manier waarop de wereld met de wereld omgaat... dat deugt niet.'

Wat wíst hij, vroeg Teuntje zich af nadat Oolsdorp vertrokken was. Hoe diep was de blik geweest die de man in haar ziel geworpen had? Als Gerard er nog zou zijn geweest, zou hij daar ongetwijfeld een antwoord op hebben kunnen geven. Hij had altijd op alles een antwoord geweten. Geërgerd schoof ze het trommeltje met naaigerei van zich af en staarde naar de afbeelding op het deksel. Het melkmeisje van Vermeer. Het was een van de weinige relicten die ze uit de boedel van Habraken had gered. En het dierbaarste relict...

'God,' jammerde ze, 'mijn God...' De wereld gekrompen tot dat ene woord. Een woord van zwijgen. Het zwijgen zélf. De verlatenheid. Niet meer denken aan het denken. Uit een lichaam treden dat zichzelf al vergeten heeft. Een kind baren zonder conceptie. De noodlottige gevolgen daarvan. Haar leven: een Golgotha, dacht ze, want eenmaal in die sferen beland schuwde ze de metaforiek niet. Ze leefde in metaforen, had altijd in metaforen geleefd. Zelfs het melkmeisje op het deksel kwam haar opeens dreigend tegemoet gelopen met een kwaadaardige grijns op het gezicht: om haar het kind voor de voeten te werpen, letterlijk. Het kind dat het hare was, het door de engel voorzegde.

Dit was wat ze destijds zelfs voor Habraken verborgen had gehouden: dat ze in haar, door hagiografieën gevoede dromen, een kind had aangezegd gekregen dat, om haar, Teuntjes, moederschuld te delgen, zou moeten lijden. 'Hoezó, schuld?' herinnerde ze zich in haar dromen gevraagd te hebben. Waarop de engel melancholiek geglimlacht had. 'Wat men ook doet of laat, Teuntje, ten goede of ten kwade, alles staat in het teken van de schuld.' Deze droom had ze als een nachtmerrie ervaren en ze had ook wel begrepen dat het, zelfs tegenover Gerard Habraken, onmogelijk was dit als zodanig uit te leggen. Wat in haar ogen een bewijs temeer was dat de droom, behalve een nachtmerrie, een niet door anderen te vatten waarheid inhield. En zij die die waarheid hadden trachten te wegen waren op brandende roosters gelegd, in diepe kuilen geworpen, voor leeuwen gegooid, onthoofd, gevierendeeld, geradbraakt en hadden daarmee hun lofzang gezongen op de onomstotelijkheid van die waarheid. En waar zij, alle heiligen *ad* en *ex calendum* bij elkaar, troost hadden gezocht in de martelingen hun aangedaan, daar hadden ze alleen maar het grote zwijgen getroffen, alsof hun offer niet groot genoeg was geweest om HEM de bek open te breken. Ja, nu durfde ze het eindelijk zo oneerbiedig te zeggen. Ze wist waar ze het over had.

Alles had ze geofferd voor HEM en hij had haar geen antwoord gegeven. Als een dief in de nacht was hij uit haar leven weggeslopen. Hoe harder ze hem geroepen had, des te schimmiger was zijn gedaante geworden. En opeens was hij er niet meer geweest. Het was haar aanvankelijk niet opgevallen, in beslag genomen als ze werd door haar zorgen om Jefke. Maar, had ze later beseft, Jefke was haar niet geworden om HEM te vergeten. De ware theologie was van een perversere orde dan ze destijds had kunnen vermoeden. En ze had zich de geschiedenis van Abraham herinnerd, die zijn zoon Izaäk naar het land van Moria had gebracht om hem daar te offeren aan de enige en ware God, die een wrede God was. Ze had haar Jefke gekregen om hem te offeren. Om hem, met de schulden der mensheid beladen, de kop af te hakken. Men kon dan wel tegenwerpen dat de Heer Izaäk uiteindelijk gespaard had, maar zij, Teuntje, was Abraham niet. Misschien was zij wel Abrahams meerdere. Zij was een kind van het Nieuwe Testament, dat de voleinding was van het Oude. De bloedige kroon op het werk. En waar Abraham ten slotte kon volstaan met het offer van een ram, daar zou zij haar eigen kroeskopje moeten offeren. Al was het maar om de hoogmoed waarvan zij door deze gedachtegang blijk had gegeven.

Dat waren zo van die gedachten die door Teuntje heen gingen terwijl ze aan het licht van de cameralampen werd blootgesteld. Ze was allang niet meer in staat zich een voorstelling van de werkelijke toedracht van de zaak te maken. Had ze niet ooit gemeend dat ze, door Jefke te offeren, een teken aan de mensheid zou geven: een teken dat tot liefde en verdraagzaamheid opriep? Maar wat had Hem, die een God der wrake was, dat kunnen schelen? Niet daarom had hij haar geroepen. Hij had haar om haarzelf geroepen. Niet aan de keizer moest zij haar tribuut betalen, maar aan Hem, omdat hij de keizer der keizers was en zij zijn enige geliefde: de heilige Agnes met het schaapje in de armen. Zo had ze ook aan Oolsdorp proberen uit te leggen.

Nu Oolsdorp de weg naar de Vrouwestraat gevonden had, bezocht hij haar zo'n beetje om de twee dagen, hoewel hij zich ervoor hoedde met zijn bezoeken ook maar de schijn van regelmaat en dus opzet te wekken. Hij had geen andere bedoeling dan Teuntje maar wat door haar hersenspinsels te laten dolen in de hoop dat ze ooit ergens zou uitkomen waar ze hem als het ware toevallig zou treffen. Zoiets van: 'Hé, wat aardig u nu juist hier tegen te komen. Laten we een eindje oplopen, dan kunnen we bij deze of gene uitspanning een verfrissing gebruiken.'

Maar wie het meeste doolde was hij zélf. Niet zij raakte verstrikt in zijn bedoelingen, maar hij liet zich door haar op sleeptouw nemen. Raakte verward in de theologische strikken die zij zette en die hij aanvankelijk bekritiseerde als wat ze in zijn ogen waren: duistere, subliminale constructies, door zekere Weense charlatans gegraven valkuilen, bedacht om eenieder de nek te laten breken die eens zijn vader had gedwongen de goot te kiezen toen hij, die kwakzalver, gedwongen was geweest voor een hem tegemoet komende christen uit te wijken. Oolsdorp zelf was wijzer geworden, dacht hij en zou, met de vaders, ter zijde treden. Omdat hij inderdaad niet meer was dan een simpele zakkenroller, zoals de zoon er een was geweest. Maar hij, Oolsdorp, zou niet met een door kanker aangevreten stem uitroepen dat de strijd door moest gaan, zoals die Freud dat had gedaan. Hij, Oolsdorp, besloot zich neer te leggen bij de bijbelse en kerkvaderlijke wanhoopstheorieën waarmee Teuntje haar gang poogde te rechtvaardigen.

In het spoor van haar verdriet door de straten lopen van die stad, die stompzinnige stad die geloofde in een asbestmaffia omdat men van geen hel meer weten wilde. Die stad waarin Jefke, die hij door Teuntjes verhalen inmiddels beter kende dan hij zichzelf kende, vol branie en bravoure gelopen had, zich in zijn onschuld niet bewust van de krenkingen die hem waren aangedaan. Hier moest hij, begreep hij, het voorzichtig aanleggen met zijn gesprekken met Teuntje. Ze was immers onvatbaar gebleken voor de drek om haar heen. Ze had goddelijke odeuren geroken waar het geteisem scheten liet.

Op weg naar de Botermarkt, waar ze zouden kijken of er nog leuke spulletjes voor haar huis te vinden waren, hield hij haar in de Koningstraat abrupt staande. 'Waarom, Teuntje, zegt de politie niet gewoon wat er gebeurd is. Ik bedoel, jij hebt toch...'

Teuntje keerde zich van hem af en begon de etalage van een kaaswinkel te bestuderen.

'Ze hebben er natuurlijk belang bij de geruchten te voeden.'

'Geruchten?' klonk de verre stem van Teuntje.

'De kaalkoppen... de bomberjacks... Hun nieuwe hel. Wie zou dan een arm bijstandsvrouwtje durven aanklagen, terwijl de daders voor het oprapen liggen, de duivelse heerscharen die de contravorm van hun zelfgenoegzaamheid markeren.'

'Maar ze hébben het toch gedaan?' verweerde ze zich.

'Wat hebben ze gedaan, Teuntje, wie hebben wat gedaan?'

Ze keerde zich naar hem toe en strekte haar armen in een hulpeloos gebaar. 'Verdronken hebben ze hem.'

'Maar je hebt het zélf gedaan, Teuntje.' Hij greep haar bij haar armen. 'Begrijp dan toch dat je het zélf hebt gedaan. Je moest een offer brengen, je schaapje moest naar de slachtbank. Er moest een offervuur in de duisternis worden ontstoken.'

'Maar ik heb het licht niet gezien. Hij heeft zich in de duisternis van mij afgekeerd.'

Geschoold in het theologisch debat als hij inmiddels was, begreep hij wie Teuntje met die 'Hij' bedoelde, en hij sloeg zijn armen om haar heen. Moest hij, de zakkenroller, de goochelaar met debet en credit, soms zijn plaats innemen? En als ze zich, om niet voor een godsdienstwaanzinnige te worden aangezien, de praatjes van de politie, de kranten en de televisie maar liet aanleunen, wat anders kon hij dan nog doen dan wat een praktizijn te doen stond? Hij, de keizer van de dubbele boekhouding, hij die de Satan met Beëlzebub kon verwisselen, hij die in zijn frauduleusheid in staat was gebleken bonus voor malus te verkopen en de grootste schoft voor een heilige. Teuntje, die schuldig was, moest als des te onschuldiger stralen om gered te worden van haar waanideeën. Het werd hem op een presenteerblaadje aangeboden. Men wilde verloedering, onrecht. Men kon het krijgen. De gestalte van Teuntje zou er des te blanker door worden. De glans die haar tegemoet straalde, zou haar duistere brein verlichten en eindelijk zou ze troost vinden voor haar groot verdriet. Daarvoor mocht de hele wereld worden misbruikt: omdat het een wereld was waarin zij niet ademen kon. Zo simpel lagen de zaken als je iemand eens diep in de ogen had gekeken.

Het was voor Oolsdorp zélf een opluchting de zaken nu eens zo eenvoudig te kunnen zien. De bevrijdende gedachte dat er een fase in je leven kon zijn waarin na eindeloos gesjoemel en gesjacher de zaken gewoon weer eens op de plaats vielen waar ze ooit, in onschuldiger tijden, gelegen hadden. In een kinderkamer in de Bomenbuurt waar kinderdromen nog de vervulling van een belofte hadden ingehouden. Het had ook iets te maken met het gevoel dat hij dan dichter bij Teuntje zou staan dan hij ooit bij Marie-Louise gestaan had. Dat de vliesdunne wand tussen schuld en onschuld eindelijk verwijderd zou zijn, al was dat een gedachte die hij liever geen ruimte gunde.

'Het volk,' zei Oolsdorp, 'prostitueert zich aan zijn eigen voortreffelijkheid. Wie misdaan heeft is slachtoffer, wie slachtoffer is een held. Dat volk heeft eelt van zelfgenoegzaamheid en draagt merkkostuums. Het zweet, stinkt, het laat de diarree tussen zijn dijen klotsen en loopt schaamteloos met zijn vaginale sappen te koop. De een ramt de ander een dildo in zijn kont of kut en de ander applaudisseert. Jodelend gaat men zijn graf in en spant een proces aan tegen de doodgraver. In driewielers wint men marathons en eenbenigen worden gehuldigd als olympische kampioenen. Achter de tulen gordijnen verkracht men zijn kroost en tegelijkertijd tekent men in op het

Foster Parentsplan, dat een oplichtersclub blijkt te zijn. Men vertrapt het gras en meldt zich aan bij Greenpeace. Sporthelden schrijven de wet voor en rechters laten zich aan het plafond optakelen. Voor het vuile werk voert men Kanaken in om de handen vrij te houden voor het nóg vuilere werk. Mooie mensen, assertieve mensen, geëmancipeerde mensen, hoerenlopers, geslachtafsnijders, jurkendragers, prothesedragers. Het bloed druipt van hun ruggen, in hun strot steekt de zweep van de onderdanigheid. Ze maken zich dik, ze hongeren zich dood, ze puilen uit hun vel, hun neuzen zijn verstopt van de frituurwalm, hun gehoorgangen verkorst van het nooit ophoudende gedreun uit de luidsprekers. Stom van het schreeuwen zijn ze, en hun geblèr neemt geen einde. Door de straten krioelende malloten, maden. Doodskevers. Van God noch gebod weten ze en stellen de wet.'

Liegt hij? Hij recapituleert alleen wat hij in de *Kennemer Bode* heeft gelezen. Hij slaat met zijn knokkels op de krant die ik voor hem heb meegenomen. Vouwt de krant open en leest de zaligsprekingen van een sportman die, volgens het verslag, het interieur van zijn flat eens goed in zich opneemt, naar het raam wijst, dat op een parkeerplaats uitziet, in tranen uitbarst en zegt: 'Als dit het is... als ik het hier allemaal voor heb gedaan...' Die gedachte maakt de sportman treurig.

De sportman, geboren in de diepste krochten van het Rifgebergte, zegt dat de club waar hij nu voor speelt 'wel heel erg basic' is. Grootmoedig als Berbers zijn kunnen, geeft hij toe dat dat wel zijn charmes heeft, maar dat hij daar na een tijdje ongetwijfeld anders over zal denken. 'Want ik ben een voetballer,' zegt hij, 'die nog veel meer wil bereiken.' Hij hoort hier niet thuis, zegt de man, die Idriss heet omdat bijna alle Berbers Idriss heten, leest Oolsdorp, die nergens meer van staat te kijken.

Die gedachte, zegt Idriss, kan hem tot waanzin drijven. Hij bedoelt niet dat hij naar de kampvuren van het Rifgebergte terug zou willen. Hij bedoelt dat hij in een nog groter, een nog infernaler stadion zou willen spelen, waar nóg meer getatoeëerde krankzinnigen hem zullen toejuichen. Maar bij die nog grotere club zijn ze vooralsnog blind gebleken voor zijn door Allah zelf geschonken talenten, zegt Idriss. En dus moet hij zich tevredenstellen met dit flatje, dat voorzien is van een open haard die hem aan het Rifgebergte doet denken, maar die is aangesloten op het elektriciteitsnet, en met een jacuzzi die hem aan de bronnen in het Rifgebergte doet denken, maar die computergestuurd is. Een schande is dat niet, zegt Idriss, want hij wordt op handen gedragen door de supporters en hij zegt veel waardering voor zijn 'sociale gezicht' te ervaren.

Hij is, zegt hij, een begenadigd spreker en heeft zich ingezet voor de zwakkeren in de samenleving en de politieke partijen zouden hem met open armen ontvangen hebben. Al die partijen zouden geroepen hebben: 'Idriss uit het Rifgebergte, dat is onze man, aan die man kan onze jeugd zich spiegelen.' Idriss zegt dat dat het juiste woord is op de juiste plaats. Hij is een spiegel.

Na een discussieavond over veiligheid in de stadions werd Idriss gevraagd of hij zich namens een van de partijen verkiesbaar wilde stellen voor de Eerste Kamer, die eigenlijk te vergelijken zou zijn met het stamberaad bij de Berbers, maar dan 'met stembriefjes en zo'. Maar toen zou het volgens Idriss, leest Oolsdorp, mis zijn gegaan. Zijn trainer zou bezwaar hebben gemaakt tegen zijn activiteiten buiten de club om, want hij, de trainer, zegt Idriss, zo leest Oolsdorp, zou nu juist hem, Idriss, 'zo'n apenkop uit het Rifgebergte', hebben gekozen omdat zo'n Kanaak zich niet door 'al die westerse weelde' zou laten afleiden. En hij, de trainer, zou Idriss in zijn hemd hebben gezet, wat Idriss diep gekwetst zou hebben. Vooral, zegt Idriss, omdat de club zich achter de trainer had opgesteld. Toen zou Idriss beseft hebben dat er geen weg terug meer was.

'Zoveel dagen van verdriet... Men telt ze niet...' zou hij een

Nederlandse dichter hebben geciteerd van wie hij de tekst boven een overlijdensadvertentie zou hebben gelezen, want als een goed Nederlander las hij alle overlijdensadvertenties die hij maar onder ogen kreeg.

En omdat hij de dagen toch niet geteld had, zo parafraseerde Oolsdorp, was hij, Idriss, even zijn vechtersmentaliteit kwijtgeraakt en had hij – heel even maar – zijn idealen laten varen en was hij dus bij deze club terechtgekomen, op kosten waarvan hij nu in dit flatje zat, dat hem heus niet te min was, maar toch... En Idriss had, volgens het krantenverslag zoals Oolsdorp dat weergaf, met een vertwijfeld gebaar op de elektrische open haard gewezen en was de journalist voorgegaan naar de jacuzzi. 'Maar ja,' zou Idriss daar gezegd hebben, 'de politiek moest ik natuurlijk even vergeten.' Dat had hij heel vervelend gevonden. Maar als hij weer op topniveau terug was, als hij bijvoorbeeld voor Manchester United of Real Madrid zou spelen – want, bij Allah, hij voelde dat die hem daartoe had voorbeschikt – dan zou hij zich opnieuw voor de partij gaan inzetten.

'Folderen noemen jullie dat, hè?' zou hij tegen de journalist gezegd hebben. 'Nou, dan ga ik weer folderen en als ik dan mijn studie kosmologisch recht heb afgerond ga ik stellaire politicologie studeren.'

Oolsdorp had luid gevloekt, de *Bode* verfrommeld en in een hoek gesmeten. Waarop hij zich in zijn fauteuil had laten zakken en het verloop van zijn eigen carrière had overdacht. Daarop had hij de verfrommelde krant weer opgeraapt, de pagina's gladgestreken en was aan het vervolg van zijn verslag van het artikel begonnen, waarin Boutayeb, zo luidde zijn achternaam, vertelde dat hij er altijd naar gestreefd had aan een 'cv' te werken met daarop 'zoveel mogelijk intermenselijke ervaring'. Hij zou zichzelf opleiden om op 'bedrijfsniveau ergens in te stromen'.

Inmiddels echter, Oolsdorp zei er geen touw meer aan vast te kunnen knopen, was Idriss weer lid van zijn partij geworden omdat het publiek aan de uitgangspunten van die partij zou zijn gaan twijfelen. 'Hun motto,' zou Idriss gezegd hebben, 'dat de sterkste schouders de zwaarste lasten moeten dragen, is mijn levensvisie. Het zou hem, Idriss, hoonde Oolsdorp, in de politiek meer om de inhoud dan om de uitstraling gaan. Daarom had Idriss bij de vorige verkiezingen op een vakkundig en intelligent iemand gestemd, iemand van wie hij voelde dat die hem als hij, Idriss, een disco binnenging, niet de deur zou wijzen. 'Een coole gozer,' zou Idriss gezegd hebben, 'dat zag je zo.' Want hij wordt nog dagelijks aan de deur van disco's gezet. Ja, hij komt nog dagelijks in disco's. Wat moet hij anders, zegt hij, nu hij bij zo'n 'klotecluppie' speelt en zich tevreden moet stellen met zo'n 'kutflatje'. Maar let op, als ze hem eenmaal bij Ajax of Feyenoord vragen, dan staan alle disco's voor hem open en dat is het geluk waar hij voor staat, het geluk waar hij voor gaat, het geluk waarin hij al zijn landgenoten wil meeslepen. Dat heeft te maken, zegt hij, met zijn sterke gevoelens – 'want wij Berbers zijn heel gevoelig' – en zijn drang naar gelijkheid.

Hij komt, zegt Oolsdorp, uit een bijstandsgezin. Zijn ouders zouden op relatief jonge leeftijd naar Nederland zijn verhuisd en hem als Nederlander hebben opgevoed, al kregen ze daar, zo parafraseert Oolsdorp nog steeds Boutayeb, amper de tijd voor. Want het was werken geblazen: overuren draaien, en weekenddiensten. Pas toen zijn moeder hernia in de rug had gekregen vanwege de emmers die ze had moeten sjouwen, en zijn vader hartklachten vanwege het pallets laden, waren ze in de WAO terechtgekomen en hadden ze eindelijk de tijd gevonden om aan Idriss' opvoeding te werken. Maar toen speelde hij al in het eerste van de plaatselijke tweedeklasser, terwijl, zou Idriss gezegd hebben, als zijn ouders de kans zouden hebben gekregen eerst fatsoenlijk Nederlands te leren, hij toen al bij de jeugd van Ajax zou hebben gespeeld, wat toch maar een jodenclub was, zodat hij, Idriss, eigenlijk nog geboft had.

Wat Idriss wil, is dat hij aan de deuren van de disco's geaccepteerd wordt. Niet als Berber, zegt hij, niet als voetballer, maar als mens. En daarom, zegt hij, moet niemand raar opkijken als hij nog bij Manchester United eindigt, of bij Real Madrid.

Oolsdorp bekende mij niet te weten wat hij met een dergelijk artikel aan moest. Hij was zich blijven afvragen wat toch de diepere zin van een dergelijk verhaal was. Want een diepere zin moest er toch achter zitten, 'nietwaar, mijnheer Wandelaar? Waarom anders hebt u die krant voor me meegenomen?'

'Omdat het de eerste aflevering van mijn serie over de zaak-Schrader bevat.'

'Dat soort onzin lees ik nooit.' En na me een tijdje broeierig te hebben aangekeken: 'Zover is het dus gekomen met die jongens uit het Rifgebergte. En dat is erger dan al die perversiteiten die ik van al mijn landgenoten heb ervaren. Dat is Jefke dus bespaard gebleven. Zo zou u het toch ook kunnen zien, nietwaar, mijnheer Wandelaar?'

'Ik weet nog niet wat de uiteindelijke conclusie van mijn serie zal zijn, mijnheer Oolsdorp.'

Hij haalde zijn schouders op. 'Tja, misschien hebt u wel gelijk. Voorzover ik Teuntjes verhalen begrepen heb, zou Jefke wel nooit voor de voetballerij hebben gekozen. Wielrenner zou hij geworden zijn. Maar helaas, een slechte. Hij miste, zo is immers wetenschappelijk vastgesteld, de juiste genen voor het wielerberoep. Is het niet een schande, mijnheer Wandelaar, dat men in deze samenleving door zijn genen bepaald wordt?'

Alles was nog erger dan Oolsdorp dacht. Hoe kan hij de weegschaal naar de juiste kant laten omslaan? Door voor de groene energie te kiezen, door lid van Greenpeace te worden, van de NOVIB? Door de van negerhuidjes vervaardigde klapmutsen van het mededogen over zijn hoofd te trekken en verder zelfvoldaan voor zich uit te soezen? Hij bedankte ervoor. Was hij een witgepleisterd graf? Liever was hij dan nog een zwart verkoolde oven.

Dat Teuntje zelf het kind verdronken zou hebben, had Oolsdorp gezegd, was te wijten aan haar oververhitte verbeelding, opgestookt door een vader die haar iedere vorm van dromerij stelselmatig verboden had. Haar vader, die alles wat hij dienaangaande zelf bezeten had, had vergooid aan sloeries in duistere kamertjes. Een vader die, als je het goed bekeek, het gezin Schrader had leeggezogen om zich, met de daaruit gewonnen energie, met volle kracht in de dieptes van zijn persoonlijke hel te werpen, die eigenlijk maar een heel banaal helletje was geweest, niet de moeite waard om er zijn vrouw en kinderen aan op te offeren. Nu zat zij, Teuntje, met de gebakken peren en had zij, hartstochtelijk op zoek naar een begripvolle vader, zich ingebeeld het liefste wat zij op de wereld bezat daarvoor te moeten offeren onder het hartverscheurende gejank van de zwerfhonden en het gejammer van schurftige katten. Maar zo kon het toch niet gegaan zijn?

'Bedenk eens goed, Teuntje,' had Oolsdorp gezegd, 'je zoon was twaalf jaar oud, al een hele kerel. Je gelooft toch niet in ernst dat zo'n knul zich door een frêle wijfje als jij bent zomaar met zijn kop in een strontsloot laat duwen en onderhouden tot hij zijn laatste blupje gegeven heeft? Weet je hoe ze die ziekte van jou noemen...' had hij gezegd en onmiddellijk begrepen daarmee op het verkeerde spoor te zitten. Over een Münchhausensyndroom had hij het willen hebben, maar dat was nu juist wat hij haar uit het hoofd wilde praten. Alles wilde hij haar uit het hoofd praten wat de moderne wetenschap maar aan excuses bedenken kon.

'Kom,' had hij toen maar besloten, 'berg al die Nintendospelletjes maar in de gangkast, haal dat petje van de kapstok en ruim dat kamertje uit waarin je nacht in, nacht uit je schuld belijdt. Je hebt hem niet verdronken. Hij is verdronken. En ik weet hoe. De hele wereld weet hoe en probeert je dat aan je verstand te praten. Maar jij wilt niet naar de mens luisteren omdat je hoogmoedig bent. Hoogmoediger dan de nederigsten uit de school der anachoreten.' Hij kende haar inmiddels alsof, bedacht hij met bittere spijt, hij haar zelf gemaakt had. 'Jij wilt alleen nog de muziek der sferen horen, terwijl alom het getal wordt gebruld en geloeid. Het getal van het beest. Want het beest is al los, Teuntje. Het heeft zich aan jouw Jefke vergrepen. Het heeft een kale kop, draagt piercings door oren, lippen en eikel. Het draagt tatoeages op zijn huid en maakt op zondagen de voetbalvelden onveilig. Het loopt op spijkerlaarzen door de stad en braakt op iedere straathoek zijn gal uit. Soms komt het kleine, onschuldige lammetjes tegen, kroeskoppige lammetjes met olijfkleurige snuitjes.'

Aan welke krankjorume zoöfiele geschiedenis, bedacht Oolsdorp, was hij nu weer begonnen? Nauwelijks was hij van wal gestoken of hij dreigde al op de klippen van zijn eigen verzinsels vast te lopen. Hij moest naar geloofwaardiger verhalen uitkijken, gebaseerd op zijn eigen waarnemingen.

Hij wist het precies. Hij had een studie gemaakt van de omgeving. Dagen achtereen was hij naar die plaats bij het dierenasiel gegaan en had iedere graspol, iedere overhangende wilg, iedere modderkluit en ieder platgetreden stukje bestudeerd. Een bende van een man of vier moest het geweest zijn. Onder aanvoering van een wat ouder persoon, want dat schorem had altijd een leider nodig. Men moest hem, Oolsdorp, niet vertellen hoe dat in elkaar stak. Hij had de geschiedenis bestudeerd. Het was zelfs zo dat, als hij geen praktizijn geworden was, hij het tot historicus had kunnen brengen. Leerstoelen, hele driezitsbanken zouden voor hem zijn opgesteld. Maar wat kon hem op dat moment zijn eigen, gedroomde carrière schelen? Het ging erom Teuntje terug te brengen naar het land waar ieder schuldig was, en zij dus (als al die anderen, maar dat moest men als een bedrijfsongeval incalculeren) onschuldig. Tja, hij had van alles kunnen worden, maar een kundig strateeg in ieder geval niet. En welbeschouwd, wat was hij toch een belabberd psycholoog, een belabberd mens bovenal.

Waar was hij gebleven? Bij een ouder persoon, een seksuele gek. Maar wie was dat tegenwoordig niet? Waarop Oolsdorp weer een tirade had ingelast over de ontwikkeling van perversies en andere zaken die hem bezighielden, om ten slotte weer uit te komen waar het hem om te doen was. Jefke was op weg geweest naar het Brouwerskolkje. Zijn vriendje Danny zou hij al in de Lange Begijnestraat achter hebben gelaten, omdat die niet in het verhaal van Oolsdorp paste. (Toen dit gegeven tijdens de rechtszitting ter sprake kwam, werd dit ter zijde geschoven omdat men de knaap een confrontatie met de al of niet vermeende gruwelen wilde besparen.) En ja, onderweg had Jefke inderdaad bij stomerij Sassen naar binnen gekeken. Hoe Oolsdorp dat had kunnen constateren liet hij in het midden, al moest Teuntje hem, Oolsdorp, later toch nog eens uitleggen wat het joch daar verloren kon hebben.

Ieder spoor had Oolsdorp nagetrokken. Al onder het spoorwegviaduct had hij de eerste tekenen gezien. Afdrukken van profielzolen in de met urine verzadigde modder. Opgewonden hoefgetrappel. Ze moesten uit het niets verschenen zijn. Dat wil zeggen, vanuit de sociaal-architectonisch als zo opwindend beschreven krotten van de Hoofmanstraat. 'De weelde van de tuindorpen', moest ik, Wandelaar, begrijpen. Zon, licht en lucht voor de arbeider die daar al generaties lang achter de geraniums had liggen 'faulenzen'; Oolsdorp had er op dat moment geen beter woord voor kunnen bedenken. Daar, al 'faulenzend', zijn zaad had liggen verhooien. Zijn kinderen had opgevoed tot het addergebroed dat het geworden was. In camouflagepakken geklede zombies die van het oostfront nooit gehoord hadden, verwekt in de jaren dat de soldaten in Vietnam door hun eigen thuisfront met knolbegonia's werden bekogeld. Flowerpower! Het mocht wat! Wat hij bedoelde te zeggen was dat daar, in die tijd, de wortel van alle kwaad was geplant. Door zijn eigen generatiegenoten. Bomenbuurtbewoners als hij, maar anders dan hij gegrepen door visioenen van vrijheid en blijheid en laat de boel maar waaien, en dat daar rare kindertjes van waren gekomen en dat hij zijn 'bezwaren tegen de geest der tijd' niet nog eens uitvoerig ging uitleggen, maar...

Wat hij wilde zeggen, was dat hij een ouder iemand met een Feyenoord-sjaal, maar het had ook een Ajax-sjaal geweest kunnen zijn, zo heel precies had hij die zaken nooit uit elkaar kunnen houden, uit een van die deuren in de Hoofmanstraat had zien komen, die als een rattenvanger door de wijk was gegaan, via de Kopsstraat naar de Anslijnstraat naar de Brouwersvaart, daar, waar je het Gehenna van de Leidsebuurt in ging. Maar dat laatste deden de heren niet, want voor hen liep Jefke, de jongen die zichzelf en de wereld eens een poepje zou laten ruiken. Dat knaapje met die kroeskop en dat olijfkleurige gezichtje dat zomaar brutaalweg de wereld in keek en dat, op weg naar ongewisse avonturen, zelfs het gezelschap van zijn vriendjes versmaadde.

De sportsjaaldrager en zijn kornuiten hadden dat zó aan hem kunnen zien. Een brutaal joch was het, dat schijt had aan iedereen, dat geen respect toonde. Dat waren de heertjes toch met elkaar eens? Stom gegrijns op nog stommere bekken. 'Maar vergis u niet,' had Oolsdorp gezegd, 'de boosaardigste intelligentie – en dat is au fond toch de hoogste vorm van intelligentie – wordt geboren uit de botste rancune.'

Ze hadden Jefke onder het viaduct zien verdwijnen en begrepen dat hij geen andere route meer kon volgen dan die langs het Houtmanpad, vanwaar geen ontsnappen meer mogelijk was. Toen ze eenmaal onder dat viaduct waren hadden ze nog even staan smoezen en een zogenaamde high five gemaakt en met de punten van hun soldatenkistjes tegen de betegelde wand van het viaduct geschopt. Dertien-, veertienjarige jongens waren het geweest. 'Type ambachtsschooljongens,' had Oolsdorp tegen Teuntje gezegd, zoals hij later tegen het hof bevestigen zou, zo vertelde hij mij. Of bestond de ambachtsschool niet meer? Nu, dan was dat verklaring genoeg voor hun motieven. 'Wie geen vak leert is dom en blijft dom.' Hij hoorde het mijnheer Premsela nog zeggen tijdens een van zijn in de jaren vijftig beroemde radiocauserieën. Maar wie had ooit naar mijnheer Premsela willen luisteren? Laat staan naar hem, Oolsdorp, die het allemaal had zien aankomen, zoals hij me vertelde.

In het duister van een winternacht, op een boerenhoeve in de omgeving van Angerloo. Waar we bespied werden door een groen oog en we op de gang het geritsel en geschuifel hoorden van een oude dame, die Oolsdorps monoloog van vreemde, niet nader te duiden accenten voorzag.

Ze, die knapen, waren langs die plaats gelopen waar de oever nog traag glooiend naar de vaart afliep, waar het altijd een drukte van belang was van snaterende eenden, trompetterende meerkoetjes en brutale duiven. Want dat was een voederplaats, moest men weten, waar de bewoners van de aangrenzende zeeheldenbuurt de overtollige producten van hun volgevreten welvaartsbestaan dumpten. Verdere maatschappijkritiek zou Oolsdorp mij besparen. Waar het om ging was dat het groepje jongens, onder aanvoering van die sportman, Jefke dichter en dichter naderde en dat Jefke, die dat inmiddels wel in de gaten had, het op een dapper fluiten had gezet en met alle kracht die hij in dat tengere lijfje van hem had, pogingen deed zijn pas in te houden. Om gelijk op te blijven lopen met de dood. Omdat hij de brutaliteit van de grote knokenbaas nog niet ervaren had. Omdat hij, Jefke, niet bang was. Voor niets en niemand niet. Alleen al uit die laatste formulering, zo vertelde Oolsdorp mij, zou Teuntje een grote troost hebben geput.

Ter hoogte van het asiel hadden ze Jefke uiteindelijk te grazen genomen. De sportman zou een teken hebben gegeven en daarop zouden de vier anderen zich op Jefke hebben gestort. De sportman zou een ruggensteuntje tegen een van de langs de vaart groeiende wilgen hebben gezocht en zijn benen over elkaar hebben geslagen terwijl hij, een walsmelodietje neuriënd, een stiletto te voorschijn had gehaald, waarmee hij omstandig zijn nagels zou zijn gaan schoonmaken, daarbij, tussen het walsje door, zijn jongere kameraden aansporend met sisgeluiden, afgewisseld met geblafte bevelen. Zijn vriendjes nu eens tot matiging aanzettend, ze dan weer instruerend omtrent de anatomische ligging van bepaalde inwendige organen. Sjaalmans zou uit een van de vele zakken in zijn militaire jack een injectiespuit hebben getoverd, en een ampul met Ritalin. Hij zou Jefke persoonlijk de injectie hebben toegediend, terwijl het viertal Jefke tegen de grond gedrukt hield. Daarna zouden ze zijn broek van het lijf hebben getrokken en hem, op zijn buik liggend, naar de waterkant hebben gesleept, waar ze zijn hoofd in het water zouden hebben geduwd en hem vervolgens, de een na de ander, anaal verkracht zouden hebben terwijl de sportfanaat, weer tegen de boom geleund en zijn nagels reinigend met zijn stilettomes, nog steeds dat walsmelodietje neuriënd, zou hebben toegekeken.

Na hun broeken te hebben dichtgeritst zouden ze Jefke ten slotte in het water hebben geschopt. De aanvoerder, de walsenkoning als het ware, zou met zijn stiletto een paar takken van een wilgenboom hebben gesneden, die hij over de boven het water uitstekende delen van het lijkje zou hebben gevlijd. 'Gevlijd', ja, dat was het woord geweest, en dat zou voor het ploegje nog juist op tijd zijn geweest om zich nog uit de voeten te kunnen maken. In de verte zou het juist een wandelaar in aantocht hebben gezien. Naar alle waarschijnlijkheid het vriendje Danny, dat besloten zou hebben naar zijn kameraadje op zoek te gaan. Het vijftal jongelui zou vervolgens, op zijn gemak slenterend, de wijk ter linkerzijde van het Houtmanpad zijn in gelopen, waar het, achter een in de bosschages gelegen elektriciteitshuisje, de brand in een jointje zou hebben gestoken, wat daar in het geheel geen opzien zou hebben gebaard, omdat dat nu eenmaal de vaste plaats voor dat soort activiteiten was.

Zo, vertelde Oolsdorp mij, had hij alles tegen Teuntje verteld en uit de verslagen is mij gebleken dat hij het ook zó voor de rechtbank heeft herhaald. Met weglating natuurlijk van al zijn uitweidingen; die zullen door de rechter wel zijn afgekapt. Maar ook met weglating van de belangrijkste reden waarom hij dit verhaal zo tegen Teuntje verteld had: om haar het offer dat zij gebracht had uit het hoofd te praten. Om haar de troost te bieden die haar God haar kennelijk niet had willen bieden.

Het hof bleek daarin ook niet geïnteresseerd. Wat moest men aan met de wanhoopsdaad van een ogenschijnlijk simpele vrouw? Hier waren hogere belangen in het spel.

11

Oolsdorp bleek de generator van mythologieën. Dergelijke als door hem vertelde verhalen, aangevuld met details omtrent elektroshocks, afgesneden genitaliën, doorgesneden strotten en uitgerukte ingewanden, bereikten natuurlijk ook de *Bode*. Wij plaatsten die berichten met puntjes op de plaatsen waar de gruwelijkste bijzonderheden werden beschreven. Wij waren een nette krant en wij, dat wil zeggen mijn chef, wist ook wel dat de kracht van de puntjes lag in het misbruik dat de visuele media ervan zouden gaan maken. 'Altijd met bronvermelding, heren: "Naar wij uit de *Kennemer Bode* vernamen..." '

'Nieuwe ontwikkelingen in de zaak-Schrader,' kondigde de presentator met neutrale stem zijn actualiteitenprogramma aan. Men zag hem denken: vreet uw hart uit, scheur uw longen aan flarden, schijt uw milt, lever en nieren uit. Word de expressie van uw eigen onmacht, zet uw vorstelijke inborst op. Word de grijpbare gestalte van uw eigen dromen.

Dat was voor het eerst dat ik Oolsdorp te zien kreeg. Toen nog de man met het ravenzwarte haar, goedgeschoren en strak in het vel. De rechtskundig adviseur van onbesproken gedrag die de ware toedracht op eigen houtje had weten te reconstrueren. Die in zijn eentje het hele politiële onderzoek, het falen van het OM, de achterbaksheid van het systeem aan de kaak had gesteld en en passant een drama had onthuld waarvoor onze hele samenleving zich diep zou moeten schamen dan wel in wellust zou mogen kronkelen. De presentator liet zich daar niet over uit. Hij liet de feiten, zei hij, voor zich spreken en zweeg over de gevolgtrekkingen die men daaraan zou kunnen verbinden.

Oolsdorp verscheen op het scherm met een arm rond Teuntje geslagen. Hij redekavelde over dialectiek en hoe deze – 'die godvergeten wonderolie van het marxisme' – het tegendeel kon bewerkstelligen van wat zij beoogde. Dat als bijvoorbeeld de politie iets trachtte te verbergen om erger te voorkomen, zij daarmee excessen uitlokte die, om die excessen te beteugelen, op hun beurt weer om reacties riepen die, de bevoegdheden van de staat ruimschoots overtreffend... De kijkers zagen alweer een spook door Europa waren en nu zouden ze graag van Oolsdorp willen horen welke naam het deze keer zou dragen.

Maar Oolsdorp was er de man niet naar zich als volkstribuun op te werpen. Alle aandacht diende, zei hij, gericht te zijn op háár. Hier stond, en hij drukte voor het oog van de camera's Teuntje nóg dichter tegen zich aan dan hij toch al deed, een onschuldige vrouw die ervan verdacht was geworden... Terwijl de waarheid nu juist was...

Hij keek indringend naar de camera's, waarvan hij wist dat het de ogen van de wereld waren die op hem gericht werden, zodat hij dus wist dat hij indringend in de ogen van heel het Nederlandse volk en, naar spoedig zou blijken, heel Europa keek en daarmee gevoelens losmaakte die, geheel volgens de werking van de door hem verachte wonderolie, volledig op drift konden raken om ergens op de stranden van een diepgevoeld onbehagen aan te spoelen.

Zijn woede, zijn verontwaardiging, hoe gespeeld aanvankelijk wellicht ook, kregen spieren en vet op de botten. Groeiden uit tot zelfstandig opererende klonen van zijn eigen onbehagen. Op hoge toon eiste hij dat politie, brandweer en ambulancediensten hun verantwoording dienden te nemen. Dat ze hier en nu – 'hic et nunc', zei hij – voor de camera moesten verschijnen, maar dat hij wel begreep dat ze daar te laf voor zouden zijn, te verdiept zogenaamd in procedurele kwesties, en dat al die instanties, als ze dan tóch zouden komen opdraven, naar de paragrafen zouden verwijzen om hun falen te vergoelijken. En wie waren van dit alles de slachtoffers? Mensen als deze dappere vrouw, die ten voorbeeld kon worden gesteld aan allen die de mooie idealen alleen maar met de mond beleden; de ridders van moraal, fatsoen en medemenselijkheid, de kosmopolieten met hun warme plekjes in het hart voor de verstotenen. Hij had een smetteloze, mathematisch gevouwen witte zakdoek voor de dag gehaald en daarmee de tranen gedept die over Teuntjes wangen rolden. Zijn gezicht vertoonde daarbij een gelaatsuitdrukking die aan de talloze mannelijke kijkers een machteloos gemompelde vloek ontlokte, terwijl de vrouwelijke kijkers dichter tegen de vloekers aan waren gekropen in hun eendrachtig ervaren gevoelens van onmacht en opstandigheid.

'Dit... dit is wat er gebeurt als wij onze kinderen niet... en deze vrouwen', hij wees op Teuntje, 'zijn daar het slachtoffer van.' Hij wierp een Mozaïsch toornende blik op de presentator van het programma, die daarop schuldbewust in zijn paperassen begon te bladeren om daaruit af te kunnen lezen of zijn reactie wel adequaat genoeg was om minimaal te kunnen functioneren als de trouwe paladijn van deze volksheld.

In een volgend programma hield Oolsdorp een krant omhoog en citeerde, zonder daarbij een blik op die krant te werpen – het programma was zorgvuldig en met behulp van de autocue voorbereid: 'Hier lees ik dat deze zomer voor het eerst, in Putten, een zomerkamp voor kinderen wordt ingericht. "Tieners met overgewicht kunnen daar met elkaar sporten en zwemmen zonder gepest te worden. Daarnaast krijgen zij begeleiding van diëtisten, psychologen en sportleraren bij het aankweken van een bijzondere leefstijl." '

Naast hem stond Teuntje, die dat haar Jefke zo graag gegund zou hebben.

'"Ook ouders,"' vervolgde Oolsdorp, '"krijgen een dagdeelinstructie," lees ik hier, omdat die ouders de boodschappen doen.' Hij maakte een wegwerpend gebaar. 'Het kamp kost een rooie rug per week. De minimale verblijfsduur is twee weken en wordt gesponsord door de zorgverzekeraars. Begrijpt u, kijkers, wat ik bedoel?' Hij streelde Teuntje door het haar. 'Deze vrouw... een schamel uitkerinkje... die zou zo'n kamp niet eens hebben kunnen betalen. Hoefde ze ook niet... Haar kind had geen behoefte aan zo'n kamp... kampen zijn er immers alleen voor beulen en hun slachtoffers... overvoed of ondervoed... Het scheelt niet veel of we hebben van onze hele samenleving een kamp gemaakt.'

De instanties gaven communiqués uit waarin zij bezwoeren niets van de aan het kind bedreven misdrijven te hebben kunnen constateren. Dat hier heus alleen maar sprake was van een verdrinkingsgeval en dat geen moment overwogen was de moeder daarvoor aansprakelijk te stellen. Men had zelfs proeven genomen waaruit 'zonneklaar' – in enkele rapporten stond zelfs 'klip en klaar' – was gebleken dat verdrinken in een vaart van nog geen dertig centimeter diep heel goed mogelijk was. Ter adstructie had men videobanden getoond waarop met behulp van opblaaspoppen werd aangetoond hoe dit in zijn werk had kunnen gaan. Schunnige opmerkingen alom. Overstemd door hoog opvlammende verontwaardiging. Hoe had men, zo vroegen deskundigen zich voor de televisie af, zich dermate kunnen verlagen dat men tot dit soort perversiteiten in staat was gebleken. Een enkele deskundige meende zelfs de verdorven glimlach van een politiebeambte op de videoband te hebben kunnen waarnemen.

'Maar nu gaat u toch te ver, mijnheer Van den Oever... U denkt toch niet dat de politie zó dom is dat ze een dergelijk fragment er niet uit zou hebben geknipt?'

'Dat is het nu juist,' verdedigde Van den Oever zich, 'het toont de verregaande arrogantie van de politie aan... en van het Openbaar Ministerie, zou ik eraan willen toevoegen.'

'Dat soort gruwelen, mijnheer Wandelaar.'

'Waaraan u toch uw steentje hebt bijgedragen.'

'Vermindert dat de schuld van de anderen? Ben ikzelf daarom schuldiger? Ik ben toch zelf die ander in de ogen van die ander? We hebben onszelf, uw dienaar incluis, tot het monsterachtige formaat van sekspoppen opgeblazen en proberen elkaar voortdurend in een modderslootje van nog geen dertig centimeter diep te verdrinken. We hadden in plaats daarvan beter naar de Gamma of de Praxis kunnen gaan om daar het grootste formaat spijker te kopen, het grootste formaat ambachtelijk gesmede spijker, om die vervolgens in de wand te slaan en onszelf eraan op te hangen. Dat zou waarachtig efficiënter zijn geweest. Maar ach, sinds heel ons land uit gipswandjes is opgetrokken, zou dat natuurlijk ook niet veel hebben uitgehaald. De spijker zou dwars door de muur zijn gescheurd en we zouden op onze gat terecht zijn gekomen. We hebben de perversiteit begaan de onmogelijkheid tot zelfmoord bij voorbaat in het systeem in te bouwen. Ik ga dat de Praxis niet verwijten, ik ga dat de Gamma niet verwijten. Dat zijn au fond heel nette bedrijven die het beste met ons voorhebben. Dat soort bedrijven zijn wellicht nog de meest menslievende, de meest humane instellingen die in ons land bestaan. De werkelijke moordenaars zijn zij die ons zelfs maar de gedachte aan moord of zelfmoord uit het hoofd proberen te praten. De verdedigers van de zachte dood, de stinkende heelmeesters die ons de weelde van het lijden niet meer gunnen, die de waarde van het offer miskennen.

Hoe kom ik daar op? Ja, hoe kom ik daar op?'

Daar was Oolsdorp opgekomen omdat, naar hij vertelde, op een dag de wagens van de verzamelde Nederlandse televisiezenders over de Bakenessergracht waren komen aandenderen, linksaf waren geslagen de Vrouwestraat in, waarna er allerlei dubieuze types uit waren gesprongen die hun cameralampen hadden opgesteld en de deur van Teuntjes woning hadden geforceerd, haar met grof geweld in een stoel hadden gedwongen en haar als de eerste de beste Babylonische hoer hadden geschminkt onder het excuus dat de eerste minister haar zijn deelneming wilde komen betuigen. Terwijl Teuntje machteloos op haar stoel werd vastgehouden waren de cameralieden, op aanwijzing van de commentatoren, als aasgieren door het huisje gevlogen. Hadden ze, naar de mening van Oolsdorp, heel de nederige intimiteit van dat huisje, 'die voorafspiegeling van het paradijs', zoals hij zei, aan flarden gescheurd. Hadden ze Teuntjes ziel opengereten in hun pogingen iets te achterhalen van de geheimen die ze, in hun vruchteloze gesprekken met haar, niet hadden kunnen achterhalen. Teuntjes zwijgen voor de camera was hun een gruwel geweest. Ze hadden het opgevat als de ultieme minachting voor de mensensoort die van haar lijden geen weet wilde hebben omdat ze er een honger naar publieke aandacht in vermoedden.

Een televisiedominee had zelfs, vertelde Oolsdorp, in een in haar hysterie beschamende poging om Teuntje te verdedigen analogieën gesignaleerd tussen haar en de lijdende Christus, zoals die voor de landvoogd Pilatus had gestaan, niets anders zeggend dan: 'Gij zegt het', daarmee Teuntje met een pretentie opzadelend die zijzelf niet beoogd had. Daarmee had de dominee het paard achter de wagen gespannen, had Oolsdorp geconstateerd, daar berustend aan toevoegend dat priesters en dominees nooit anders dan dat hadden gedaan. Nooit hadden zij iets anders gedaan dan paarden achter wagens spannen in hun blinde behoefte het volk vóór te gaan.

'Een imitatio Christi', zo was Oolsdorp woedend uit zijn stoel overeind gekomen, waarbij voor het eerst zijn pantoffel zonder moedwil of berekening van zijn voet was geschoten, 'was wel het laatste wat Teuntje voor ogen had gestaan. Welk waarlijk christenmens zou die pretentie ook durven hebben?' Maar waar was hij gebleven?

Waar was ík gebleven? Ik had mij toen, met mijn notitieboekje in de aanslag, onder de steeds aanzwellende menigte bevonden: de hoertjes die hun plaats achter de ramen hadden verlaten, de groenteboer met een zak duivenvoer op zijn schouder, de tweepaardenkoning met een carterblok dat hij maar zolang op de grond had gezet, 'want,' had hij gezegd, 'als de minister-president iets gaat beloven kun je meestal lang wachten', de buurtbewoners, Danny natuurlijk, die, naar ik me achteraf realiseer, merkwaardig wegkeek als ik mijn blik op hem richtte, en de bewoners van de omliggende buurten, kroegbazen, baliekluivers, zwervers, junkies en allen die iets op hun kerfstok hadden dan wel van iets verlost wilden worden en daarvoor de minister-president wel even aan zijn jasje wilden trekken, want het ging niet aan, zoals zij mij toevertrouwden, dat alle aandacht zich maar richtte op zo'n individueel geval, terwijl zij toch ook... Men toonde mij wonden, kwetsuren, gebroken heupen, leegsijpelende geheugens, met roos bezwadderde schouders, in jaren niet gewassen voeten et cetera. En dat het niet aanging dat zo'n temeie zich even breed maakte, terwijl zij, de toegestroomden... Dat de zaken nu eindelijk eens structureel moesten worden aangepakt, dat wil zeggen dat hun wonden moesten worden gehecht, hun kwetsuren gezalfd, hun heupen gerepareerd, hun geheugens gepleisterd, hun schouders geborsteld, hun voeten gewassen, hun dwangnagels geknipt, hun likdoorns gesneden, hun brood vermenigvuldigd. Om een universele bruiloft te Kana smeekten zij, een wonderbare visvangst.

'En wie,' gilde een uitzinnige vrouw die zich ergens achter de groenteboer had opgesteld, 'geeft me mijn kind terug? Ik ben toch ook een moeder, niet soms?' jankte ze, verwilderd om zich heen kijkend. Waarop het heel even stil was geworden, heel even maar, want het gerucht ging dat de auto van de minister-president al op het Spaarne was gesignaleerd, waar hij had stilgehouden bij een pasgeopende koffieshop om de jonge, ambitieuze zakenman moed in te spreken en hem te prijzen om het particuliere initiatief dat hij betoond had. Want zonder particulier initiatief was deze natie immers ten dode opgeschreven. Maar dat laatste bleek niet meer dan een kwaadaardig gerucht, verspreid door díe in de Vrouwestraat aanwezigen die het bezoek van de minister-president als zodanig wantrouwden. Omdat, zeiden zij, het allemaal maar theater was, poppenkast om stemmen te werven voor de eerstvolgende verkiezingen.

'Kent u het multipliereffect, mijnheer Wandelaar? Welnu, met mijn ervaring als econoom kan ik u er iets van vertellen.'

De reportage van het bezoek van de minister-president aan het huisje van Antoinette Schrader werd, op zijn beurt, verslagen door de vertegenwoordigers van de buitenlandse televisiemaatschappijen. Tot in de verste uithoeken van Europa had men de waardige staatsman in een van Teuntjes rotanmeubeltjes kunnen zien zitten; zijn rijzige gestalte licht voorovergebogen, de handen gespreid op de bovenbenen, aandachtig, nee, inlevend knikkend bij iedere gezwegen zin die Teuntje uitsprak. De excellentie had ten slotte maar zijn aandacht op de camera's gericht en zelf het woord genomen. Met trillende lippen en knipperende oogleden had hij 'alle kijkers in het land' gemaand de kalmte te bewaren en 'in deze momenten van beproeving' de zinnen te richten op wat ons bond, eerder dan op wat ons scheidde; dat dát de boodschap was die deze eenvoudige vrouw zo treffend had weten te verwoorden. Hij verzekerde dat de voor de gruweldaad verantwoordelijken zouden worden berecht, streng, maar natuurlijk volgens de bij ons vigerende wetten. Dat de gedachten licht konden afdwalen naar de gruweldaden, bedreven in een recent verleden. De minister-president behoefde natuurlijk niet toe te lichten waar hij op doelde. 'Maar ik kan u één ding verzekeren,' besloot hij, energiek uit de rotanstoel verrijzend en de middelste knoop van zijn colbert dichtknopend, 'nooit, nooit zullen zij hier ook maar één voet aan de grond krijgen.'

Nee, zij zullen hem niet temmen, de fiere Vlaamse leeuw, zou

Oolsdorp daarop spottend geneuried hebben, wat, naar ik na het bekijken van de banden heb kunnen constateren, een verzinsel van hem is geweest, want Oolsdorp was weliswaar bij het bezoek aanwezig geweest, maar hij had al die tijd nogal bedrukt voor zich uit gekeken. Actief was hij pas geworden, zo hoorde ik van een collega van de *Bode* die erbij was geweest, toen de camera's moesten worden weggehaald en de meubeltjes weer op hun plaats gezet. 'Die *Saubande*,' zou Oolsdorp gegromd hebben, 'dat stelletje *widerliche* farizeeërs. Dat verlekkert zich aan de wreedheden door de eeuwen heen, schildert er een smakelijk exposé van, scheldt op alles wat te stom is om zich te verweren, maar geen mens die het over Jefke heeft.'

Het was een van de meisjes uit de Korte Begijnestraat die het initiatief had genomen. Op een avond was ze, met een inderhaast over haar lederen korseletje aangeschoten regenjas, naar de Vrouwestraat gelopen en had daar, tegenover Teuntjes deur, een in een tulpvormig glazen houdertje gestoken waxinelichtje ontstoken en er een Winnie the Pooh-beertje naast gelegd. Het meisje was neergeknield en had een traan weggepinkt. Daarna was ze, bevreesd om door ook maar iemand gezien te worden, snel weer naar haar werk teruggelopen, haar jas dicht om zich heen trekkend, als om aan te geven dat ze met de gevolgen van haar daad niets te maken wilde hebben.

'*Ex oriente lux*, mijnheer Wandelaar. Maar hoe ik ook naar die opgaande zon van gevoelens en mededogen staarde, ik zag geen hand voor ogen. Blind als een pasgeboren kalf bleef ik vooralsnog voor de Apocalyps die zich rond mij aan het voltrekken was. Ik had Teuntje haar gevoel voor eigenwaarde willen teruggeven, ik had haar van haar schuldgevoel willen ontlasten; tot heldin van 's mensen dwaaltocht door de krochten van de verbijstering had ik haar willen kronen. Ze werd begraven onder de waxinelichtjes en "op de boerderij" dan wel "in de abdij" vervaardigde "echte waskaarsen".

Bij de Pooh-beren voegden zich de Paddingtons, de Colargols en Bruintjes. Poppen van Steiff Knopf im Ohr, Barbies en Kens. Pluchen zeehondjes en plastic bloemen. Het negende wereldwonder aan mededogen werd daar, in de Vrouwestraat, opgetrokken. De rook van de brandoffers hing zwaar over de binnenstad. De tranen begonnen in mijn ogen te branden. Begon ik dan eindelijk het licht te zien in de duisternis die ik zelf had opgeroepen?

Nee, mijnheer Wandelaar, zover was het nog niet. Door de levenslange koestering van mijn eigen narigheid was het eelt op mijn ogen geslagen. Ik zag voorlopig alleen nog maar wat ik zelf zien wilde: een Teuntje die in haar wanhoop, haar onbegrip voor wat er om haar heen gebeurde, zich steeds heftiger aan mij begon vast te klampen. Die in haar, laat ik zeggen tot extase geneigde geest, die haar tot in de mystieke duisternissen van de vertwijfeling en de totale negatie had teruggeworpen, in mij een vader begon te zien. In mij, mijnheer Wandelaar, de onvruchtbare klaploper op de gevoelens der vrouwen.

Of ik haar niet het lammetje kon terugbezorgen dat zij ergens in een ver braambos verloren had. Over roosters had ze het, over leeuwenkuilen en beulszwaarden. En mij zag ze, "de lendenen met een wade omgord", zoals ze dat stelde, aan de poort van het paradijs staan. Alleen ik was degene die haar toegang zou kunnen verlenen omdat "die arme Gerard" niet waardig was bevonden de poort voor haar te openen. Die arme Gerard, ha-ha-ha. Die man die hoerend en snoerend door de taiga is getrokken en vervolgens heel Noord-Afrika onder zijn smerige bokkenpoten heeft verpletterd. Habraken, die zélf het menetekel aan de wand van haar ondergang heeft geschreven.

En ik, mijnheer Wandelaar, ik, die toen de kracht niet kon opbrengen om die Habraken voor haar ogen vrij te pleiten. Ik, die mij kleinzieliger betoonde dan welke televisiepresentator of dominee ook. Uitgerekend ik zou haar...? Ik, die het nog niet waard was haar voetzolen te kussen?

Terwijl ik degene was die het "alle ballen verzamelen" had geloeid en daarmee de panische opeenhoping had veroorzaakt van al die rotzooi die de smakelooste aller beschavingen ooit heeft voortgebracht,' zei Oolsdorp.

Schreef ik van mijn allang stilgevallen band af. Wie er in die woonkamer op de hoeve in Angerloo in welke stoel zat, viel niet meer uit te maken. Zomin als iemand nog zou hebben kunnen onderscheiden wie met welke pantoffel aan zijn voet zat te goochelen of wie welke geluiden nog op de gang hoorde of wie naar welk groen oog keek, dat wil zeggen, wie het groene oog als baken dan wel als het ultieme onheilssignaal interpreteerde. Wie was hier eigenlijk nog de vertellende instantie? Wie was het die Oolsdorps blunders, misstappen en pogingen tot redding, zelfredding, tot de fauneske sprongen in een klucht degradeerde? En waarom?

In ieder geval zei Oolsdorp: 'Die opeenhoping van knuffeldieren, waskaarsen, waxinelichtjes, plastic en papieren bruids- en grafboeketten, betraande en stuntelig beschreven papiertjes, zorgvuldig gekalligrafeerde geloofsbelijdenissen dan wel wanhoopskreten uit de diepte der zielen, opgeborreld vanuit duistere fermentatielagen, gewrongen uit beklemde harten: zij waren alle voor Antoinette bedoeld. *Antonia misericordia, libera nos ad malo.*

Heilig vat van godsvrucht, bid voor ons.
Ivoren toren, bid voor ons.
Mystieke roos, bid voor ons.
Lam gods dat de zonden der wereld wegneemt, bid voor ons.

De litanie van verlatenheid,' zei Oolsdorp, 'die de litanie der liefde is. Want de wereld was in grote nood. Aan alles voelde je: er was iets op til.'

Oolsdorp hield, vanaf het bezoek van de minister-president,

zijn Teuntje zorgvuldig buiten de aandacht. Het autodafe aan medeleven kon hij weliswaar niet voorkomen, men zou hem gelyncht hebben, wél zorgde hij ervoor dat ze zo min mogelijk van het tumult gewaarwerd. Hij hield de gordijnen gesloten, had zelfs metalen rolluiken voor de ramen laten aanbrengen en zorgde ervoor dat ze bleef eten. Hij deed de boodschappen, kookte voor haar en voerde haar als de kleuter die ze geworden was. Verzonken in haar verdriet en in haar hoop die ze bleef koesteren. Ergens, ooit, op enige plaats, hier of in het hiernamaals, zou de glorierijke zich toch aan haar moeten openbaren, zou zij toch haar vinger in zijn wonde mogen leggen om, bevrijd van wat haar benarde, te mogen bekennen: 'Gij zijt het, Heer.'

Oolsdorp had een snik niet kunnen onderdrukken toen hij haar, terwijl hij juist een lepel bouillon tegen haar lippen zette en een servet tegen het knoeien bij de hand hield, in haar ogen keek. Ogen waarin het nog smeulde. Of waarin het juist opnieuw begon te smeulen.

12

Daar kwam hij. Op kousenvoeten. Niemand had hem nog waargenomen. Hij had zijn voorbereidingen in stilte getroffen. De leeddrager van het universum. De door alle wateren gewassene. De nucleus van het menselijk bestaan. Blaffend en jammerend van onverdiend leed was hij door zijn jeugd gegaan en niemand die hem had willen horen. Op de leeftijd dat anderen aan hun geslacht begonnen te sjorren, had hij incontinent te bed gelegen. Toen zijn leeftijdgenoten hun eerste vriendinnetjes tussen de benen begonnen te grijpen, had hij aan een punt van zijn kussen liggen lurken en het sloop met zijn tranen benat.

Het lijden in effigie. Van operatiebed naar operatiebed gedragen, van dialyseapparaat naar hart-longmachine. Dermate in beslag genomen door dit alles dat de groei hem in de keel was gestokt. Een dwerg was hij gebleven van nauwelijks anderhalve meter lang. Een pygmee in de binnenlanden van fitness en gezondheidskuren. Brildragend bovendien om te maskeren dat hij zonder ogen geboren was. Wapperend met fauneske oren omdat zijn gehoororganen al vanaf het moment van zijn verwekking scrofuleus bleken te zijn. Maar goedgemutst niettemin.

Geen goedgemutster mens had tussen Vaals en Delfzijl ooit het licht gezien. En waar hij, wankelend achter zijn rollator dan wel strompelend op krukken, ook ging, hij baadde in het licht van mededogen en erbarmen. Werd hem dat te warm, dan daalden milde regens van schouderklopjes en andere vormen van aanmoediging op hem neer.

Een verbitterd mens was hij niettemin, al mocht hij dat nooit laten merken. Men zou hem anders eens kunnen verwijten geen oog te hebben voor het leed in de Sahel, de moordpartijen in Kameroen, de epidemieën in Patagonië. Hij was een gekweld mens, door het domme lot getroffen. Hem restte niets dan kwakend te lachen en brutaalweg met zijn kwellingen te koop te lopen. Ze iedereen onder de neus te wrijven en loeiend van de pijn zijn optimistische kreten de wereld in te brullen.

Toch: op kousenvoeten was hij gekomen. Want wat hij zich aanvankelijk niet gerealiseerd had, was dat hij zó klein was dat niemand notie van zijn kabaal had genomen. Men had hem nietsvermoedend opzij geduwd, onder de voet gelopen. Was hij dan geen menselijk wezen? Nou en of! Zijn haat tegen alles en iedereen – door zijn psychiater goedmoedig 'een gezonde geldingsdrang' genoemd – stonk ten hemel. Voor de toneelschool werd hij afgewezen. Onder de bollenpellers en de vloerendweilers werd hij als geringer beschouwd dan de slechtst betaalde gastarbeiders. Voor een cursus creatief schrijven bij het Nederlands Talen Instituut kwam hij niet in aanmerking omdat hij niet eens naar behoren het inschrijfformulier kon invullen.

Maar hij bleef komen. En toen hij zijn kousen eenmaal had uitgetrokken, ja, toen werd het geklets van zijn zwemvliezen op het zeil zelfs hoorbaar voor hen die zich aanvankelijk doof hadden gehouden voor zijn jammerklachten. Verbijsterd als men was, wist men niet anders te reageren dan hem 'wel een lollig ventje' te vinden, dan wel de trotse vrucht aan de boom der emancipatie van minderheden van welk slag of geslacht dan ook.

Vertegenwoordigde hij niet man en vrouw in één, gehandicapte en alvermogende? En dat hij zich überhaupt kon voortbewegen? Olympisch goud! Dat hij zich verstaanbaar kon maken? Nobelprijs voor de letteren! Daar kwam de kleine Iwosyg, daar kwam de giftige walgvogel in zijn fris gewassen doedelzak.

Geheel naar de eisen van de tijd werd hij van een logo voorzien en 'in de markt gezet'.

Goed ging hij doen voor allen die belast en beladen waren. Een zonnetje zou hij bij hen in huis brengen. Duizenden Henri Dunants zou hij laten uitvaren om de vernederden en vertrapten de geneugten van de Loreley en de grotten van Han te laten ervaren. Alle veertien staties van zowel de publieke als de commerciële omroepen zou hij aflopen om zijn blijde boodschap te verkondigen.

En daar waar Jezus voor de derde maal viel, of daar waar Veronica haar troostdoek bood, of, heel misschien, zelfs wel daar waar de Heiland zijn 'Eli, eli, lama sabachtani' uitschreeuwde – daar kwam de held van onze tijd op zijn zwemvliezen aangedabberd en riep uit: 'Ik, en alles wat ik vertegenwoordig, sta achter deze vrouw.'

Hij riep de bevolking op tot massale betogingen, tot witte marsen en ballonfestijnen. Niet langer liep hij, opwaarts likkend, tussen de benen van hoog boven hem uitrijzende vrouwen door. Nu verhief hij zich boven alles wat vrouw was door háár onder zijn bescherming te dwingen die daar het minste om gevraagd had.

Kraaiend van genot sprong hij over de beeldschermen. Kwijlend van medemenselijkheid bood hij buttons te koop aan, toeters, bellen... De grootmeester van de al in de baarmoeder ontwikkelde verongelijktheid, de trol die nog te stom was om dat enige en universele drieletterwoord te spellen dat de mens tot mens heeft gemaakt, haalde zijn goddelijke gelijk.

Oolsdorp zag het gebeuren. 'Toen ik die gnoom op de televisie zag die het waagde de naam van die vrouw in de mond te nemen, toen begreep ik welk duivels complot ik onbedoeld gesmeed had. Ja, mijnheer Wandelaar, in de gedaante van die foetus zag ik mezelf op dat scherm. Ik zag de hele wereld, ineengekrompen tot één ondeelbare samensmelting van domheid en waan. Terwijl het me om de verlossing te doen was geweest van een vrouw die, zoals achteraf gebleken is, geen verlossing van node had, omdat ze allang was ondergegaan in de aanbidding van het onuitsprekelijke. Ieder noemen van haar naam was een profanatie, een sacrilège. En deze kwakende nageboorte, deze schending van de menselijke soort die, op haar beurt, een afspiegeling van de godheid heet te zijn...'

Oolsdorp vertelde hoe hij het bord pap dat hij juist aan Teuntje aan het voeren was, naar het televisietoestel had gegooid. Het toestel was geïmplodeerd, een steekvlam was naar het plafond geschoten. Teuntje had alleen wat imbeciel gegrinnikt. Oolsdorp had haar daarop naar haar slaapkamer gedragen, haar uitgekleed, haar een nachtpon aangetrokken en op bed gelegd, haar handen over haar borst gevouwen en haar een kus op het voorhoofd gedrukt. Daarna was hij naar het politiebureau aan de Koudenhorn gegaan en had zich aangegeven als de feitelijke veroorzaker van, zoals hij dat tegenover de dienstdoende agent had genoemd, 'een misdaad tegen de menselijkheid'. De agent had hem verbijsterd aangekeken. Als men hem, Oolsdorp, niet onmiddellijk in de boeien zou slaan, zo zou hij daarop hebben gezegd, dan zou hij nog diezelfde avond *De Telegraaf* op de hoogte stellen van de machinaties waarmee het korps Kennemerland de hele zaak had denken af te dekken. Het gebrek aan logica van deze opmerking was zowel de dienstdoende agent als Oolsdorp ontgaan. Hoewel ik, Wandelaar, daar in het geval van laatstgenoemde nog niet zo zeker van ben.

Men had Oolsdorp ter ontnuchtering in een cel opgesloten en toen hij de volgende dag op vrije voeten werd gesteld, had hij zich onmiddellijk daarop weer bij een andere diender gemeld, die, zoals Oolsdorp zei, nog wallen onder de ogen had van het kijken naar het televisieprogramma van de vorige avond waarin die gnoom... Enfin, Oolsdorp had zichzelf toen aangegeven wegens het afleggen van valse getuigenissen.

POSTSCRIPTUM

Naar het raadsbesluit der engelen en de oordelen der heiligen, verbannen, verstoten, verwensen en vervloeken wij Bernhard Oolsdorp met de toestemming van de heilige God en de gehele gemeenschap der heiligen voor de heilige boeken der wet en met alle verwensingen die in de wet geschreven staan.

Vervloekt zij hij bij dag, vervloekt zij hij bij nacht; vervloekt zij hij als hij zich te slapen legt, als hij opstaat; vervloekt zij hij als hij zijn huis verlaat, en vervloekt zij hij als hij terugkeert. God zal hem geen vergeving willen schenken. De toorn en de woede Gods zullen jegens deze mens ontbranden. Wij ordonneren dat niemand, mondeling noch schriftelijk, met hem verkeren zal, niemand hem een gunst zal bewijzen, niemand onder één dak dan wel binnen vier muren met hem verwijlen, niemand een door hem opgesteld of geschreven geschrift lezen zal.

Daarom had Oolsdorp zich in Angerloo teruggetrokken. Om het vonnis, dat níet over hem werd uitgesproken – de zaak werd na Teuntjes zelfmoord geseponeerd – aan zichzelf te voltrekken.

'Daarna,' had Oolsdorp gezegd, 'valt het grote zwijgen, het wippen met de pantoffel, het dansen van een walsje met deze of gene.'

Oolsdorp was naar de radio-grammofooncombinatie gelopen en had een tiental al klaarliggende platen opgelegd. Ik hoorde het in de hal versterkte geluid van een sleutel die in het slot werd gestoken, een voordeur die geopend en weer gesloten werd.

Oolsdorp zei: 'Men wordt niet meer geraakt door de dingen, mijnheer Wandelaar. Men is in zekere zin zelf de beroering geworden. En of men dan zélf nog leeft, als heilige of als clown... wat maakt dat verder nog uit? Het enige wat nog van belang is, is dat men geld op de bank heeft, dat men een hapje eten kan in Het Los Hoes, dat men desnoods een journalist langs de door iemand zelf uitgezette dwaalsporen kan leiden.

Ach weet u, mijn eerzucht was destijds, ten tijde van Teuntje, al niet meer zo groot. Ik moet toen door iets anders bewogen zijn. Iets wat, door het uit te spreken alleen al, onachterhaalbaar zou zijn geworden. Men danst af en toe een walsje, nietwaar? "Eisele und Beisele..." "G'schichten aus dem Wienerwald..." Het heeft niets te betekenen. Het wil niets betekenen. Vertier op een achternamiddag als Immie en ik de vergetelheid zoeken.

Ja, Immie en ik hebben elkaar tijdens het proces ontmoet. Toen heeft ze me verteld dat ze, eerder dan een Schrader te zijn, de dochter was van een eens populair leider van een salonorkest. Goldschmidt, ja, wiens in schellak gekraste welluidendheden ons nog een beetje op de been houden. Dat is goed, nietwaar? Anders zouden we immers ter plekke de geest geven.

We hebben nog iets uit te zitten, Immie en ik. We hebben nog een leven te herkauwen dat in geen van ons beider gevallen ten volle geleefd is. Omdat het bij ons beiden te laat begonnen is. Bij haar: ergens op een aan het oog onttrokken zolderkamertje, afgeschermd van het gajes dat de hand aan haar wilde slaan, zodat dat leven van haar ten slotte voor ieder verborgen is gebleven. Voor mij begon dat te late leven op die plee onder heldere hemel, juist toen ik op het punt stond deel te gaan uitmaken van datzelfde gajes. Genoeg stof voor een roman, mijnheer Wandelaar.'

Daar vloog die pantoffel weer, met de inmiddels vanouds bekende behendigheid, van de voet. Zou ik hem nog een keer...? Hij was immers te oud en te moe... Moest zijn energie bewaren voor dat walsje met mevrouw Goldschmidt.

'U bent schrijver,' vervolgde hij. 'Ja, u bent schrijver. U bent met niets anders bezig geweest dan in die serie die u over Teuntje en mij geschreven hebt, de Haarlemse evenknie te beschrijven van de door u zeer bewonderde schrijver die u zelf had willen zijn. Vertelt u mij niets. U hebt mij niet voor niets de naam Oolsdorp gegeven. U hebt daar interviews met die door u bewonderde schrijver voor geplunderd. Nee, vertelt u mij niets, ik heb ze zelf gelezen, die interviews. Goed genoeg om tot de conclusie te komen dat u zichzelf beschreven hebt in de verheerlijkte staat waarin u zélf had willen verkeren. En, bezwadderd door uw liefdesverdriet, hebt u daarnaast een heilige beschreven die nooit bestaan heeft: Teuntje. Haar heiligheid is niets anders dan het lot dat u haar hebt toegeschreven. De enige waarheid die rest is een monsterachtige dwerg. En een dode Jefke, van wie we de doodsoorzaak nooit zullen kennen.

Dat laatste is het meest deprimerende aan dat schrijverschap dat u, aan het eind van uw lamentabele carrière, alsnog geambieerd hebt: nooit zal men op papier kunnen krijgen wat men werkelijk gedacht of zich voorgesteld heeft te denken. Dat alles verloren gaat op het moment dat men het neerschrijft. Wat er uiteindelijk op papier komt, is niet meer dan een verwrongen kopie van wat men in gedachten had.

Ik, mijnheer Wandelaar, kan dat weten. U hebt mij immers verbeeld als de schrijver die ú had willen zijn: de verlosser. Maar die verlosser heeft de doden niet tot leven kunnen wekken en de levenden heeft hij niet kunnen behouden. Op zijn best heeft hij van de goden clowns gemaakt en de clowns tot goden verheven. U, mijnheer Wandelaar, die zich mijn gedachtegangen eigen hebt gemaakt, had dat moeten weten.'

Op het moment dat mevrouw Irmgard binnenkwam, verhief Oolsdorp zich opnieuw moeizaam uit zijn fauteuil en slofte naar de radio-grammofooncombinatie van het merk Loewe Opta met het groene oog. Een schellakplaat viel kletterend op de draaitafel. Na enig inleidend geruis klonk Johann Strauss'

'Eisele und Beisele-Sprünge', zoals vertolkt door het salonorkest van Benedikt Goldschmidt, waarop Oolsdorp mevrouw Irmgard ten dans noodde.

Haarlem, april '01-april '03

Geraadpleegde literatuur, waaraan ook de citaten en parafrases werden ontleend:

R.W. Fassbinder, *Het vuil, de stad en de dood.*
Chateaubriand, *Le génie du christianisme.*
James Joyce, *Ulysses*, *A portrait of the artist as a young man.*
Hedwig Courths-Mahler, *Zwei Frauen.*
Thomas Mann, *Der Erwählte.*
Angelus Silesius, *Cherubinischer Wandersmann.*
Krista Fleischmann, *Thomas Bernhard, eine Begegnung.*
Sepp Dreissinger (red.), *Von einer Katastrophe in die andere.*
13 Gespräche mit Thomas Bernhard.
De Telegraaf, 20-11-'02.
de Volkskrant, 20-12-'02, 22-1-'03.
Bernard-Henri Lévy, *Le siècle de Sartre* (de banvloek, uitgesproken over Baruch de Spinoza).

Van Louis Ferron verscheen

POËZIE

1967 Zeg nu zelf, is dit ontroerend?
1974 Grand Guignol
1991 Voor de val
1998 Liederen van een andere zee

PROZA

1974 Gekkenschermer (roman)
1975 Het stierenoffer (roman)
1976 De keisnijder van Fichtenwald (roman)
1977 Turkenvespers (roman)
1978 De hemelvaart van Wammes Waggel (essays)
1979 De Gallische ziekte (roman)
1980 De ballade van de beul (roman)
1980 Berlin Alexanderplatz (essays)
1981 Plicht! (roman)
1881 De keldergang der heren (historiografie)
1982 Hoor mijn lied, Violetta (roman)
1984 Alpengloeien (verhalen)
1986 Over de wateren (roman)
1987 Toonkunst (novelle)
1989 Karelische nachten (roman)
1991 Spergebied (roman)
1993 De Walsenkoning (roman)
1994 De gehuurde hand (novelle)
1995 Een aap in de wolken (roman)
1997 Tinpest (roman)
1998 Viva suburbia (roman)
1999 Hier ligt Boot (novelle)
2000 De oefenaar (roman)
2002 Het overspelige gras (roman)

TONEEL/LIBRETTI

1977 Mattheuspassie
1983 Een marmeren graf
1986 Aan de Wannsee
1987 La Paloma
1988 Nachtwerk
1992 Toblerone
2001 De glazen kin